Gutes Benehmen – kein Problem!

Von Joachim Wachtel

Humboldt-Taschenbuchverlag

humboldt-taschenbuch 303
Umschlag: Christa Manner

Druck: Presse-Druck Augsburg
Printed in Germany
ISBN 3-581-66303-1

Vorwort

Was vor Jahren über Sitte und Anstand gedacht und geschrieben wurde, bedarf, kein Zweifel, dringend der Korrektur. Der Wandel sticht tagtäglich ins Auge, die Entkleidung galoppiert, und das nicht nur zur Sommerszeit und an den Stränden. Veränderung, wohin wir schauen: in den Eßgewohnheiten wie in der Sprache, im Schönheitsideal wie in den Moralvorstellungen. Die Schamröte will sich nicht mehr gar so willig einstellen; wir sind inzwischen einiges gewöhnt. Wer Anstoß erregen will, tut sich schwer heutzutage. So ist denn also alles erlaubt?

Keineswegs. Grenzen haben sich verschoben – aber es gibt sie noch. Die Mottenkiste des »Benimm« wurde gründlich entrümpelt – nun sieht sie wieder ganz ansehnlich aus. Ausgehöhlte Konventionen, schal gewordene Förmlichkeiten wurden verabschiedet – jetzt treten die sinnvollen, vernünftigen Formen wieder desto klarer hervor. Denn ohne dieses Grundgerüst an Umgangsformen lassen sich die menschlichen Beziehungen nun einmal nicht regeln. Regeln verhindern Verwirrung und bringen Ruhe ins Getriebe. Wer die Regeln kennt, weiß, was auf ihn zukommt und was ihn erwartet, was er zu tun und zu lassen hat. Solange wir uns an Spielregeln halten, kann kaum etwas schiefgehen. Es funktioniert.

Allerdings: Regeln werden heute großzügiger ausgelegt als früher, soviel ist richtig. Ein Schuß Ungezwungenheit, ja Unbekümmertheit ist mit dem Protest der Jugend in unser aller Leben gekommen: spürbare Lockerung der Hüllen, im physischen wie im psychischen Sinn. Das zeitraubende Ritual unverbindlicher Verbindlichkeiten hat stark gelitten, was ältere Menschen verwirrt: Sie halten die direktere, unkompliziertere Art, in der jüngere Menschen nun miteinander zu verkehren pflegen, schon für den Verfall der Sitten – was einfach nicht stimmt. Der Verzicht auf Titel, der Abbau von Hierarchien im Umgang miteinander ist, im Gegenteil, ein Fortschritt.

Auch Formen lassen sich formen. Man kann – um ein Beispiel zu nennen – Menschen, die sich noch nicht kennen, nach allen Regeln der Kunst und unter strikter Beachtung der feinen Abstufungen nach Alter, Rang und Würden miteinander bekannt machen; vielen älteren Menschen ist diese gesellschaftliche Pflichtübung in Fleisch und Blut übergegangen.

Jugendliche, die bei einer zufälligen Begegnung im Kino in beliebiger Reihenfolge die Vornamen ihrer Freunde und Freundinnen aufsagen, erfüllen dasselbe Pensum, nur wesentlich unterkühlter und formloser. Woraus zu ersehen ist, daß es bei der Bewältigung der meisten zwischenmenschlichen Beziehungen erhebliche »Bandbreiten« des Verhaltens gibt, die heute denn auch großzügig genutzt werden. Es geht auch anders, doch so geht es auch . . .

Dennoch: Es bleibt ein Mindestmaß an Gemeinsamkeit zwischen allen Gruppen, eine Basis des allgemein als verbindlich Akzeptierten. Der Gruß gehört dazu, das »Bitte« und »Danke«, das Türoffenhalten, die Entschuldigung, wo sie angebracht ist. Ganz spontane Regungen gehören dazu, wie die Hilfsbereitschaft gegenüber älteren und alten Menschen und die Rücksichtnahme auf alle Behinderten (die zuweilen nur darin zu bestehen braucht, daß man sie mit entgeisterten Blicken verschont).

Elementares Rüstzeug der Menschlichkeit. Wer diese Basis verläßt, muß mit Protesten rechnen. Wenn ein Studentenausschuß in einem Brief an den Kultusminister die Anrede auf ein drohendes »Herr Minister . . .« beschränkt, reagiert die Öffentlichkeit mit Unmut und Tadel: Die Barbaren sind unter uns. Nur wo ein Mindestmaß an Formen gewahrt bleibt, lassen sich Gegensätze mit Anstand und ohne Gefahr für Leib und Leben überbrücken. Umgangsformen sind die Garantie dafür, daß wir es miteinander aushalten können.

Und sie bleiben gewahrt, keine Angst. Jugendkult und Protesthaltung können nur vordergründig darüber hinwegtäuschen, wie intakt trotz allem Traditionen sind. Orden stehen nach wie vor hoch im Kurs, und sicher nicht bloß bei einer Minderheit. Vor die Wahl gestellt, mit dem verschwiegenen Gang zum Standesamt vorliebzunehmen oder die große Hochzeit mit allem Drum und Dran zu feiern, entscheiden sich erstaunlich viele Paare für die aufwendigere, die altmodische Lösung.

Vieles hält sich, manches ist schlicht unausrottbar: Der weggespreizte kleine Finger beim Trinken verbindet das Mannequin mit dem Rock-Star, und der Handkantenschlag ins Sofakissen, Inbegriff bürgerlicher Wohnkultur, überlebt noch, wenn nicht alles täuscht, das Jahr 2000. Kavaliere sterben aus – was fortbesteht, sind die verkrampft belächelten Kavaliersdelikte (wozu Alkohol am Steuer gewiß nicht zählt).

Da werden nachts die Autotüren geknallt, daß an Schlaf nicht zu denken ist, die Räder drehen beim Anfahren durch: Die Art, wie sich Menschen auf die Nerven gehen, hängt ja eng mit dem technischen Entwicklungsstand zusammen. Schopenhauer, der Philosoph, beklagte sich noch bitterlich über das Peitschenknallen der Kutscher. Was würde der sensible Mann wohl angesichts der modernen Terrorinstrumente, der Radios, Telefone und Rasenmäher sagen, von denen so gnadenlos Gebrauch gemacht wird? Gleichgültigkeit gegenüber den Mitmenschen paart sich da – und beileibe nicht bloß dabei – mit Gedankenlosigkeit und verstößt mit Getös' gegen alle Gebote des Anstands und des »guten Tons«. Guter Ton heute: das kann doch nichts anderes als den Versuch bedeuten, gemeinsam einen rücksichtsvollen Lebensstil zu entwickeln, um so die Belastungen, denen wir alle am Arbeitsplatz, in der Hausgemeinschaft und meist sogar im Urlaub ausgesetzt sind, so weit, wie es geht, in Grenzen zu halten. Ist es denn wirklich so schwer, sich in Mitmenschen, sei es der Kollege oder der Nachbar, einzufühlen und hineinzudenken – oder stimmt Bertrand Russells böses Wort am Ende doch: »Kein Mensch behandelt sein Auto so dumm wie einen anderen Menschen.«

Taktgefühl, Menschlichkeit ist sicher keinem angeboren. Die Gleichwertigkeit in einer Gemeinschaft zu respektieren und anderen Menschen, Fremden vor allem, ohne Dünkel zu begegnen, kurz, demokratische Höflichkeit zu praktizieren, ist für jeden von uns ein Lernprozeß. Jeder muß da bei sich selbst anfangen.

Eine ganze Menge darüber steht in diesem Buch – nebst ausführlichen Hinweisen auf die sachgerechte und vernünftige Bewältigung von alltäglichen und nichtalltäglichen Lebenssituationen.

Abendessen

Was so friedlich mit »Abend« beginnt, weist denn auch gelegentlich ins Feierlich-Gemütsvolle, ins Festliche – von der Abendsonne, den Abendglocken bis zur Abendgesellschaft und Abendkleidung. Das Abendessen macht da keine Ausnahme: ein Abendessen ist schließlich kein schlichtes Abendbrot.

Allerdings: Abendessen, die diesen Namen verdienen, richtige imposante Mahlzeiten mit mehreren Gängen, zählen heute zu den Ausnahmen, die sich das jubilierende Unternehmen, ein vermögender Brautvater oder der Staat leisten – letzterer muß es zuweilen, so fordern es die internationalen Gepflogenheiten protokollarischer Höflichkeit nun einmal.

Ausnahmen, wie gesagt. Abendessen als Mittel aufwendiger Repräsentation mit allem Drum und Dran haben sich inzwischen selbst gastfreundliche Häuser und Haushalte aus gutem Grund abgewöhnt. Welche Küche, von der Hausfrau allein betreut, gibt schon mehrere Gänge her, und welcher kalorienbewußte Gast legt gesteigerten Wert darauf, sich zwischen 21 und 23 Uhr den Magen zu füllen – wo doch ein gern zitiertes Wort morgens ein königliches Frühstück, abends jedoch die Anspruchslosigkeit des Bettlers empfiehlt?

Die ausgedehnte abendliche Völlerei bis zum Gehtnichtmehr paßt nicht in unsere Zeit. Um so beliebter ist heute der Spaß an der schnuckeligen Spezialität, an appetitlichen kleinen Leckerbissen, ob Fleischfondue oder Pizza, Muscheln oder Schnecken. Hauptsache, es geht schnell.

Fast so schnell wie der Telefonanruf, mit dem man sich zum Essen verabredet. Ohne alle Formalitäten. Daheim oder, noch bequemer, beim Griechen, Italiener, Jugoslawen um die Ecke. Ein kleines Mitbringsel für die Hausfrau (wenn die Tafelei zu Hause stattfindet), ein Blumenstrauß oder -sträußchen, ein teureres Gewürz kann nie verkehrt sein, auch wenn man sich des öfteren trifft.

So sieht die gelöst-heitere Form des »Abendessens« aus; sie ist problemlos auch hinsichtlich der Kleidung. Steht aber ein Jubiläum ins Haus, eine Silberne Hochzeit oder ein runder Geburtstag, werden sich die Gastgeber etwas anderes einfallen lassen. Wenn sie nicht die Küche und den Service eines guten Restaurants vorziehen (was aus Raum- und Personalgründen immer häufiger geschieht), wenn sie also auf die gewohnte häusliche Atmosphäre nicht verzichten wollen, bietet sich ein kaltes Buffet an. Wenn es geliefert wird, kommt es nicht ganz billig. Wenn es selbst hergerichtet wird, macht es Arbeit. Da muß man sich halt entscheiden.

Wird eine schriftliche Einladung zum Abendessen verschickt, was heute nur noch selten und bei besonders feierlichen Anlässen geschieht, steht die Art des Essens, ob kalt oder warm, auf der Karte vermerkt, ebenso die erbetene Kleidung (zum Beispiel dunkler Anzug oder gedeckter Anzug).

Ein warmes Abendessen soll sich heute auf drei Gänge, kann sich auf *einen* dazu gereichten Wein beschränken. Die übliche Zeit für die Einladung ist 20 Uhr. Mit der Begrüßung der Gäste und dem Aperitif vergehen 15 bis 20 Minuten. Bei einem warmen Essen ist die Küche auf die Pünktlichkeit der Gäste eingestellt; bei einer Verspätung ist ein Anruf angebracht (man möge bitte nicht warten). Bei einem kalten Buffet ist die Verspätung nicht so tragisch. Bloß: die besten Happen sind weg.

Bedanken muß man sich auf jeden Fall – das ist eine eherne Regel. Nur die Art des Danksagens variiert. Unter Freunden kann man das »Dankeschön« am Telefon beiläufig in ein paar Sätzen einpacken, wie gelungen das Essen, wie lustig der Abend war.

Bei einem offizielleren Anlaß (dunkler Anzug) wird das »Danke« entsprechend aufwendiger ausfallen: Man schickt einen Blumenstrauß mit ein paar herzlichen Zeilen. Wer die Blumen schon am Abend mitgebracht hat, steckt eine Karte in einen Umschlag, auf der, beispielsweise, stehen kann: »Herzlichen Dank für diesen netten Abend! Schade, daß wir uns nicht länger unterhalten konnten! Mit besten Grüßen Ihr . . .« Oder Ähnliches, dem Geschehen angepaßt, auf den Abend bezogen. Das genügt.

Abendkleidung

»Abendkleider, Smokings kosten weniger als das, was ein jugendlicher Motorradfahrer für sein Lederzeug ausgibt«, stellte ein liberaler Kritiker anläßlich einer Diskussion über Sinn und Unsinn der Abendkleidung fest. Abendkleidung hat in unseren Breitengraden zum Glück nichts mehr mit »feinen Leuten« zu tun.

Luxus hin, Luxus her: Wo Menschen sind, wird auch ab und zu einmal ein Fest gefeiert. Ein Fest aber hebt sich, wie der Name sagt, über den Alltag hinaus – auch in der Kleidung. Diese festliche Kleidung ist heute längst nicht mehr unerschwinglich teuer (man vergleiche die Anzeigen großer Bekleidungshäuser!). Wer behauptet, daß Abendkleidung kostspielig ist, setzt sich dem Verdacht aus, abends bloß zu bequem zu sein, sich umzuziehen.

Der Frack, eines der letzten ungeschorenen Relikte des 19. Jahrhunderts und einst Inbegriff abendlicher Eleganz, verschwindet mehr und mehr vom Parkett. Allenfalls bei besonders festlichen Festen (wenn die Steigerung erlaubt ist), wie beim Wiener Opernball, wird er noch vorgeschrieben, bei Staatsempfängen hingegen nur selten (die Vertreter der sozialistischen Länder lassen es beim dunklen Anzug bewenden). Orden, einst dem Frack vorbehalten, können deshalb jetzt auch bei uns zum dunklen Anzug getragen werden.

Der Smoking hat nun die Stelle des beliebtesten Gesellschaftsanzuges eingenommen und wird (mit weißem Umlegekragen und mit schwarzer Schleife) zum Ball und zur Party, zur Opernpremiere und zur Hochzeitsfeier getragen. An seiner klassischen Form – seidenüberzogener Schalkragen und Galons an der Hose – hat sich nichts geändert.

Er muß aber nicht mehr unbedingt schwarz sein. Abendkleidung hieß ja einmal, jedenfalls bei Männern, konsequentes und puritanisches Schwarz-Weiß. Damit ist es vorbei. Farbe, Farbigkeit hat sich durchgesetzt – und dazu Seide, Samt, Satin und ein neues Styling, das den konventionelleren Smoking für den »Herren in den besten Jahren« gegen unkonventionellere Anzugsformen der jüngeren und jungen Jahrgänge absetzt.

Bei Beat- und Tanzparties, in Diskotheken findet allabendlich eine Art permanenter Modenschau statt. Erlaubt ist, was gefällt, bevorzugt alles, was neu, phantasievoll und ein bißchen gewagt scheint. Aufgepaßt: bei der Gesellschaftskleidung kommt es weniger auf das Alter als auf den Typ an!

Abendkleidung, Gesellschaftskleidung, »große Toilette«, wie immer man es zu nennen beliebt, verlangt nach gegenseitiger Abstimmung zwischen Mann und Frau. Neben einem langen Abendkleid wirkt der simple dunkle Anzug, der etwas altmodische Klassiker männlicher Gesellschaftskleidung, allzu leichtgewichtig und einfach nicht festlich genug. Zum Abendkleid gehört der Smoking.

Der dunkle Anzug: ein dunkles Kapitel der Garderobe. Er wird, schwarz natürlich, zu einer Beerdigung gekauft und fristet dann das Dasein eines Ausgestoßenen oder besser: Eingeschlossenen: Er hängt im Schrank. Wenn er wieder mal gebraucht wird, paßt er nicht mehr oder sieht aus wie vom Vater vererbt. Schade um das Geld.

Wer rechnen muß, und wer muß das nicht, sollte sich lieber einen dunkelblauen Anzug kaufen. Denn der läßt sich – mit dunkler Krawatte, mit farbiger Krawatte, je nach Anlaß und Tageszeit – viel öfter verwenden. Den kann man auch tagsüber tragen, ohne daß Kollegen sich genötigt sehen, ihr Gesicht in Kummerfalten zu legen.

Abendkleidung, auch das sei gesagt, bedarf der Übereinkunft zwischen Gastgeber und Gästen. Bei allen abendlichen Einladungen vergewissere man sich, welche Kleidung gewünscht wird. Nichts ist peinlicher als »overdressed«, also eine Nummer zu elegant zu erscheinen; nichts ärgerlicher, als im Straßenanzug unter Smoking-Träger zu geraten. Besonders dann, wenn der Smoking ungenutzt zu Hause im Schrank hängt . . .

Alkohol

(siehe auch unter: Bier, Bowle, Cocktails, Essen, Getränke, Gläser, Schnaps und Likör, Sekt, Trinken und Trinksitten, Wein)

Manche Menschen haben es doch gut. Sie schlafen ein, wenn sie drei Gläser getrunken haben. Am Tisch. Oder lächeln nur noch freundlich. Andere werden aggressiv, böse oder laut. Alkohol wirkt bei jedem Menschen anders – die meisten enthemmt er. Gut zu wissen, wohin man selbst tendiert. Kritische Selbsterkenntnis ist hier durchaus angebracht.

Wer nichts gegessen hat, sollte keinen Alkohol trinken. Ohne eine kräftige Unterlage sind die Folgen unabsehbar; vor feucht-fröhlichen Nächten empfiehlt sich zusätzlich ein Eßlöffel

Maiskeim- oder Olivenöl. Auch wer unter seelischem Druck steht, sollte nur mit Vorsicht trinken.

Weise Regeln, gewiß, die Wirklichkeit sieht oft genug ganz anders aus. Wen es also, allen guten Vorsätzen zum Trotz, erwischt hat, der hüte sich wenigstens vor der Milchmädchenrechnung, mit zwei Tassen starken Kaffees sei die Angelegenheit zu bereinigen. Kaffee, und sei er noch so stark, ist keine Alkoholbremse! Er bewirkt oft sogar das Gegenteil!

Gastgeber pflegen ja nachts gern ihr Gewissen damit zu beruhigen, daß sie Kaffee kochen. Sicher handeln sie auch in dem Glauben, durch einen steifen Kaffee seien die Folgen der fröhlichen Zecherei schon paralysiert. Und die Gäste steigen in ihre Autos und setzen sich ans Steuer, ohne in ihrem Zustand zu bedenken, daß schon ab 0,4 Promille Blutalkohol meßbare Beeinträchtigungen der Fahrtauglichkeit auftreten und daß bei 0,8 Promille das statistische Risiko, einen Unfall zu verursachen, viermal so groß ist wie ohne Alkohol (bei 1,5 Promille ist es sogar zwanzigmal so groß!).

Dabei hat ein Gastgeber allen Grund, auf die Fahrtüchtigkeit seiner Gäste zu achten. Juristen leiten aus dem »vorangegangenen Tun« eine »Garantenpflicht« ab, die nicht nur darin zu bestehen hat, mit Engelszungen auf einen angetrunkenen Autofahrer einzureden und ihn von seinem Vorhaben abzubringen, sondern weitergehend sogar darin, ihm die Autoschlüssel abzunehmen. Also lieber ein Taxi holen oder eine Lagerstatt bereiten als sich Scherereien mit der Staatsanwaltschaft einhandeln! Einige tausend Tote im Straßenverkehr allein durch Alkohol am Steuer: wenn das kein Irrsinn ist. Aber nein: Trunkenheit am Steuer gilt in der Gesellschaft »immer noch als Kavaliersdelikt, der Getötete als Verunglückter«, nicht als Ermordeter.

Besondere Gefahren für den Autofahrer birgt der schnelle und kräftige Schluck, mit dem er, der Fahrer, sich aus der zechenden Runde verabschiedet. »Schluß-Sturztrunk« nennen Richter die »hastige Einnahme erheblicher Mengen von Alkohol kurz vor Fahrtbeginn«. Zur drastischen Verstärkung der Alkoholwirkung führt auch die Kombination von Alkohol und bestimmten Tabletten.

Übrigens richtet sich der warnende Appell, unbedingt die 0,8 Promille-Marke zu beachten, nicht nur an die Autofahrer, sondern genauso auch an die Skifahrer. Ein nicht unbeträchtlicher Teil der Unfälle auf der Piste ist, wie man inzwischen weiß, auf Alkoholgenuß zurückzuführen!

Anklopfen

Es gehört fast schon zum ungeschriebenen Einmaleins des Benehmens, daß man, angemeldet oder nicht, in die Zimmer anderer, oft wildfremder Menschen nicht einfach hineinstürmt, sondern sich vorher durch Klopfen bemerkbar macht. Vom Kellner im Hotel, vom Besucher im Krankenhaus erwartet man das schließlich auch. Als Gast in einem Haus hält man sich ebenfalls besser an diese Regel – bis sie ausdrücklich aufgehoben wird.

Bei Behörden und in Verwaltungen mit vielem Hin und Her auf den Fluren wirkt das Anklopfen der Mitarbeiter – nicht der Außenstehenden! – allerdings übertrieben. Im Zeichen des Großraumbüros verzichten deshalb immer mehr Unternehmen auf diese bei vielen Menschen in Fleisch und Blut übergegangene Pflichterfüllung.

Daß sich auch Chefs diesem Abbau anschließen, gilt als rühmenswerte Ausnahme. Bei ihnen und bei leitenden Angestellten bleibt es vorerst beim Anklopfen. Sie werden ja ohnehin meist durch ein Vorzimmer abgeschirmt.

Anreden

(siehe auch unter: Begrüßen, Bekanntmachen, Briefschreiben, Duzen, Gericht, Militär)

Die schlichte und richtige Anrede unter freien Bürgern heißt: »Herr X.«, »Frau Y.« und »Fräulein Z.« (wenn dieses entsprechend jung ist). Nichts weiter, nichts ist einfacher als das.

Also wird ein Redner seine erwartungsvolle Zuhörerschar mit der Wendung »Meine Damen und Herren« begrüßen? Er kann – doch er wird meistens nicht. Denn offensichtlich empfinden das viele Menschen als ein wenig schmucklos und dürr, weshalb der Redner flugs seine Verehrung einflicht und sagt: »Meine sehr verehrten Damen und Herren«. Oder: »Meine sehr verehrten Damen, meine Herren.« Da geht's schon los: Der sogenannten Verehrung, dem Ausdruck des Respekts und der Hochachtung und damit leider auch der »Phrase« sind in der Anrede keine Grenzen gesetzt.

Aus der Frau wird im Handumdrehen eine »Gnädige Frau« – besonders dann, wenn der Gesprächspartner ihren Namen nicht verstanden oder schon wieder vergessen hat. Man flüchtet sich ins Kompliment, ein »Gnäfrau« geht schließlich schnell über die Lippen. Wir sollten aber von dieser Inflation der »Gnädigsten«, die vielerorts mit Höflichkeit verwechselt wird, wegkommen und diese Anrede – dann aber auch »Gnädige Frau« gesprochen – für die seltenen Fälle aufsparen, wo sie wirklich angebracht ist.

Da wir uns daran gewöhnt haben, in der Ehe nicht mehr die einzige Form der weiblichen Selbstverwirklichung zu sehen, ist es nur konsequent, auch die unverheiratete Frau als das zu bezeichnen, was sie unbestreitbar ist: als »Frau«. Das Wort »Fräulein« weist von einem gewissen Alter ins Schrullig-Komische, und schon deshalb sollten wir es vermeiden (Ausnahme: die Dame selbst legt Wert darauf).

Aber es gibt doch auch die Mittzwanzigerinnen? Gewiß. Die Grenze zu heiratswilligen Jahrgängen, die ihrerseits auf dem »Fräulein« bestehen, wird man – ungefähr! – um die Dreißig herum ziehen dürfen. Die Frau von Dreißig ist auf jeden Fall – eine »Frau«, im Brief und im Gespräch.

Wenn Paare unverheiratet zusammen leben (was ja, allen sogenannten Anstandsregeln zum Trotz, immer häufiger vorkommt), kann und soll man die beiden als »Herr X.« und »Frau Y.« anreden, auch beim Bekanntmachen. Bei diesen Paaren zumindest darf man hoffen, daß die Frau von Formulierungen wie »mein Bekannter«, »mein Freund« oder »mein Schatz« wegkommt – hin in Richtung auf die Realität: »mein Mann«.

Titel haben einen Sinn

Schlimmer ist freilich der »Wirrwarr« um Amtsbezeichnungen und Titel, es soll weit über tausend geben. Die große Zeit pompöser Titel – schreckliches Erbe des 19. Jahrhunderts – ist vorbei, man besinnt sich allmählich auf den Menschen, der hinter hochtrabenden Vokabeln wieder zum Vorschein kommen soll.

Manche Stadtverwaltungen, einschließlich ihrer Oberbürgermeister, haben öffentlich ihren Titelverzicht verkündet. Überall, auch in den Protokollabteilungen der deutschen Länderregierungen, wird versucht, von den geschraubten Titulierungen vergangener Tage wegzukommen. Auch der »Herr Direktor« wird in Betrieben, jedenfalls im alltäglichen Umgang, mehr und mehr abgebaut; der Gebrauch sieht heute schon fast nach Servilität aus.

Abgeordnete	Herr Abgeordneter, Frau Abgeordnete
Bischof	modern: Herr Bischof sonst: Exzellenz, Eure bischöfliche Gnaden
Botschafter (ausl.)	Exzellenz
Botschafter (deutsch)	Herr Botschafter
Bürgermeister	Mit Namen sonst: Herr Bürgermeister
Bundespräsident	Herr Bundespräsident
Bundesminister	Herr Minister
Dekan der Universität	Herr Professor sonst: Spektabilität
Freiherr, Baron, Baronin	Herrn von X. (oder Baron) Frau von X. (oder Baronin) Fräulein von X.
Graf, Gräfin	Graf, Gräfin
Kardinal	modern: Herr Kardinal sonst: Eure Eminenz
Ministerpräsident	Herr Ministerpräsident
Offiziere	im zivilen Umgang mit Namen, ohne Rang
Rabbiner	Herr Rabbiner
Rektor der Universität	Herr Rektor sonst: Magnifizenz

Wer einen Kardinal mit »Eure Eminenz« anredet, verrät Kenntnis; wer »Herr Kardinal« sagt, handelt zeitgemäß (und braucht keineswegs zu befürchten, daß man ihm Unkenntnis der Formen nachsagte). Genauso ist es mit »Magnifizenz« – heute »Herr Rektor«. Doch wie oft kommt heute noch ein »Ihr Herr Vater« oder »Ihr Fräulein Tochter« über die Lippen, wo es doch »Ihr Vater« oder »Ihre Tochter« genauso täten.

Freilich: Titel und Amtsbezeichnungen haben einen Sinn, wenn sie über den Beruf (Studienrat), über die Stellung im Beruf (Direktor), über die Funktion (Pfarrer) oder akademische Qualifikation (Dipl.-Ing.) informieren. Was nicht bedeutet, daß solche Titel und Würden aus dem Berufsleben in die Privatsphäre übertragen werden müssen. Im privaten Umgang wird man deshalb Männer, gleichgültig ob Wirtschaftsboß oder Offizier, mit »Herr« und seinem Nachnamen ansprechen. Die Namen allerdings muß man im Kopf haben, man braucht sie für die Anrede im Gespräch. Ein »Äääääh . . .« ist peinlich.

Akademische Grade

Akademische Grade läßt man im allgemeinen unangetastet, wenn auch unter jungen Akademikern der Kreis derjenigen wächst, die auf ihren Grad im Privatleben keinen großen Wert legen. Trotzdem: »Herr Doktor X.«, »Frau Doktor Y.«, also akademischer Grad plus Namen sind und bleiben üblich, ebenso der »Herr Professor« oder die »Frau Professor«. Grundsätzlich kann man sagen: Name plus Titel klingt immer höflicher als bloß der Titel, dem man oft genug die pure Verlegenheit (wie war bloß der Name?) anmerkt. Auf gar keinen Fall wird ein Titel, wie früher oft und gern geschehen, vom Mann auf die Ehefrau übertragen.

Adel

Bleibt der Adel. Die deutsche Republik hat es nach dem verlorenen Ersten Weltkrieg – anders als Österreich – nicht fertiggebracht, dem Adel die sehr undemokratische Startchance des wohlklingenden Adelsprädikats zu nehmen. Bestimmte Adelsprädikate wurden zum Bestandteil des Namens erklärt.

Deshalb kommen wir heute um den »Graf« (ohne zusätzliches »Herr«) nicht herum. Beim Baron oder Freiherrn wird man nördlich-kühl eher »Herr von X.« sagen, während im Süden Deutschlands der »Baron« (ebenfalls ohne »Herr«) nach wie vor gern gehört wird.

Arbeitsplatz

(siehe auch unter: Anreden, Beschwer(d)en, Bewerbung, Einstand, Geburtstag, Jubiläen, Offene Worte, Telefonieren, Vorstellen am Arbeitsplatz)

Nur ein Träumer und Phantast kann die Realitäten der Arbeitswelt mit dem »Knigge« unter dem Arm verändern wollen. Gerechte Bezahlung, menschenwürdige Behandlung, Anerkennung der Leistung: das und vieles mehr läßt sich nicht durch den simplen Hinweis darauf verwirklichen, daß das erste Gebot in unserem Abendland theoretisch immer noch lauten sollte: Liebe deinen Nächsten wie dich selbst. Wie schön, wenn es so einfach wäre . . .

Doch so einfach ist es eben nicht. Menschen können Menschen ganz schön zusetzen. Jeder Betrieb, ganz gleich welcher Größenordnung, ist ein soziales Spannungsfeld mit Hierarchien von Vorgesetzten und Untergebenen, mit jüngeren und älteren Mitarbeitern, Männern und Frauen, Gestreßten und Gelangweilten. Mit Radfahrern, Drachen, Leisetretern, Casanovas, Karriere-Neurotikern (von drastischeren Vokabeln ganz zu schweigen). Der Mensch ist gut? Von wegen . . .

Kontaktschwierigkeiten unter Mitarbeitern; Spannungen zwischen den Generationen (»Lehrjahre sind keine Herrenjahre«); das Gefühl, »festgefahren« oder völlig uninformiert zu sein, auch ein autoritärer Chef: all das kann Menschen physisch und psychisch krank machen. Dickhäuter sind wir (fast) alle nicht. Ob Aufstieg oder Abstieg, Akkord oder Alter: Angst und Ängste überall.

Alle Bemühungen um eine »menschengerechte Gestaltung der Arbeit«, um die Verbesserung der Arbeitsbedingungen (von der Modernisierung der Kantine bis zur Lärmbeseitigung), müssen Hand in Hand gehen mit dem allgemeinen Bestreben, einander mit Verständnis, Achtung und Hilfsbereitschaft zu begegnen.

Höflichkeit und Menschlichkeit

Auch vermeintliche Kleinigkeiten tragen zum »Betriebsklima« bei. Warum sollten die einfachsten Regeln der Höflichkeit – sich die Tür aufzuhalten, sich freundlich zu grüßen, Frauen den Vortritt zu lassen – ausgerechnet in der Arbeitswelt, in der wir doch ein gut Teil unseres Lebens verbringen, keine Gültigkeit haben?

Man braucht sich natürlich nur einmal zu grüßen; bei wiederholten Begegnungen im Laufe des Tages tut's ein Lächeln auch. Man gibt sich auch nur einmal am Tag die Hand, und zwar im engsten Kreis der Kollegen; auch das läßt sich noch einschränken, wir neigen ja sehr zum Händeschütteln. Und im Großraumbüro genügt als Begrüßung ohnehin ein freundliches »Hallo« in die Runde.

Wer einen kleinen Raum mit wenigen Menschen betritt, grüßt (es grüßt immer der, der eintritt). Wer arbeitet, braucht nicht aufzustehen, selbst wenn der höchste Vorgesetzte naht. Frauen bleiben ja ohnehin sitzen. Wer als jüngerer Mitarbeiter glaubt, durch demonstratives Sitzenbleiben vor dem Vorgesetzten schon Widerstand gegen das »System« zu leisten, sollte ruhig sitzen bleiben. Die meisten Chefs sind heute in solchen Dingen schon sehr viel unempfindlicher. Unsere Meinung ist allerdings, daß es sich leichter spricht von Mensch zu Mensch, wenn man sich Auge in Auge gegenübersteht oder -sitzt (der Chef kann sich nämlich auch hinsetzen).

Bei konzentrierter Arbeit störe man sich nicht durch Nebensächlichkeiten. Jede neuerliche Konzentration, jeder Neubeginn fordert zusätzlichen Kraftaufwand. Deshalb sollte man auch nicht wegen jeder Kleinigkeit mechanisch zum Telefonhörer greifen.

In leeren Zimmern, in denen keiner am Platze ist, sollte man sich nicht zu schaffen machen. Jedenfalls nicht allein. Der Schreibtisch eines Kollegen ist allerdings nicht tabu, wenn er abwesend ist. Hier empfiehlt es sich aber ebenfalls, im Notfall zu zweit zu suchen.

Die Kunst der Menschenführung besteht darin, Untergebene so zu behandeln, wie man selbst von Vorgesetzten behandelt werden möchte. Dieser kluge Satz läßt sich auch auf die Kollegen übertragen: Man verhält sich Kollegen gegenüber so, wie man sich ihr Verhalten selbst wünscht.

Dann wird man die vielen Formen der Unkollegialität auch leichter erkennen. Der eine führt zu lange Telefongespräche, vor allem private. Der andere fehlt ausgerechnet in Zeiten größten Arbeitsanfalls und läßt andere für sich mitschuften... Selbst Ordnung am Arbeitsplatz ist ja durchaus nicht die Privatangelegenheit jedes einzelnen: Nervöses Suchen, das zur Angewohnheit wird, macht schließlich auch andere nervös.

Diskussion und ein offenes Wort können manche Reibungsfläche aus der Welt schaffen. Den Ärger schlucken, führt zu nichts.

Ein offenes Ohr für die Nöte und Probleme des Kollegen – bei selbstverständlicher Verschwiegenheit – gehört zu den Pflichten eines jeden im Betrieb. Für viele Menschen, vor allem für alleinstehende und ältere, ist der Arbeitsplatz so etwas wie die Nabelschnur zum Leben. Hier, nur hier finden sie den Kontakt zu Mitmenschen, der ihnen außerhalb der Dienstzeit oft versagt bleibt.

Menschen müssen sich umeinander kümmern. Sie sitzen im selben Zimmer und begreifen manchmal gar nicht, daß der andere jemanden braucht, dem er sein Herz ausschütten kann, der ihm einen Rat in scheinbar ausweisloser Lage gibt. Gewiß, mancher fühlt sich in solcher Situation als Ratgeber überfordert, und wohl auch mit Recht. Ohne Geständnisse an die große Glocke zu hängen, muß es möglich sein, im Ernstfall einen verständnisvollen Vorgesetzten oder einen Arzt einzuschalten.

Klatsch und Tratsch

Theoretiker verkünden schlicht, man solle sich vor Klatsch und Tratsch hüten. Goldene Worte. Aber jeder Mensch, der sich unter Menschen begibt, muß damit rechnen, daß über ihn ein bißchen hergezogen wird. Wir haben alle unsere kleinen Schwächen, die für andere interessant sind. Ist nicht ein gutmütiger Schwatz über Kollegen besser als das Geschwafel über Autos? Zwischen naivem Klatsch und bösartiger Nachrede liegt immer noch ein weites Feld.

Ein größeres Übel dürfte die Gruppenbildung innerhalb der Gruppe sein, die Cliquenbildung, die ohnehin bestehende Spannungen (scheinbare oder tatsächliche Arroganz der Akademiker, Dünkel mancher Angestellten gegenüber Arbeitern) noch verschärfen kann. Sie, die Insider, hocken jede freie Minute zusammen, flüstern, tuscheln, lachen – und duzen sich, versteht sich. Jeder, der nicht mitmacht, wird zum Außenseiter gestempelt. Unkollegialität, wie sie im Buche steht.

Dabei ist es so angenehm, wenn es gelingt, sich trotz achtstündigem Neben- und Miteinander eine Spur von Distanz, eben das »Sie«, zu erhalten (Arbeitsplätze wie das Band, die Baustelle, den Schacht ausgenommen; da herrschen andere Gesetze). Man kann sich auch mit Vornamen anreden und dabei siezen!

Feiern und Geschenke

Allzu innige Verbrüderung bringt auch jene Art von Feiern mit sich, die den wenigsten zur reinen Freude gereichen, von allen aber (Sei kein Spielverderber!) demütig und in ihr Schicksal ergeben, toleriert werden – einschließlich der lästigen Pflicht zum Geschenk und zum »Revanchieren«. Niemand hat etwas gegen eine Tasse Kaffee und ein Stück Kuchen im kleinen Kreis. Das kann jede Firma, groß oder klein, verkraften.

Aber jeder, der für Arbeitsabläufe verantwortlich ist, wird etwas gegen die alkoholbeschwingten Vergnügungen haben, die ganze Abteilungen für Stunden lahmlegen. Wer seinen Geburtstag mit Kollegen feiern will, soll sie abends zu sich einladen. Und keineswegs erwarten, daß Kollegen sich verpflichtet fühlen, ein Gleiches zu tun.

Gutverdienende Vorgesetzte, von Inhabern ganz zu schweigen, sollten sich überhaupt weigern, größere Geschenke anzunehmen (der Blumenstrauß auf dem Schreibtisch gehört noch nicht dazu). Oft genug ist es die nächste Umgebung der Chefs, die sich wichtig tut und Spendenlisten zirkulieren läßt, um fragwürdige Sympathiekundgebungen zu inszenieren. Und wie so oft fehlt es Arbeitnehmern auch in solchen Situationen an Solidarität, um gemeinsam entschieden und geschlossen »nein« zu sagen.

Jüngere Frauen – ältere Frauen

Die Tatsache, daß Frauen um gleichen Lohn für gleiche Arbeit kämpfen und versuchen, auch in die harte Männerwelt der höheren Positionen einzudringen – die Tatsache also, daß Männer und Frauen konkurrieren, sollte den Mann nicht dazu verleiten, sich jedweder Rücksichtnahme gegenüber Frauen zu enthalten. Um einen Chef, der es sich – als Vorgesetzter – nicht glaubt leisten zu können, seiner Sekretärin in den Mantel zu helfen, ist es traurig bestellt.

Büros und Betriebe sind keine Eros-Center – wären sie es, so wie manche Filme uns glauben machen wollen, bräche vermutlich die Wirtschaft zusammen. Allerdings haben sich die Formen des Umgangs in den letzten Jahren auch in diesem Bereich ein bißchen gelockert.

Keinem Mädchen, keiner jungen Frau wird man es verargen, wenn sie sich modisch kleiden und etwas zarte Haut zeigen. Männer sehen das seit eh und je gern. Ob diese Frauen auch an ihre älteren Kolleginnen denken, für die solches In-Szene-Setzen nur zusätzliche Deklassierung bedeuten kann, muß man bezweifeln. Kollegial ist es bestimmt nicht.

»Jeder hat nur *ein* Arbeitsleben«, urteilte das höchste deutsche Arbeitsgericht (dem wir auch diesen Satz: »Schlaf bei der Arbeit ist ein Grund zur fristlosen Kündigung« verdanken). Sorgen wir gemeinsam dafür, daß wir uns dieses eine Arbeitsleben, immerhin etwa ein Fünftel unseres Lebens, nicht zur Hölle machen!

Verkäuferinnen sind auch nur Menschen

Immer wieder kommt es zu Reibereien zwischen der Kundschaft und Verkäufern oder Verkäuferinnen. Wer sich über Desinteresse, mangelndes Fachwissen und mürrisches Benehmen beschwert, sollte sich zugleich fragen, was eine Verkäuferin verdient und was die Firmen unternehmen, um ihr Verkaufspersonal richtig auszubilden und zu informieren (manche machen, sicher nicht uneigennützig, eine ganze Menge).

Kritischer Konsum ist zu begrüßen und jede Aufklärung willkommen, die Menschen davon abhält, kleinbürgerliche Besitzgier schnell und wahllos zu stillen. Andererseits muß man sich auch fragen, ob ein kritisch-wählerischer Kunde, der schließlich gar auf den Kauf verzichtet, die Nerven hätte, die er von einer Verkäuferin als selbstverständliche und kostenlose Dreingabe verlangt.

»Man hat manchmal wirklich den Eindruck, als kämen die Kundinnen nur zu uns, weil sie sich das Dienstmädchen zu Hause nicht mehr leisten können, das sie früher schikanierten«, hat eine Münchner Verkäuferin zu Protokoll gegeben. Käufer und Käuferinnen sind ihrerseits über die Unfreundlichkeit und vor allem die Gleichgültigkeit der Bedienung aufgebracht.

Artischocken

Artischocken können »schocken«. Manch einer mag schon einmal auf dieses wohlschmeckende Gemüse verzichtet haben, weil er nicht recht wußte, wie er sich den – bis zu 15 Zentimeter großen – Blütenkopf einverleiben sollte.

Dabei ist die Sache einfach, wenn man es weiß. Die Artischocke – mit der Distel verwandt, man höre und staune – wird mit der Hand gegessen. Man zupft mit Daumen und Zeigefinger geduldig und genüßlich Blatt für Blatt von der Blütenumhüllung, taucht das fleischige Ende in die Soße und saugt das weiche Fleisch samt Soße, auf die es besonders ankommt, aus dem harten Rest des Blattes, den man auf den Tellerrand oder auf einen dafür vorgesehenen Teller legt. Meist gibt es verschiedene Arten von Soßen.

Zur Mitte hin werden die Blätter immer zarter. In der Mitte, unter dem fadenähnlichen »Heu«, das ungenießbar ist und mit der Gabel vorsichtig abgehoben wird, liegt das Beste: der Blütenboden. Er wird mit Gabel oder Messer zerteilt und dann, ebenfalls mit der Gabel, verspeist. Auch diese Stücke werden in Soße getaucht.

Artischocken können roh gegessen werden. Im Restaurant werden sie im allgemeinen gekocht und als Vorspeise oder leichte Hauptmahlzeit serviert – je nach Wunsch heiß, lauwarm oder kalt.

Wer Artischocken, dieses Labsal für Galle und Leber, zu Hause reicht, darf zumindest die Papierservietten für die Hand nicht vergessen. Fingerschalen sind bei diesem Gericht kein übertriebener Luxus.

Auslandsreisen

(siehe auch unter den einzelnen Länderkapiteln)

Deutsche sind sparsam bis geizig und leben von Bier, Wurst, Sauerkraut und Kartoffeln. Sind diszipliniert, erzählen dauernd Witze und beschweren sich über die Trägheit und Langsamkeit der Arbeiter im Urlaubsland.

Solche Zensuren geben Ausländer »den« Deutschen. Auch dieses Urteil kann man lesen: »Sie haben kein großes Herz.« Oder: »Es herrscht in Frankreich die Meinung, daß man in Deutschland kein Stückchen Papier auf der Straße wegwerfen dürfe, ohne bestraft zu werden.«

Man kann darüber lachen, gewiß – wenn auch ein Körnchen Wahrheit in mancher Feststellung steckt. Schlimmer aber ist: Wir machen es nicht anders als die Ausländer, die uns derartig mit Vorurteilen eindecken. Wir Deutsche sind keinen Deut besser. Auch wir haben unsere genüßlich gepflegten Vorurteile. Französinnen sind frivol, Spanier faul, Engländer arrogant, Russen Trinker. All das wird erzählt, belacht, geglaubt.

Wer mit so festgefügten Meinungen die Grenzen überschreitet, wird um das Abenteuer des Reisens betrogen: um die Entdeckungen und auch Läuterungen, welche die Begegnung mit anderen Völkern und anderen Kulturen mit sich bringt.

Ein aufgeschlossener deutscher Reisender wird in der Tat zugeben müssen, daß wir »kein großes Herz« haben, wenn er *unsere* Bereitschaft zur Gastfreundschaft Fremden gegenüber an der mißt, die in weiten Teilen der Welt, bei Menschen, die weiß Gott ärmer sind als wir, zu den natürlichsten Tugenden gehört. Das ist nicht die einzige Erfahrung, die er machen wird.

Wer ins Ausland fährt, muß sich vorher über die Reise informieren. Nicht nur über die Formalitäten, über Paß (der gültig sein muß) und Impfungen (mit Eintragung im Impfpaß), über Kleidung, Währung und Zoll. Dieses kleine Einmaleins des Reisens liefert jedes Touristik-Unternehmen ins Haus.

Damit ist es aber noch längst nicht getan. Auf eine Reise muß man sich vorbereiten, dann erlebt man die Umwelt viel intensiver. Der Tourist, der ins Ausland fährt, muß wissen, was ihn erwartet, was die Menschen denken und glauben, wovon sie leben. Er muß einiges gelesen haben von ihrer Geschichte, von ihren Helden und – Feinden. Wir haben die Kultur nicht gepachtet – im Gegenteil: Es gibt ärmere Völker, die mit dem Bewußtsein einer jahrtausendealten Kultur auf uns herabschauen. Weil sie uns für dekadent halten. Das muß man wissen.

Es mangelt nicht an »Fettnäpfchen«, in die man auf fremdem Boden treten kann. Und eben deshalb ist jede größere Reise mit der Pflicht zur Information verbunden. Enttäuschungen bei Reisen entstehen oft genug dadurch, daß Touristen völlig unvorbereitet losfahren und alles andere, nur nicht das Paradies antreffen, das sie sich erträumten. Deshalb beginnt jede Auslandsreise mit dem Gang in die Buchhandlung und dem Kauf eines Reiseführers. Grundlegende Informationen sind schon für ein paar Mark zu haben. Je teurer das Buch, desto größer die Genauigkeit im Detail.

Sprachbarrieren überwinden

Fehlende Sprachkenntnisse sollten trotzdem kein Grund sein, einen Bogen um das Ausland zu machen oder sich unbedingt unter die Fittiche einer Reisegruppe zu begeben. Wer Spaß am Unvorhersehbaren hat, wird auch die Komik des absoluten Mißverständnisses zu genießen wissen.

Wirklich abweisende Menschen sind eigentlich selten auf der Welt – die Hilfsbereitschaft ist überall groß, und sie wird in den von uns gern belächelten Ländern, in denen Zeit noch einen anderen Wert hat als Geld, nur noch größer. In solchen Situationen zahlt es sich aus, wenn man wenigstens das »Dankeschön« in der Landessprache beherrscht.

Mit einigem guten Willen, in ein paar Stunden kann man heute Sprachbarrieren überwinden lernen. Das empfiehlt sich besonders dann, wenn in unserem Reiseziel nicht nach dem lateinischen Alphabet buchstabiert wird. Auch hier gibt es hilfreiche Bücher und Büchlein.

Aber Deutsche, so sagen Ausländer, seien ja Sprachmuffel. Dabei dürfen sie nicht erwarten, daß überall auf der Welt Deutsch verstanden wird. Wer sich in die große weite Welt, die manchmal gar nicht so fein duftet, hinauswagt, sollte zumindest Basisenglisch und ein paar Brocken Französisch sprechen. Sonst wird die Verständigung schwer, zuweilen unmöglich. Wer die Sprachlosigkeit einmal selbst erlebt hat, kann sich besser in die Gastarbeiter versetzen.

An unserem Wesen sollte schon zweimal die Welt genesen. Es hat keinen Sinn, mit solchen Vorstellungen in die Welt hinauszufahren. Deutschland, Europa ist keineswegs der Nabel der Welt. In anderen Ländern lebt man nach anderen Zeitbegriffen – und weiß mit unserer Hektik und Betriebsamkeit »schnell, schnell!« nichts anzufangen. Und trotzdem haben auch andere Länder ihr »Wirtschaftswunder«. Ziehen wir nicht als Missionare aus!

Politische Auseinandersetzungen vermeiden

Gespräche über Politik setzen eine sehr genaue Kenntnis der Lage voraus, und nicht überall herrscht jene uns nun schon wieder selbstverständliche Freiheit, die eine lautstarke politische Diskussion in der Öffentlichkeit erlaubt. Ausländer sind oft erstaunt, wenn ausgerechnet Deutsche sich als beredte Wanderredner der Demokratie erweisen. Eher wird schon das augenzwinkernde Einverständnis mit Diktatoren erwartet. Politische Auseinandersetzungen im Kaffeehaus führen zu nichts, und der Zwang, sich aus sprachlichen Gründen an geläufige Redewendungen zu halten, verhindert jedes differenzierende Denken. Lassen wir das lieber . . .

Die Wunden des letzten Krieges scheinen vernarbt, die Jugend, ohnehin unschuldig, hat das Jahr 2000 vor Augen. Dennoch: die Erinnerungen an Greuel und Terror sitzen in manchen Ländern noch tief, Angst und Schrecken sind noch längst nicht überwunden, jedenfalls nicht bei denen, die zu Augenzeugen wurden.

Touristen, deutsche Touristen wären schlecht beraten, wenn sie sich allzu leutselig über diese Jahre hinwegsetzen. Niemand erwartet gemeinsame Trauer – schon gar nicht von Gästen, die zur Erholung gekommen sind. Aber Urlaubern, denen es schwerfällt, sich laute Tiraden über Heldentum zu verkneifen (deutsches, versteht sich), mangelt es einfach an Taktgefühl. Irgendwo schlummert in ihnen wohl immer noch die Hoffnung, daß die Welt am deutschen Wesen genesen müsse.

Außereuropäische Länder und Kontinente

Je weiter wir uns aus der gewohnten Umgebung entfernen, um so dringlicher stellt sich die Forderung nach vorheriger, eingehender Unterrichtung. Oberflächliche Skizzierungen reichen bei großräumigen Kontinenten nicht mehr aus.

Asien – was ist das? Zwischen Indien und Japan liegen etliche Flugstunden und damit einige tausend Kilometer. Hier Indien, englisch geprägt, uraltes Kultur- und hungerndes Entwicklungsland – dort Japan, dynamisches Wirtschaftspotential mit einem komplizierten Ritual von Höflichkeiten, das gar nicht zur aggressiven Moderne paßt. Asien – was ist das?

Oder Südamerika, dieser Subkontinent, der fast 72mal so groß ist wie die Bundesrepublik. Die Anden-Staaten und die La-Plata-Staaten zeugen noch heute vom Herrschaftsbereich der Spanier, Brasilien aber ist auf Portugal fixiert. Was sieht der Tourist von den Menschen in ihrer Armut? Er sieht die Metropolen und ihren Luxus.

Der Reiseboom, so befürchtet man in Bonn, zerstört die Arbeit der Entwicklungshelfer und der Politiker. Die wenigsten Afrika-Reisenden verspüren den Drang, die dünne Zivilisationsschicht der englischen und französischen Kolonialherrschaft zu durchstoßen, um die Völker und ihre alte Kultur richtig kennenzulernen. Gezahlt wird für High-life mit erstklassigem Service, besichtigt werden die »Wilden«. »Faul, reich und überheblich« sind denn auch die Attribute, die man den Urlaubern aus Deutschland in der Dritten Welt zuordnet.

Ein bekannter Reiseschriftsteller hat einmal am Beispiel Afrika die Frage aufgeworfen, was wohl ein Europäer dächte, wenn sich plötzlich mir nichts dir nichts die Tür zu seinem Gartentor öffnet und eine Gesellschaft hereinbräche, die eine unverständliche Sprache spricht, alles einschließlich der Bewohner fotografiert und filmt, ins Haus eindringt und obendrein die Nase rümpft, weil ihr der Geruch nicht paßt. Europäer, die in anderen Erdteilen Urlaub machen, finden offenbar nichts dabei – wenn es nur Afrikaner oder Asiaten sind, bei denen sie einbrechen.

Man kann nicht alle Sitten anderer Menschen kennen. Aber jeder Einheimische spürt, ob ihm ein Tourist Achtung entgegenzubringen bereit ist oder ob er mit der Arroganz des »Herrenmenschen« auftritt und sich über die Menschen und ihre Lebensweise lustig macht. Ein bißchen mehr Bescheidenheit und Zurückhaltung stünde uns wohl an bei dem Versuch, andere Menschen in ihrer Würde und ihrem Stolz zu begreifen und zu akzeptieren. Und in ihnen nicht bloß das Fotomodell zu sehen, von dem man erwartet, daß es für ein paar lächerliche Münzen zu jeder Pose bereit sein soll.

Die Kleidung wird heute nicht mehr so wichtig genommen wie früher – gut so. Der dollarschwere Ansturm von Amerikanern hat manche heilige Halle – wie das Spielcasino von Monte Carlo – auch dem Nichtkrawattenträger geöffnet, jedenfalls in der Sommersaison, vormittags und nachmittags. Die Tatsache, sie hat sich herumgesprochen, verleitet allerdings zu dem voreiligen Schluß, der bequeme Zigeuner-Look der Urlaubstage wäre nun überall im Schwange und en vogue. Irrtum.

Etwas offiziellere Kleidung für den Abend, ein leichter dunklerer Anzug und ein elegantes Kleid gehört unbedingt in den Koffer. Dazu die Krawatte, auf die man besonders in britisch geprägten oder orientierten Ländern, von Indien bis Portugal, abends achtet. Dort pflegt man sich zum Abendessen umzuziehen.

Die meisten Deutschen fahren innerhalb Europas mit dem Wagen in den Urlaub. Wer sich auf Autostraßen aus Mitteleuropa entfernt und ins Innere anderer Länder vorstößt, muß mit allem rechnen: mit Viehherden, unbeleuchteten Zugkarren und Schlafenden am Straßenrand. Die Verkehrsdiziplin ist längst nicht überall gleich entwickelt, die Sorglosigkeit groß. Kenner empfehlen immer wieder langsameres Fahren und häufigeres Hupen.

Wer im Ausland herumkutschiert, sollte auch an mögliches Ungemach, an Vorfälle, Zwischenfälle und Unfälle denken. Das kann böse werden. Polizeibehörden sind gegenüber Autofahrern, die einen Unfall hatten, nicht gerade zimperlich. Dazu kommen die Sprachschwierigkeiten. In solchen fatalen Situationen erweist sich der Rechtsschutz der Automobilklubs als Retter in höchster Not. Also unbedingt vor der Reise eine Versicherung abschließen! Und Berechtigungsscheine bei der Krankenkasse holen! Privatkonsultationen können erhebliche Löcher in die Reisekasse reißen.

Urlauber plädieren auf Narrenfreiheit, warum nicht. Touristen, froh, dem ewigen Einerlei des Alltags entkommen zu sein, hauen gern mal über die Stränge, das unterscheidet Schweden nicht von Engländern und Deutschen. Aber muß man sich ausgerechnet an den lautesten ein Beispiel nehmen? Ein Urtrieb scheint den Menschen zu zwingen, sich an den landschaftlich schönsten Stellen durch Zeichen und Chiffren zu verewigen: in berühmten Kirchen, an Denkmälern, in alten Bäumen, in historischem Gemäuer. Touristen »ersetzen« jahrtausendalte Höhlenmalereien durch eigene Kritzeleien und beschaffen sich mit allen denkbaren Mitteln, von der Axt bis zur Sprengung (jawohl!), Souvenirs.

Früher sprach man von Vandalen. Sie leben unter uns. Hier und heute. Urlauber, scheinbar, wie Sie und ich . . .

Austern

Es soll Menschen geben, die wegen Austern meilenweit gehen. Es soll aber auch andere Menschen geben, sicher die Mehrheit, die das überhaupt nicht verstehen können. Bevor er nicht probiert hat, weiß natürlich keiner, zu welcher Gruppe er sich zu zählen hat.

Austern sind Muscheln, die hierzulande in den Monaten mit »r« (September bis April) am besten munden. Am Atlantik, vor allem in Frankreich, kann man sie das ganze Jahr über am Stand kaufen – und essen.

Die Schalen sind bei lebenden Tieren (nur diese sollten verzehrt werden) fest geschlossen und müssen geöffnet werden – mühevolle Männerarbeit. Dafür gibt es Austernbrecher. Das ist kein Beruf, sondern ein kurzes, stumpfes Messer mit kräftigem Stiel. Wer es ganz genau wissen will, läßt sich in einem Feinkostgeschäft in die Kniffe des Austernöffnens einweihen.

Solche Geschäfte liefern Austern, wohlverpackt und geöffnet, ins Haus, fertig zum Verspeisen, wie am Tisch im Restaurant, wo der Kellner vorher mit der Schneide der Austerngabel ringsum den »Bart« abtrennt und die Auster vom »Austernpunkt«, mit dem sie an der Muschel festsitzt, befreit.

Pro Person rechnet man mit sechs Stück, mindestens, Liebhaber machen es nicht unter einem Dutzend. Die Austernhälften mit dem kostbaren Saft werden auf einer Platte mit oder ohne Eisstückchen als Unterlage angerichtet.

Das rohe Fleisch der Auster, über das man vorher ein paar Tropfen Zitrone geträufelt hat, wird entweder mit der Gabel zum Mund geführt – die Muschelhälfte hält man dabei in der linken Hand – oder mitsamt Meerwasser gleich aus der Schale geschlürft, hier ist Schlürfen in der Tat erlaubt. Dieser Saft schmeckt leicht salzig und ist für den Gourmet einer der allerhöchsten Genüsse.

Manche Austernkenner bevorzugen das Fleisch ohne jede Zutat, andere mögen es mit frisch gemahlenem Pfeffer oder mit gehackten Zwiebeln. Dazu gibt es Toast oder Schwarzbrot mit Butter.

Wichtig ist, aufzupassen, daß die Muschel gerade auf der Schüssel oder in der Hand liegt, damit der Saft nicht ausläuft!

Autofahren

(siehe auch unter: Alkohol, Parken, Lärm und Lärmverhütung)

Drei Viertel aller deutschen Autofahrer fahren gern, und zwei Drittel von ihnen sind überzeugt, auch sicher und zügig zu fahren. »Sicher«, das Wort steht bei den Männern in der Beurteilung ihres Fahrstiles in der Rangfolge ganz oben, gefolgt von zügig, überlegt, umsichtig und ruhig (bei den Frauen steht das Prädikat vorsichtig an der Spitze).

Soweit die Selbsteinschätzung deutscher Autofahrer, wie sie sich anhand einer großangelegten Untersuchung darstellt. Eine heile Welt, wie es scheint, sportlich, fröhlich und vernünftig. Doch die grauenvolle Unfallstatistik der Bundesrepublik – weit über eine Million Unfälle im Jahr! – ergibt ein ganz anderes Bild.

Tausende und aber Tausende von Toten, Hunderttausende von Verletzten alljährlich lassen nur den Schluß zu, daß viele, sehr viele Bundesbürger gut erzogene, vielleicht sogar umgängliche Menschen sein mögen, aber glatt durchdrehen, wenn sie am Steuer und motorisiert auf die Menschheit losgelassen werden. Ein schreckliches Rätsel. Was geht da vor? Wie ist das möglich?

Duelle, die oft tödlich enden

Die offenkundige Tatsache, daß Menschen sich und ihre Fähigkeiten überschätzen, daß sie im Auto unsozial, geradezu gemeingefährlich handeln, beschäftigt Psychologen schon seit langem. Mit dem Auto, durch das Auto werden Menschen rabiat, zu Rivalen, die »es sich zeigen wollen«.

Wissenschaftler weisen immer wieder auf die enorm hohe Zahl von jungen Fahrern (bis 30) hin, die an »aggressiven Unfällen« beteiligt sind. Bei ihnen hat das Automobil längst den Gebrauchswert des Fortbewegungsmittels verloren. Hier spielen psychologische Faktoren wie Geltungsbedürfnis, Bestätigung und Erweiterung des Selbstgefühls, Befreiung von Aggression eine Rolle, die den Wagen, zumal den sportlich-schnellen zur Mordwaffe machen.

So ändern sich die Zeiten. Duelle, bewaffnete Auseinandersetzungen, wurden selbst in einer Gesellschaft, die mit dem Wort »Ehre« noch etwas anfangen konnte, verboten und bestraft. Heute finden die Duelle auf der Straße statt. Ungeahndet zumeist. Doch oft enden sie, wie früher, tödlich.

Es wird viel gesündigt mit dem Automobil. Aus Unbedachtsamkeit. Aus Spaß an der Freude. Durchdrehende Räder, Zeichen von jugendlichem Übermut, lassen ältere Mitbürger zusammenzucken. Nächtliches Türenknallen reißt Nachbarn aus dem Schlaf. Motoren im Leerlauf stoßen giftiges Kohlenmonoxyd aus. Abgestellte Autowracks in der Landschaft beleidigen das Auge.

Sind es immer nur die anderen?

Von Exweltmeister Jackie Stewart stammt der Ausspruch: Der Autofahrer muß wissen, was er sich selber zutrauen kann; spüren, was im Wagen steckt; und aufpassen, was die anderen machen.

Ja, die anderen, wenn die nicht wären . . . Wir selbst fahren ja (siehe oben) sicher, zügig, überlegt – und nur die bösen, bösen Mitmenschen überholen an unübersichtlichen Stellen, mißachten die Vorfahrt, ignorieren Verbotstafeln und Geschwindigkeitsbegrenzungen, halten zu geringen Abstand, rasen an Kolonnen vorbei, arbeiten wie wild mit der Lichthupe und tippen auch noch an die Stirn.

Ist die gute Meinung, die der Autofahrer offensichtlich von sich hat, berechtigt? Bin ich wirklich besser als die anderen? Parke richtig und das heißt: platzsparend? Starte an der Ampel zügig? Blende immer rechtzeitig ab? Gebe anderen Fahrern die Möglichkeit, sich in den Verkehr einzufädeln? Lasse andere die Spur wechseln? Halte bei liegengebliebenen Fahrzeugen? Prüfe oft genug den Zustand der Reifen? Verzichte auf das Bier? Bedanken wir uns durch Handzeichen?

Hand aufs Herz: Tun wir es? Fahren wir wirklich immer defensiv? Oder ist es nicht eher so, daß wir selbst die Fehler machen, die wir anderen ankreiden? Mit »Hallo Partner« sind ja nicht bloß die anderen gemeint. Jeder von uns ist Partner im Verkehr. Jeder muß bei sich selbst mit der Kritik anfangen. Selbstüberschätzung kann tödlich sein.

Auch Mitfahrer müssen mitdenken

Rücksichtnahme des Fahrers fängt schon im eigenen Wagen an. Es ist gut, wenn er sich in seiner Fahrweise auf die Mitfahrer einstellt. In kleineren zweitürigen Wagen ist der Sitz neben dem Fahrer (gemeinhin als »Todessitz« bekannt) groteskerweise eine Art Ehrenplatz. Das Einsteigen fällt älteren Menschen vorn leichter, und für die Beine ist mehr Platz. Aber gerade ältere Menschen übersehen die Verkehrssituation nicht genau. Bei plötzlichem starken Bremsen fährt ihnen auf jeden Fall der Schreck in die Glieder, wenn sie nicht überhaupt nach vorn prallen. Da hilft nur eines: Fahrer und Mitfahrer tun sich selbst prallen. Alle tun sich selbst den größten Gefallen, wenn sie den Sicherheitsgurt anlegen. In manchen Ländern ist es bereits Pflicht.

Auch Beifahrer sind Verkehrsteilnehmer. Der Fahrer wird seine Tür schon vorsichtig öffnen, wie er es in der Fahrschule gelernt hat. Aber auch die Großmutter auf dem Vordersitz muß sich beim Ein- und Aussteigen so verhalten, daß eine Gefährdung anderer Verkehrsteilnehmer (Radfahrer und Fußgänger) ausgeschlossen ist. So hat es der Gesetzgeber verfügt.

Das Problem des vernünftigen Ein- und Aussteigens ergibt sich auch beim Taxifahren. Jedenfalls bei einem Paar, Mann und Frau. Bei starkem Straßenverkehr, der ein Öffnen der Tür auf der Straßenseite nicht geraten erscheinen läßt, setzt sich am besten zuerst der Mann auf die hintere Bank und rutscht von rechts nach links; dann steigt die Frau ein. In einer ruhigen Straße dagegen öffnet der Mann die Tür, die Frau steigt ein und bleibt rechts sitzen, während der Mann auf die Straßenseite geht und dann links Platz nimmt.

Auch Tramper sind Mitfahrer. Viele Autofahrer haben etwas gegen den Typ an sich – ihre Sache. Aber auch diejenigen, die sich beim Fahren gern durch Gespräche die Zeit vertreiben lassen, tun gut daran, sich von dem Mitfahrer eine Verzichterklärung auf Schadenersatz unterschreiben zu lassen, falls, Gott behüte, etwas passiert. Formulare gibt es bei Automobilklubs. Trampende Mädchen sollten ihrerseits auf Nummer Sicher gehen und unbedingt zu zweit reisen.

Rücksicht auf Fußgänger!

Auch Autofahrer, die ihren »Knigge« durchaus im Kopf haben und sich auf jedem Parkett sicher bewegen, versündigen sich hinter dem Steuer gegen simple Gebote der Menschlichkeit: Sie vergessen nämlich schnell, daß es Fußgänger gibt.

Rücksichtslos fahren sie bei Regen oder Schneematsch durch die Pfützen, ohne auf die Passanten auf dem Bürgersteig zu achten (es gibt, es muß gesagt werden, auch betont vorsichtige Fahrer!). Ohne an die Passanten zu denken, stellen sie ihre Wagen auch auf die Gehsteige. Viel zu schnell und zentimeterscharf brausen sie an alten Menschen vorbei, die sich tapprig über den Überweg mühen. Viel zu spät treten sie vor dem Zebrastreifen oder an der Straßeneinmündung auf die Bremse: Fußgänger erschrecken dann und reagieren falsch.

Natürlich müssen auch sie, die Fußgänger, als Verkehrsteilnehmer Verständnis für die Autofahrer aufbringen. Hauptsächlich dadurch, daß sie, wenn irgend möglich, Fußgängerüberwege, Zebrastreifen benutzen. Und durch Zeichen rechtzeitig ihre Absicht bekunden, über den Damm zu gehen.

Von Kindern wird man soviel Vernunft nicht erwarten können. Ein aufmerksamer Autofahrer rechnet mit dem Ungestüm der Jugend genauso wie mit der Hilflosigkeit und – dem Starrsinn des Alters.

Bad, Badezimmer

Der Ehrgeiz der Hausfrauen, Gäste zumindest verbal davon zu überzeugen, daß sie in der Küche vom Fußboden essen könnten, läßt gottlob nach – kein Gast will das.

Die Jagd auf jedes Staubkörnchen, das da fliegt, ist unter vernünftigen Frauen abgeblasen, sie haben schließlich noch anderes im Kopf als bloß den blitzblanken Haushalt. Ein wenig Unordnung ist schon sehr menschlich und zeugt von Leben in der Wohnung, dafür hat jeder Verständnis.

Deshalb muß das Bad keine Gerümpelkammer sein, in der alles abgestellt wird, was anderswo im Wege steht. Solange in einer gewöhnlichen Wohnung das übliche Bad noch längst nicht jenem Living-Room in Plexiglas-Pracht gleicht, den die Industrie für die Zukunft verspricht, so lange muß man eben selbst Hand anlegen, um mit Pop und Farbe die Kachel-Sterilität aufzulockern. Wenn es an Platz fehlt (und wo fehlt es nicht an Platz?), lassen sich für ungenutzte Ecken kleine Regale und Schränke zimmern.

Nirgends »berühren« sich Bewohner und Besucher, auch unerwartete, auf so intimem Niveau wie im Bad, nirgends wird menschliche Körperlichkeit so spürbar wie hier – so verschwiegen, wie es eine alte Wendung behauptet, ist dieser Ort eben nicht.

Die Badewanne, das Waschbecken: sie müssen ja nicht auf Hochglanz poliert, sie müssen bloß gesäubert und mithin sauber sein. Es ist einfach kein Zeitproblem, morgens einmal mit dem Lappen über den Spiegel zu fahren, damit der Gast seine Bartstoppeln und nicht die Seifenspritzer seiner Vorgänger darin sieht. Schludrigkeit im Badezimmer kann abstoßend wirken – und viele, wohl die meisten Menschen sind gerade in diesem Punkt sehr empfindlich, sie ärgert der Schmutzüberzug auf der Seife und die Trübung am Glasrand. Das hat mit dem Wahn von Frau Saubermann überhaupt nichts zu tun.

Eine eigentlich selbstverständliche Regel des menschlichen Umgangs lautet deshalb: Das Badezimmer hat jeder so zu verlassen, daß es der nächste Benutzer in sauberem, gelüftetem Zustand antrifft. Entsprechendes Gerät, Bürsten, Schwamm, Lappen, muß allerdings vorhanden sein. Für den Hygieneabfall gibt es Minimülleimer.

Wer eine Gesellschaft gibt, kann (muß nicht) kleine Gästehandtücher stapeln, die nach Gebrauch in einen Behälter ge-

worfen werden. Für Gäste des Hauses sollten – gekennzeich-
nete – Handtücher bereithängen. Auch einen Zeitplan für die
Badbenutzung am Morgen sollte man gleich nach der Ankunft
des Gastes ausmachen – jedenfalls bei arbeitenden Menschen.

Baden und Nacktbaden

Baden, gemeinschaftliches Baden ohne Trennung der Ge-
schlechter, gehört zu jenen ungeschriebenen Rechten des modernen Menschen, die ohne hörbare sittliche Entrüstung hingenommen werden. So weit haben wir es im 20. Jahrhundert
gebracht; im 19. Jahrhundert sah es noch anders aus.

Auch so weit, daß ein klitzekleines Kleidungsstück namens
Bikini (sinnigerweise benannt nach einem Atoll, auf dem 1946
Atombombenversuche stattfanden) jedwede moralische
Sprengkraft eingebüßt hat und selbst an konservativeren
Stränden des europäischen Südens ohne Strafandrohung ge-
duldet wird (allerdings sollte man es dort mit der Mode nicht
auf die Spitze treiben!).

Also ist Baden ganz problemlos? Die Frage wäre zu bejahen, wenn alle Frauen sich stillschweigend darüber einigten,
daß ein winzig-knapper Badeanzug eine tadellose Figur vor-
aussetzt. Wenn es nicht immer wieder vorkommen würde, daß
Menschen sich an Stränden und Ufern halbbekleidet, in Unter-
wäsche, niederließen, was der alte Zille schon schaurig-schön
karikiert hat. Und wenn Badekleidung immer da bliebe, wo sie
hingehört: am Strand und in Lokalen, die vorn am Strand liegen. Besonders in romanischen Ländern pflegt man das genau
zu trennen (außer in den Hochburgen des Tourismus).

Fünf bis sechs Millionen Bundesbürger finden überdies, wie
Demoskopen festgestellt haben, daß Badeanzug und Badehose
nur störende weiße »Zivilisationsstreifen« hinterlassen und
folglich überflüssig sind: Nackt, weil's mehr Spaß macht, heißt
die zeitgemäße Badedevise.

Nacktbaden, wo es erlaubt ist

Der hüllenlose Urlaub mit oder ohne FKK-Spielregeln, mit
oder ohne zusätzliche Auflagen von Rauch-, Alkohol- oder gar
Fleischverbot (wie es einige Vereine von ihren Mitgliedern
verlangen), kurz, mit oder ohne Weltanschauung erfordert un-

35

bedingt genehmigte Nacktbadestrände – berühmtestes Beispiel: Kampen auf Sylt, Deutschlands Prominenten-Treff.

Doch Kampen ist nicht überall, wir leben nicht im Paradies. Auch unser »nacktes Miteinander« wird durch Verordnungen geregelt. Und sie besagen, daß zur Zeit nur Kinder bis zum 6. Lebensjahr ohne Bekleidung baden dürfen. Anderen Personen ist das nur gestattet, wenn sie annehmen dürfen, daß sie von Unbeteiligten nicht gesehen werden. Verstöße werden als Ordnungswidrigkeiten geahndet. So sieht's nun einmal aus.

Andere Länder sind da keineswegs paradiesischer – im Gegenteil: Die Reaktion von Polizei und Behörden auf Nacktbaden selbst an scheinbar menschenleeren Stränden, sogar nachts im Mondschein reicht bis zur Ausweisung. Vorsicht! Vor allem in Ländern mit orthodoxer Einstellung zur Religion. Dort gilt manches als »unsittlich«.

Nacktbadestrände sind eingezäunt oder zumindest gekennzeichnet, und nur an diesen Stellen kann man wirklich gefahrlos und unangefochten baden, Genuß ohne Reue. Ein jährlich erscheinender FKK-Führer nennt alle Strände in Europa, die dafür in Frage kommen. Alles andere ist ein Abenteuer, das auch schiefgehen kann: mit Geldstrafen oder Schlimmerem. Selbst in Afrika, wo die einheimischen Frauen barbusig gehen!

Nacktbaden hat nichts mit Sexualität zu tun. »Geflirtet wird nicht«, lautet ein ungeschriebenes Gesetz in »Abessinien«. Man hält auf Anstand, auf mehr Anstand als an Textilstränden. Daß sich hier als Natürlichkeit gibt, was durchaus eine andere Art von Verklemmung sein kann, schwant den FKKlern selbst; die Diskussion über »unterdrücktes Sexualverhalten« zeigt es.

Neulinge an Nacktstränden wundern sich zunächst – die ersten Minuten, die ersten Stunden oder auch Tage, das ist verschieden – über die Unbekümmertheit, mit der sich Menschen, fremde und bekannte, hier begegnen. Der Satz, daß sich 99 Prozent aller Probleme erledigen, wenn sich Menschen nackt treffen, entbehrt nicht der tieferen Wahrheit. »Wenn man je von ›klassenlos‹ sprechen kann«, sagen sie selbst, »so wird es hier am ehesten angestrebt: Dort, wo Leute nicht durch Kleider gemacht werden, muß ein anständiges Gesicht und gutes Benehmen allein sprechen.« Überzeugte Textilverächter haben auch etwas gegen die Halbbekleidung: »Stoffetzen müssen 'runter!«

Bleibt die Tatsache, daß junge Menschen wohlgestalter

und wohlansehnlicher sind als ältere – keine umwerfende Erkenntnis. Das Personal solcher Inseln und Strände – Köche, Kellner, Bootsführer – gewöhnt sich, obgleich selbst bekleidet, schnell an den Anblick der »Lichtmenschen«.

Es gibt eigentlich nur eine Peinlichkeit beim Nacktbaden, und das sind die spießbürgerlichen Voyeure, die an Zäunen stehen oder sich mit ihren Ferngläsern auf Dampfern drängeln, bis diese Schlagseite bekommen: prüde Sendboten des 19. Jahrhunderts. Für die Textillosen gibt es da nur eines: zum Handtuch greifen oder sich abwenden.

Bahnreisen

Zu viert, zu sechst, sogar zu acht in einem Abteil durch die Lande zu gondeln, ohne sich auf die Füße zu treten und ohne sich auf die Nerven zu fallen: das erfordert schon eine Portion gegenseitiger Rücksichtnahme. Wenn diese da ist, kann die Bahnfahrt allerdings zu einem Gemeinschaftserlebnis erster Klasse werden.

Jeder hat das Recht, einen leeren Platz im Abteil vor Abfahrt des Zuges zu belegen. Wenn Sie also Hut oder Mantel oder ein Gepäckstück sichtbar deponieren, gilt der Platz, Ihr Platz, als besetzt, auch wenn Sie sich noch auf dem Bahnsteig ergehen oder eine Zeitung holen. Eine Platzkarte ist freilich die sicherste Methode der (Fensterplatz-)Reservierung.

Hilfestellung für andere, für ältere Reisende versteht sich eigentlich von selbst, besonders wenn es darum geht, Gepäck in der Ablage zu verstauen. Bevor man im Sommer das Fenster dem Fahrtwind öffnet, fragt man die Mitreisenden.

Züge laden zur Geselligkeit ein, der Singsang der Räder macht Menschen ansprechbar. Vor allem natürlich für Lebenserinnerungen. Darf's auch ein bißchen Politik sein? Warum nicht – wann hat man schon soviel Zeit, sich die Meinung anderer Menschen anzuhören! Lesenden sollte man dabei nicht auf die Nerven gehen.

Im leeren Abteil kann man es sich bequem machen und die Füße auf der gegenüberliegenden Bank lagern. Selbstverständlich zieht man die Schuhe aus oder legt zumindest eine Zeitung auf den Sitz.

Im Speisewagen muß man während der Essenszeit den Platz möglichst bald wieder räumen. In den Stunden zwischen den Mahlzeiten kann man sein Bier in aller Ruhe einnehmen.

Unter Freunden und Bekannten ist das Zubettgehen im Schlafwagen kein Problem. Man zieht sich aus, und damit hat sich's. Bei Menschen, die sich eben gerade zum ersten Male gesehen haben, erscheint etwas mehr Fingerspitzengefühl angebracht. Man einigt sich mit zwei, drei Sätzen (und ohne gegenseitige Vorstellung) über die Reihenfolge beim Entkleiden. Im allgemeinen steigt der Obenliegende zuerst in sein Bett. Während er sich auszieht, tritt der andere auf den Gang hinaus und wartet auf einen Wink seines Abteil-Mitbewohners.

Der Schlafwagen-Schaffner hat ein offenes Ohr für alle Wünsche seiner Fahrgäste, wie Wecken, Frühstück oder einen Trunk zur Nacht. Ein Trinkgeld am nächsten Morgen ist Ehrensache.

P. S. Eisenbahnern ist es immer wieder ein Rätsel, warum Menschen nach stundenlanger Fahrt die Tür schon Sekunden vor dem Halten öffnen und auf das Trittbrett klettern. Keinem Autofahrer würde es je einfallen, die Tür vor dem Halt zu öffnen!

Tips für die Bahnfahrt

Wer ein Abteil betritt, grüßt. Wer ein Abteil verläßt, sagt »Auf Wiedersehen« oder »Gute Reise«

Plastikbecher, Servietten oder Bierdosen sollten nicht im Abteil verstreut werden. Wenn man diese Abfälle unter dem Sitz verstaut, sieht ein Abteil immer noch sauber aus

Man wirft nichts aus dem Fenster! Flaschen, die aus dem Fenster fliegen, können Menschen verletzen

Man stellt sich im Zug nicht vor

Der Gepäckschein in der Brieftasche ist leichter als der Koffer in der Hand, sagt die Bahn. Gepäck kann man am Reisegepäckschalter aufgeben oder zu Hause abholen lassen (das allerdings nicht überall). Rufen Sie beim nächsten Bahnhof an und erkundigen Sie sich.

Begrüßen und Grüßen

(siehe auch unter: Anreden, Bekanntmachen, Gast und Gastgeber, Parties)

Der Mann grüßt die Frau. Jüngere grüßen Ältere (wenn's nicht zuviel verlangt ist), Mitarbeiter den oder die Vorgesetzten. Soweit der Überblick.

Damit ist auch angedeutet, daß in der Geste dessen, der zuerst grüßt, Respekt und Ritterlichkeit liegen oder jedenfalls doch ein letzter wahrnehmbarer Rest davon. Das macht das Ritual der Begrüßung manchmal zu einem Kräftemessen. Wer grüßt wen zuerst bei Gleichrangigen und Gleichaltrigen?

Der Selbstbewußtere grüßt zuerst. Denn er hat es nicht nötig, Augenblicke des Überlegens auf solche kleinkarierten Fragen zu verschwenden. Er kann es sich leisten, freundlich zu sein. Mithin darf der Chef ruhig seine Damen zuerst grüßen – Sieg des Mannes in ihm über den Vorgesetzten.

Mit einem Gruß läßt sich vieles ausdrücken, betonte Reserviertheit (die schon dicht am »Schneiden« ist) genauso wie überschäumende Herzlichkeit – die Dosierung reicht vom Kopfnicken bis zur Umarmung. Das Normalste, was der Mann bei der Begrüßung produziert, ist eine leicht angedeutete Verbeugung, nicht zuviel, nicht zuwenig. Genauso reagiert die Frau: Mit gemessenem Kopfnicken, nicht zuviel, nicht zuwenig, und einem freundlichen Lächeln dazu.

Wer einen Raum betritt, grüßt. Also grüßt die Frau, wenn sie in ein Zimmer kommt, in dem Männer sitzen. Also grüßen Chefin oder Chef, wenn sie ins Büro kommen.

Die Frau darf sitzen bleiben, in der Gesellschaft wie im Büro. Erste Ausnahme: Sie begrüßt alte Damen oder würdige Herren; zweite Ausnahme: Sie ist selbst Gastgeberin. Die vielgeplagten Männer müssen immer aufstehen, gleichgültig, ob sie andere Männer oder Frauen begrüßen. So heißt es jedenfalls.

Mit Recht wird schon lange an dieser Sitte herumgemäkelt, vor allem mit dem Hinweis darauf, daß dieses »Stehaufmännchen-Prinzip« dauernd Unruhe stiftet. Unter Gleichaltrigen zumindest, die sich kennen, sollte man tatsächlich darauf verzichten. Ein Klopfen auf die Tischplatte oder ein symbolischer Händedruck tut's heute bei Neuankommenden auch, und das Gespräch wird nicht durch die Begrüßungszeremonie unterbrochen. Besser so. Jedenfalls unter Freunden und Gleichgesinnten. Aber auch in anderen Gesellschaften sollte man das lästige Aufstehen und Händeschütteln erheblich einschränken.

Es wird hierzulande bekanntlich allzu sehr kultiviert. Wie oft würde eine leichte Verbeugung genügen! Nein, verschwitzte Handflächen finden zueinander, Männerkraft preßt beringte Frauenfinger, bis die Damen um Mund und Augen zucken.

Wir brauchen ihn eben, den markigen Händedruck. Und

weil das so ist, und kaum Hoffnung auf Änderung besteht, kommen wir auch um die Regeln für dieses zuweilen recht komische Spiel nicht herum.

Spielregel Nr. 1:

Frauen geben Männern, Ältere den Jüngeren, Ranghöhere den Rangniedrigeren die Hand. Oder nicht. Woraus zwingend folgt, daß immer ein Partner bei diesem Spiel abzuwarten hat: Der Mann, der Jüngere, der Rangniedrigere.

Jedem passiert es mal, daß er es nicht abwarten kann und vorschnell, der Gewohnheit folgend, die Hand ausstreckt. Arm plus Hand stehen dann sekundenlang sinnlos im Raum. Der so Begrüßte wird sich natürlich beeilen, die gebotene Hand zu schütteln, auch wenn er seinerseits gar nicht die Absicht hatte. Die Hand zu übersehen wäre taktlos.

Spielregel Nr. 2:

Wenn sich Paare treffen, geben sich zuerst die Frauen die Hand, dann die Frauen den Männern, dann erst die Männer sich untereinander. Hält man sich nicht an diese Reihenfolge, läuft man Gefahr, daß die Hände über- oder untereinander vorbeirutschen.

Spielregel Nr. 3:

Gastgeber begrüßen die Gäste – zuerst reicht die Gastgeberin dem weiblichen, dann dem männlichen Gast die Hand, und der Gastgeber wiederholt das Händeschütteln in der gleichen Reihenfolge. Allerdings gelingt es im Begrüßungstrubel selten, diese Reihenfolge einzuhalten – kein Beinbruch. Anschließend begrüßen die Gäste die anwesenden Damen und Herren.

Am Tisch und in Gruppen schüttle man die Hände, wenn's denn wirklich sein muß, schön der Reihe nach, rundherum. Bei dem, der am nächsten ist, angefangen.

Handkuß und Umarmung

Der Handkuß, oft belächelt, hat Revolutionen überstanden – das spricht für ihn. Unter jungen Leuten mit Boheme-Einschlag ist er sogar recht beliebt. Sie setzen sich auch über die leicht antiquierte Regel hinweg, daß es ihn nur im Haus, allenfalls (o welche Inkonsequenz!) noch im Garten, geben darf. Ein spontaner Handkuß auf der Straße, im Freien: warum denn eigentlich nicht? Am Badestrand allerdings wirkt er komisch.

Die männlich-chevalereske Geste wird uns von Diplomaten im Fernsehen unnachahmlich elegant vorgeführt: Die weibliche

Hand wird von den Lippen nicht oder kaum berührt (wir gehen vom Normalfall aus), der Kopf ist dabei leicht nach vorn geneigt, damit der Arm der Dame nicht zu weit hochgezogen wird. In Gesellschaft nur *einer* Frau die Hand zu küssen, ist nicht die feine englische Art.

Kapitalistischen Jet-set und sozialistische Führungsspitze eint heute der Brauch der Umarmung (nur daß sie sich halt nicht gegenseitig umarmen). Akkolade nennen das die Franzosen. Man legt, links, rechts, die Wangen aneinander oder küßt sie auch. In Künstlerkreisen ist diese Begrüßung sehr im Schwange – was man wissen muß. Sonst steht der so stürmisch Geherzte ein bißchen dumm und verlegen da.

Handschuh, Hut und Mütze

Frauen behalten die Handschuhe an, wenn sie andere Frauen oder Männer begrüßen. Sie werden ihn wohl abstreifen, wenn die andere Frau keinen Handschuh trägt (Damen unter sich). Männer ziehen den Handschuh immer aus – oder machen zumindest den Versuch, der in der Eile oft nicht gleich gelingt. Frage: Wäre es nicht gerade in winterlichen Zeiten angebracht, auf diese Prozedur zu verzichten und nur ein paar freundliche Worte miteinander zu wechseln? Antwort: ja.

Die alte Sitte, mit gemessenem Kopfnicken den Hut zu ziehen, scheint nun nicht mehr älter zu werden. Eine ernstzunehmende Umfrage hat ergeben, daß viele Männer des Hutschwenkens müde sind, zumal wenn sie etwas in der Hand tragen oder wenn's stürmt oder schneit. Die Vernunft siegt, wie schön, über die »Entblößung«, die einst die Pflicht des Untertanen war. Dafür könnte man ja ein bißchen mehr Freundlichkeit in den Gruß legen.

Nach dieser Absage an das Hutlüften können wir endlich jene Vorschrift zu den Akten legen, die in den Nachkriegsjahren – als mancher Mann, dem amerikanischen Vorbild folgend, zwischen Vor- und Nachnamen einen Großbuchstaben mit Punkt setzte (Frank S. Thorn) – auch bei uns nachgeahmt zu werden drohte: daß Männer im Fahrstuhl den Hut abzunehmen hätten. Dieses Ritual aus Gangsterfilmen hat sich damit glücklicherweise erledigt.

Und die Mütze? Wenn der Hut schon auf dem Kopf bleibt, darf es die Mütze allemal. Ein Kopfnicken genügt.

Wo, wen und wann grüßt man?

Im Fahrstuhl:

Im kleinen Hausfahrstuhl, im Hotelfahrstuhl grüßt man, wenn man einsteigt, auch Unbekannte. Im Kaufhaus, in Verwaltungsgebäuden mit großen Fahrstühlen grüßt man nicht, genausowenig wie in öffentlichen Verkehrsmitteln.

Im Flugzeug:

Manche Fluggäste, aber nur manche, pflegen ihren Sitznachbarn, mit dem sie auch möglicherweise ins Gespräch kommen, zu grüßen, wenn sie Platz nehmen. Hat man gegrüßt, fällt der Kontakt leichter.

Im Hotel:

In großen Hotels nicht; im Ferienhotel und in Pensionen, wo man sich öfter sieht, ja.

Auf dem Land:

In ländlichen Gegenden grüßen sich auch Unbekannte.

Im Restaurant und Lokal:

Nicht beim Betreten des Restaurants. Auf jeden Fall dann, wenn man an einem Tisch Platz nimmt, an dem schon ein anderer Gast sitzt. Jugend unterläßt selbst das oft – Maulfaulheit?

Im Treppenhaus:

Man grüßt Mieter, die man kennt. Unbekannte nicht.

Im Wartezimmer:

Wer einen geschlossenen Raum (von Zimmergröße) betritt, grüßt als erster, gleich, ob Mann oder Frau. Also auch im Wartezimmer.

Im Zugabteil:

Man grüßt, wenn man das Abteil betritt. Abstufung ist dabei möglich und angebracht; das kommt auf die Blicke an, die den Eintretenden empfangen.

Bekanntmachen, Vorstellen

(siehe auch unter: Anreden, Begrüßen und Grüßen, Parties)

»Gestatten: Meier.«

»Sehr angenehm.«

Solch Wortwechsel im knappen Kasinostil vergangener Tage klingt heute nicht mal mehr komisch – er ist schlicht antiquiert und überholt. Längst sind die Umgangsformen ziviler, gelöster, lässiger geworden – was freilich keineswegs mit völliger Formlosigkeit verwechselt werden darf.

Auch das gegenseitige Bekanntmachen unterliegt immer noch bestimmten »Regeln«, und daran wird sich so schnell nichts ändern.

Tagtäglich, überall stehen sich Menschen gegenüber, die sich nicht kennen und die bekannt gemacht werden. Männer und Frauen, Teenager und Betagtere, Menschen in unterschiedlichen Stellungen, mit Verdiensten oder (noch) keinen.

Wenn alle Menschen so gleich wären, wie sie es vor dem Gesetz eigentlich sein sollten, wäre das Vorstellen ein leichtes, dann spielten die Reihenfolge und die Art und Weise überhaupt keine Rolle. Sie sind es aber nicht.

Und diese, sagen wir ohne Umschweife: Ungleichheit hinsichtlich Alter, Geschlecht und sozialem Rang hat sich in den Spielregeln des Bekanntmachens niedergeschlagen. In ihnen wirken auch überlieferte Ideale und traditionelle Wertvorstellungen unseres Kulturkreises weiter: die Achtung vor der Frau oder der Respekt, der dem Alter – nach Meinung der Älteren – gebührt.

Vorstellen, das sei gleich gesagt, ist um einiges offizieller als Bekanntmachen. Bei feierlichen Anlässen wird einer »vor den anderen« gestellt, vor den Repräsentanten der Stadt oder des Staates, der als Persönlichkeit allgemein bekannt ist. In diesem Fall werden nur die Namen derjenigen genannt, die »vorgestellt« werden.

Doch solche denkwürdigen Augenblicke sind ja selten. In dem überschaubaren Rahmen, in dem sich unser Leben gemeinhin abspielt, läßt sich das Ritual der Namens- und Titelnennung auf ein paar Grundregeln zurückführen. Und diese sind unschwer zu merken und zu beherrschen.

Die wichtigste Regel heißt: Der Mann wird der Frau vorgestellt: zuerst wird also von dem, der miteinander bekannt macht, der Name des Mannes genannt, dann der der Frau. Der Jüngere wird dem (oder der) Älteren, die Jüngere der Älteren, der Rangniedrigere dem Ranghöheren vorgestellt.

Das ist das A und O des Bekanntmachens. Die Tendenz geht freilich dahin, die Unterschiede, auf deren Beachtung man früher peinlichst Wert legte, ein bißchen zu überspielen – keiner reißt sich heute noch darum, mit seinem Alter zu prahlen. Wo immer es sich einrichten läßt und die Unterschiede nicht geradezu ins Auge springen, wird man der Reihe nach vorgehen. So wie es sich gerade ergibt.

In der Regel wird jemand da sein, der die Personen, die sich noch unbekannt sind, kennt und miteinander bekannt macht.

Im Berufsleben ist das allerdings oft anders. Man steht sich gegenüber – und macht sich, notgedrungen, selbst miteinander bekannt: jeder nennt deutlich seinen Namen. Bei dieser gegenseitigen Vorstellung fallen alle Titel außer dem Doktorgrad fort, es sei denn, es wäre für den anderen wichtig, die Funktion, zum Beispiel Verkaufsleiter, zu kennen. Auch Frauen stellen sich, Männern wie Frauen, selbst vor: »Ich bin Frau X.«. Wer auf ein »Fräulein« Wert legt, muß Vor- und Nachnamen sagen. Auch beim Arzt oder bei Behörden stellt sich jeder selbst vor: »Mein Name ist . . .« Allerdings wird sich der andere dann nicht vorstellen.

Nicht verstanden? Fragen!

Eine seltsame Scheu hindert viele Menschen daran, nochmals zu sagen: »Ich habe Ihren Namen nicht verstanden . . .«. Dabei ist das doch viel ehrlicher und erspart die Peinlichkeit, im Gespräch um den nicht verstandenen Namen gleichsam einen Bogen machen zu müssen.

Es gibt leichtverständliche und einprägsame Namen, es gibt Doppelnamen, und es gibt wahre Zungenbrecher. Wer einen Namen hat, der erst nach mehrmaligem Buchstabieren begreiflich wird, tut sich und seinen Mitmenschen einen Gefallen, wenn er eine Visitenkarte aus der Brieftasche zieht.

Wenn man bei großen Empfängen oder Gesellschaften sich seinem Tischnachbarn oder einem interessanten Gesprächspartner selbst vorstellen muß, sagt man seinen Namen – eine angedeutete Verbeugung muß nicht sein. Die ganze korrekte Form müßte freilich lauten: »Gestatten Sie mir, daß ich mich vorstelle.« Und dann folgt der Name. Man kann auch sagen: »Mein Name ist . . .« oder »Ich heiße . . .« Man kann es aber auch beim bloßen Namen belassen.

Frauen, nein Damen, stellen sich bei solchen Gelegenheiten nur anderen Damen vor, besagt ein leicht verstaubtes Reglement. Es ist nicht einzusehen, warum wir diesen Brauch aus einer Zeit, als der Mann unbestritten den Ton angab, übernehmen sollen. Es spricht wirklich nichts dagegen, daß Frauen, wann immer es die Situation erfordert, sich jedem Gegenüber, also auch Männern, mit ihrem Namen (ohne den Zusatz »Frau«) vorstellen – selbst in der Gesellschaft. Mögen Engländer auch indigniert mit der Augenbraue zucken.

Wer eine Gesellschaft gibt und Gäste einlädt, übernimmt die Pflicht, die Bekanntschaft zu vermitteln. Bei einem Ehepaar, das einlädt, können beide, Mann und Frau, die Vorstellung übernehmen. Bei größeren Gesellschaften können auch Verwandte und Freunde des Hauses einspringen.

Die Augenblicke der Vorstellung sind Augenblicke der Konzentration. Die Gäste dürfen erwarten, daß ihre Namen geläufig sind. Also müssen Namen und Titel abrufbereit im Gehirn gespeichert sein. Meistens treffen die Gäste kurz nacheinander ein, deshalb darf das Bekanntmachen nicht zu lange dauern. Bloß nicht laut werden oder sich gleich bei Freunden festreden – der Gastgeber muß die Übersicht behalten.

Die einfachste Art, Menschen miteinander bekannt zu machen, ist die, schlichtweg die Namen zu nennen: »Frau X. Frau Y.« Eine leichte Handbewegung unterstreicht die Namensnennung. Dabei schaut man die Person an, der eine andere vorgestellt wird.

Höflicher hört sich natürlich ein vorangehendes »Darf ich bekannt machen . . .« an. Man kann auch etwas unformeller sagen: »Frau X., kennen Sie Frau Y.?« Oder, sich gleichsam vergewissernd: »Frau X., Sie kennen doch Frau Y.«? Titel wie Studienrat oder Medizinalrat werden genannt, sie haben gleichsam Wegweiser-Funktion.

In der Praxis sieht das dann so aus: Sie geben eine kleine Gesellschaft, das Ehepaar X. ist schon da, das Ehepaar Y. trifft ein. Sie, als der Gastgeber, sagen:« Darf ich Sie bekannt machen: Herr und Frau Y. – Herr X., Frau X.« Dann folgen ein paar informierende Worte über den Beruf und die berufliche Stellung. Hinweise des Gastgebers auf Verbindendes – Hobbies, gemeinsame Bekannte – ersparen den Gästen das mitunter etwas mühevolle Hintasten zu einem beiderseits interessierenden Gesprächsstoff. Im kleinen Kreis werden zuerst die Namen der später ankommenden Gäste, dann die der übrigen Gäste, nacheinander reihum, genannt. In größeren Gesellschaften führt der Gastgeber die Gäste nach der Begrüßung zu Gruppen und Grüppchen, die sich schon gebildet haben, und macht bekannt.

Frauen bleiben sitzen (wenn sie sitzen), Männer stehen auf. Junge Mädchen erheben sich bei älteren Damen und auch bei älteren Herren, kurz bei »Respektspersonen«.

Das allgemeine Händeschütteln bei solchen Gelegenheiten wird hierzulande gern übertrieben. Angedeutete Verbeugungen der Männer, ein freundliches Kopfnicken der Fauen genügen auch. Leere Höflichkeitsfloskeln wie »angenehm«, »erfreut« oder gar »sehr angenehm« sind ebenso überflüssig wie überholt, wenn auch offenbar nicht ganz auszumerzen.

Nicht immer ist das Bekanntmachen so einfach und problemlos wie bei Einzelpersonen oder Ehepaaren – höchst selten freilich auch so vertrackt, wie es manche Anstandsbücher, wahrhaft furchteinflößend, an Musterbeispielen aus der »Großen Welt« glauben machen wollen.

Es kann, besonders wenn sich Gruppen begegnen, komplizierter werden. Dann heißt es, ein paar Sekunden ruhig Blut bewahren, damit die friedliche Konfrontation nicht in eisigem Schweigen oder dümmlichem Verlegenheitslächeln, im Durcheinander von gereichten und nicht ergriffenen Händen und betretenem Gemurmel endet. Man stellt dann der Reihe nach vor – und die Vorgestellten werden es bei einem Kopfnicken bewenden lassen.

Die schönste »Regel« wäre ja nichts, wenn sie nicht durch Ausnahmen bestätigt würde. Solche »Ausnahmen« – wenn man überhaupt Wert auf diese Feinheiten legt – passen in kein starres Schema. Es gibt zahllose denkbare, ganz individuelle Fälle, bei denen es sich empfiehlt, sich nicht allzu stur an die »Regeln« zu halten, die ja nur Leitlinien sind.

Einer jungen Frau – um an einem Beispiel zu zeigen, um was es geht – wird also nicht der würdige Greis vorgestellt (Regel: Mann wird Frau vorgestellt), sondern ausnahmsweise die Frau dem Mann. Hier, in diesem Falle, zählen Alter und Verdienste: »Darf ich Ihnen, Herr Professor X., Frau Y. vorstellen?« Ehre, wem Ehre gebührt . . .

Das sind Taktfragen, dem eigenen Ermessen anheimgestellt – wie das zuweilen heikle Problem der Anrede unverheirateter Frauen: »Frau« oder »Fräulein«? Man geht heute von dieser Unterscheidung mehr und mehr ab. Teenager bleiben zwar »Fräulein«, versteht sich, heiratswillige Endzwanzigerinnen auch, wenn sie Wert darauf legen. Ansonsten: »Frau«.

Gegenseitiges Bekanntmachen muß nicht übertrieben werden. Bei größeren Stehempfängen, offiziellen Cocktailpartys oder Ausstellungseröffnungen (Vernissagen) bilden sich zwanglos Gruppen, ohne daß einer vom anderen wissen will und muß, wen er vor sich hat.

Jeder vergißt mal Namen

Wenn man einmal miteinander bekannt gemacht worden ist, sollte man sich beim nächsten Treffen kennen. Sollte . . . Jeder weiß, daß es im Leben ganz anders aussieht: daß man sich mit einem schlechten Gewissen aus dem Wege geht und einen Bogen umeinander macht, von dem Gedanken geplagt: den kenne ich, wenn ich bloß wüßte, wie er heißt . . .

Wer sich in dieser Lage mit einem Lächeln und der Bemerkung »Wir kennen uns, aber Sie müssen entschuldigen, ich habe Ihren Namen vergessen« oder ähnlichen freundlichen Wendungen aus der Affäre zieht, handelt natürlich. Man wird sich den Namen halt noch einmal sagen. Das Namensgedächtnis ist ja bei den meisten Menschen nicht sonderlich ausgeprägt. Ein Minister hat sich sogar einmal im Parlament mit dem Hinweis entschuldigt: »Ich habe ein schlechtes Namensgedächtnis. Ich denke oft über meinen eigenen nach . . .« (Es gibt allerdings, und dann ist es peinlich, phänomenale Ausnahmen).

Wenn die Veranstalter von Tagungen und Kongressen Namensschilder verteilen, erleichtert das die Ansprechbarkeit wesentlich. Ein schneller, unauffälliger Blick auf das – hoffentlich nicht zu klein beschriftete – Schild ist eine bewährte Hilfestellung für Vergeßliche.

Auch ein gut geführtes Namens- und Adreßbuch (übrigens eine kurzweilige Lektüre bei Wartezeiten) hat manchem schon in Augenblicken, in denen es darauf ankam, weitergeholfen. Denn Namen sind nun einmal im Umgang der Menschen untereinander keineswegs bloß »Schall und Rauch«.

Die eigene Frau ist schlicht »meine Frau«, der Ehemann »mein Mann«, nichts weiter! Keine geschwollenen Worte! »Gattin« oder »Gemahl« sind allenfalls – für Frauen oder Männer anderer vorbehalten, sollten aber besser vermieden werden.

Akademische Grade oder Titel gelten nur für den, der sie erworben oder sich verdient hat.

Auch Familienangehörige, vor allem weibliche, sollten mit vollem Namen vorgestellt werden. »Meine Schwester« genügt nicht, sie kann verheiratet sein. Der Gast wird nur in Ausnahmefällen die Familienbeziehungen (angeheiratet, Stiefkinder usw.) kennen.

Benelux

(siehe auch unter: Auslandsreisen)

Die Belgier machen ihre, immer ein bißchen an Ostfriesen-Geschichten erinnernden Witzchen über die Niederländer – und umgekehrt, Pardon wird nicht gegeben. Die künstliche Klammer Benelux (Belgien, Niederlande, Luxemburg) umschließt auf relativ kleinem Raum höchst unterschiedliche Regionen – schon von der Sprache her.

Die Niederländer sprechen eine Sprache, die dem Deutschen verwandt ist und die Verständigung leichtmacht. Die Mehrzahl der Belgier, 5 Millionen meist streng religiöse Flamen, sprechen Flämisch, ein Dialekt des Niederländischen (das selbständige Königreich Belgien, das sich von den Niederlanden losriß, besteht erst seit 1831). Die 4 Millionen Wallonen im südlichen Belgien sprechen Französisch. Die Auseinandersetzung zwischen Flamen und Wallonen wird zeitweise recht militant geführt. Um die deutsche Minderheit ist es ruhig.

Sie alle, belgische Germanen und belgische Romanen, eint das Königshaus, die Passion für Fußball und Radsport und die Vorstellung, daß Brüssel die Hauptstadt Europas ist. Die Begeisterung für Vereine und Verbände, für die unzähligen folkloristischen, politischen, sportlichen, sozialen, philanthropischen und kulturellen Vereinigungen ist eher flämisch, während man dem Wallonen Individualismus nachsagt.

Der deftigen Rede, dem üppigen Essen und gutem Bier sind wieder alle einträchtig zugetan; Belgier gelten als die größten Biertrinker der Welt. Dem Fremden gegenüber sind sie von entwaffnender Freundlichkeit und Zuvorkommenheit – unsere gemütlichen Nachbarn tragen das »Herz auf der Hand«.

Niederländer seien dagegen zurückhaltend, sachlicher und verschlossener, heißt es allgemein, hier wehe noch der alte Kaufmanns- und Handelsgeist, der dem Lande einst goldene Zeiten und ein riesiges Kolonialreich bescherte (allerdings: Geld spielt auch bei den Belgiern eine große Rolle).

Angesichts dieser Einschätzung der Niederländer hört sich das Ergebnis einer Fragebogenaktion unter 20 000 jungen Globetrottern geradezu sensationell an: Nach Meinung der Mehrzahl sind die Niederlande, dieser Inbegriff der Sauberkeit und der Korrektheit, das liebenswerteste europäische Land überhaupt!

Liegt es an der idyllischen Mischung von Windmühlen, Zugbrücken und Käsemärkten, die sich durchaus mit kritischem Geist, mit jugendlicher Revolte und offener Diskussion verträgt? Imponiert der Mangel an Eitelkeit?

Ist es der schon stark anglophile Lebensstil (Händeschütteln wird nicht, Pünktlichkeit dagegen über alles geschätzt) mit seiner Vorliebe für Tee und für ein reichhaltiges Frühstück? Die unvergleichliche Offenheit, mit der 13 Millionen (etwa zu gleichen Teilen evangelische und katholische) Niederländer unter Verzicht auf Gardinen ihr geordnetes Leben zur Schau stellen, ohne daß jemand davon Notiz nimmt, spricht für sich.

Oder gar die Lust am Radfahren? Die Niederlande, das Land mit der höchsten Bevölkerungsdichte der Welt, sind ein Dorado für Radfahrer, mit einem Netz von gut ausgebauten Radfahrwegen. Es lohnt sich, das Rad mitzunehmen – einzige Vorschrift: der untere Teil des rückwärtigen Schutzbleches muß weiß gestrichen sein.

Und noch etwas: Das »VVV«, das man allerorten sieht, steht für »Vereniging voor Vreemdelingenverkeer« und spricht sich fé-fé-fé. Aber lesen kann man doch Niederländisch ganz gut – oder?

Beschwerden

(siehe auch unter: Hotel, Mahnen, Offene Worte, Restaurant)

Man kann sich über lauwarmen Kaffee und schlecht einge-
schenktes Bier beschweren, über einen wild gewordenen Un-
teroffizier oder einen unhöflichen Beamten. Man kann sogar
(wie der Verband der Postbenutzer) gegen die Höhe der Tele-
fongebühren angehen, notfalls mit einer Verfassungsbe-
schwerde. Man muß sich nicht alles gefallen lassen. Kein
Mensch ist bloß Objekt.

Niemand muß die Welt und die Menschen achselzuckend
hinnehmen wie sie ist und wie sie sind. Jeder darf nach Kräften
protestieren – schließlich ist auch die Beschwerde und die Reklamation nichts weiter als eine Art von Protest: gegen mangelnde Qualität, gegen Mißstände im Betrieb, überbezahlte
Dienstleistungen oder Verletzung des Persönlichkeitsrechts.

Man soll ruhig den Mund aufmachen (was ja nicht gleich bedeutet: das Maul aufreißen). Die passive Demutshaltung, die
Rolle des stillen Dulders paßt jedenfalls nicht in eine Gesellschaft, in der kräftig mit den Ellenbogen gearbeitet wird. In der
die Regeln vernünftigen Miteinanderauskommens genauso wie
die Spielregeln der Demokratie möglichst die Zeit nach Dienst-
schluß verschönern sollen. Nein, es sind viel zu viele hemdsär-
melige Zeitgenossen unter uns, die nach dem schlichten Er-
folgsrezept »Geht's, geht's« ihr Geld machen, als daß nicht
ständige Bereitschaft zum Protest und wacher Argwohn angebracht wären.

Freilich: Es gibt auch im Fall von Beschwerden so etwas wie
eine »Verhältnismäßigkeit der Mittel«. Man soll aus einer
Mücke keinen Elefanten machen, sagt ein zeitlos gültiges Wort.
Meckerei um jeden Preis führt auch nicht weiter. Man soll keine
Sache um der Sache willen aufbauschen.

Versetzen Sie sich auch, bevor Sie zum Donnerwetter Luft
holen, in die Lage der anderen. Möchten Sie, konkret gesprochen, an einem heißen Sommersonntag Aushilfskellner in einem Ausflugsrestaurant sein? Oder Verkäuferin beim Winter-
schlußverkauf? »Dienen« steht heute nicht mehr hoch im Kurs
– sich umgekehrt als großen Mann aufzuspielen, paßt allerdings
auch nicht in die Zeit.

Die angemessene Form der Beschwerde kann irgendwo
zwischen einer freundlich vorgetragenen Bitte und der Begeg-

nung vor Gericht liegen, das kommt ganz auf den Einzelfall und die Betroffenen an. Keiner hat die Wahrheit gepachtet, jedes Ding hat zwei Seiten. Oft hilft es schon weiter, sich mit Arbeitskollegen oder Freunden zu besprechen. Wer sich immer und absolut im Recht glaubt, verliert schnell die Übersicht.

Man sollte bei einer Beschwerde nicht die Direttissima gehen, das erschwert die Sache unnütz und nimmt ihr vielleicht sogar die Wirkung. Lieber den Dienstweg einhalten, über den Vorgesetzten, durch den Betriebsrat.

Immer sachlich bleiben!

Briefliche Beschwerden und Reklamationen beschränken sich – zunächst – ohne großes Lamento auf die Darstellung des Sachverhaltes. Wer sachlich bleibt, auch wenn's schwerfällt, ist im Vorteil. Nur nicht laut werden (auch nicht schriftlich)! Und keine Verbalinjurien gebrauchen! Sonst wird der Spieß leicht umgedreht. Man weiß ja nie, wie der andere, der Betroffene, reagiert: freundlich, auf Ausgleich bedacht – oder wütend, unverschämt. Wenn er sich höflich entschuldigt, war der Ton womöglich zu schroff. Wer sachlich-freundlich beginnt und erst einmal mit Argumenten vorlieb nimmt, hat immer die Möglichkeit genußvoller Steigerung. Niemals mit der Tür ins Haus fallen und gleich auf Anhieb das ganze Pulver verschießen!

Auch daran sollten Sie denken (ohne sich beirren zu lassen): Wer aufmuckt, gerät, selbst wenn er im Recht ist, schnell in die Rolle des Unruhestifters. Und das kann man ihn bei passender Gelegenheit büßen lassen. Es gehört oft genug Rückgrat dazu, einen Mißstand offen und ehrlich beim Namen zu nennen und die Wahrheit zu sagen. Beschwerden können mit Ärger verbunden sein. Haben Sie die Nerven und die Kraft, die Sache durchzufechten? Schweigen ist doch so bequem, und man hat seine Ruhe, nicht wahr?

Es gibt natürlich auch die ewigen Nörgler, die Querulanten. Die an allem Anstoß nehmen. Jede Zeitungsredaktion, viele Gerichte können ein Lied davon singen. Auch mit ihnen müssen wir leben.

Bestecke
(siehe auch unter: Essen, Tischdecken)

Messer liegen rechts und Gabeln links, wie die Hand sie gebraucht; Suppenlöffel rechts vom Messer, der kleine Dessertlöffel oberhalb des Tellers. Die Bestecke liegen in der Reihenfolge, in der sie beim Essen benutzt werden – man ißt sich, Gang für Gang, von außen nach innen.

Diese einleuchtende Regel muß man sich einprägen, sonst könnte man angesichts eines festlich gedeckten Tisches schon ein bißchen Angst bekommen. Eine rührige Industrie bietet ja zu jeder Spezialität der Küche das passende Eßgerät an. Doch nicht allzu viele Menschen werden im Leben in die Verlegenheit kommen, eine Austerngabel auf Anhieb von einer Hummerngabel unterscheiden zu müssen. Allerdings wachsen mit zunehmendem Lebensstandard auch hier die Ansprüche.

Für einen neu gegründeten Hausstand reichen natürlich Messer, Gabel und Löffel, Kaffeelöffel und Kuchengabeln sowie Suppenschöpfer, Gemüselöffel, Soßenlöffel und Bratengabel. Mehr ist für die erste Zeit nicht nötig. Die Zahl der Bestecke, der Kaffeelöffel und Kuchengabeln hängt von der Größe des Freundeskreises ab, den man um sich zu versammeln gedenkt (6 ist normal). Für größere Parties kann man schließlich auch Plastikbestecke besorgen – es muß nicht immer Edelstahl oder gar Silber sein . . .

Messer, Gabel, Löffel sind die wichtigsten Werkzeuge bei der täglichen Nahrungsaufnahme. Folglich müßte ihre Handhabung längst in Fleisch und Blut übergegangen sein. Aber schon eine einfache Wurstpelle kann jeden gelegentlich zur Verzweiflung bringen, wenn er ihrer mit Messer und Gabel Herr werden soll.

Kein Grund zur Unsicherheit – höchstens Ansporn zu ständiger Übung. Wenn man es sich zu Hause nicht allzu leicht macht und bei Tisch nicht immer den Weg des geringsten Widerstandes geht, kann einem nämlich auch in der Gesellschaft oder im Restaurant nichts passieren. Im Grunde genommen läuft ja alles auf den unverkrampften, leichthändigen Umgang mit Messer und Gabel hinaus. Den sollte man deshalb auch bis zur Perfektion beherrschen. Was darüber hinausgeht, läßt sich erfragen. Und dafür wird man überall Verständnis finden.

Den Geübten erkennt man auf den ersten Blick an der Lockerheit, mit der er, leicht nach vorn gebeugt und Ellenbogen am

Oberkörper, Messer und Gabel zwischen Daumen, Zeige- und Mittelfinger hält. Es erleichtert den Gebrauch des Bestecks keineswegs (im Gegenteil, es erschwert ihn!), wenn man den Messergriff fest umklammert in der Absicht, Körperkraft auf die Messerschneide zu übertragen. Ein scharfes Messer schneidet, indem man es mit leichtem Druck hin und her bewegt.

Die Gabel hält man in Deutschland wie einen Löffel, wenn man Gemüse und Kartoffeln ißt: Gabelzinken nach oben (andere Länder halten es damit anders). Wird Fleisch aufgespießt, dreht man die Gabel, Zinken nach unten, um. Der Löffel wird bei uns mit der Spitze zum Mund geführt (nicht mit der Breitseite, wie in anderen Ländern).

In den Pausen, die der Mensch braucht, um zu kauen oder um mit dem Nachbarn ein paar Worte zu wechseln, liegen die Handballen neben dem Teller nahe der Tischkante; Messer und Gabel werden, leicht zur Tellermitte hin geneigt, über dem Teller gehalten.

Wer zum Glas greift (nicht ohne sich den Mund vorher mit der Serviette abzutupfen), legt das Besteck auf dem Teller ab – nicht auf dem Tisch. Die Linke, die beim Gebrauch von Gabel oder Löffel untätig ist, liegt auf dem Tisch neben dem Teller – nicht im Schoß (wie in Großbritannien).

Jeder gebraucht sein Besteck, auch wenn er in anderen Ländern weilt, so, wie er es zu Hause gelernt hat. Das Wissen, daß man woanders anders ißt, darf man auch bei den Gastgebern im Ausland voraussetzen und soll lediglich erstaunte Blicke verhindern. Ein Grund zur Anpassung liegt nicht vor.

Vom Umgang mit Messer, Gabel und Löffel

1. Was sich mit der Gabel zerteilen läßt (auch Fleisch!), wird mit der Gabel zerteilt.

2. Alles andere wird mit dem Messer geschnitten.

3. Die Gepflogenheit, Kartoffeln oder Spargel nicht mit dem Messer zu schneiden, stammt aus einer Zeit, als sich Messerklinge und Säure der Nahrung noch nicht miteinander vertrugen. Heute darf man es tun.

4. Löffel läßt man weder in der Suppentasse noch in einer anderen Tasse stehen. Man legt sie nach Gebrauch rechts daneben, auf die Untertasse.

5. Man schneidet bei uns einen Bissen nach dem anderen ab, benutzt also Messer und Gabel während des ganzen Hauptge-

richts (in England zum Beispiel schneidet man das Fleisch vorher und gebraucht beim Essen nur die Gabel).

6. Das Messer soll beim Essen die Lippen nicht berühren.

7. Wer eine zweite Portion wünscht (was das gute Recht des Gastes ist), zeigt dies dadurch an, daß er das Besteck auf dem Teller kreuzt.

8. Wer sich Fleisch oder Gemüse von der Platte oder aus der Schüssel nimmt, darf nicht sein eigenes Besteck benutzen.

9. Wer mit dem Essen fertig ist, legt das Besteck parallel von rechts unten nach links oben auf den Teller. So lassen sich Teller und Besteck am besten abräumen.

Mit welchem Besteck ißt man ...

Brötchen? Mit der Hand. Zum Frühstück werden sie mit dem Messer aufgeschnitten. Als Beilage zu Suppe oder Fisch werden sie in kleine Stücke gebrochen und erst dann mit Butter bestrichen.

Brot? Wenn es als Toast gereicht wird, bricht man es mit der Hand in zwei Hälften, die nacheinander – kleinere Stücke bissenweise – mit Butter bestrichen werden. Ein (unbestrichenes) Brotstück kann bei Vorspeisen oder Fisch zum Schieben auf die Gabel verwendet werden. Belegte Brote werden mit Messer und Gabel gegessen, Sandwiches (dünne Weißbrotschnitten) aus der Hand.

Fleisch? Mit Messer und Gabel. Das Fleisch wird bissenweise abgeschnitten. Bei Fleisch mit Knochen wird das Fleisch mit der Gabel festgehalten und der Knochen mit dem Messer herausgetrennt. Weiche Fleischgerichte (Klopse, Hackbraten) werden mit der Gabel zerteilt, bei härterer Kruste kann man auch das Messer verwenden.

Gemüse? Mit der Gabel. Auch das Zerteilen (bei Blumenkohl zum Beispiel) geschieht mit der Gabel, nicht mit dem Messer. Erbsen werden auf die flachliegende Gabel geschoben. Maiskolben werden mit beiden Händen angefaßt und beim Knabbern der Körner gedreht.

Käse? Käsebrote mit Messer und Gabel, Käsebrötchen mit der Hand. Wenn der Käse im Stück auf den Tisch kommt, schneidet man mit dem Käsemesser eine oder einige Scheiben ab und legt sie sich mit der Gabel auf den Teller. Auf das Brot bringt man sie praktischerweise mit dem Messer. Käse in Verpackung wird mit Messer und Gabel aus der Hülle gelöst, wenn es sich ohne Mühe machen läßt; mit der Hand geht es auch.

Kartoffeln? Mit der Gabel, mit der man sie auch in kleine Stücke zerteilt. Wer allerdings Kartoffeln mit dem Messer schneidet, braucht nicht mehr gesellschaftliche Ächtung zu befürchten. Richtig ist wohl und für die Gabel spricht, daß eine gleichsam zerkrümelte Kartoffel die Soße besser bindet als eine glatt durchgeschnittene. Die Kartoffel mit den Gabelzinken bis zur Unkenntlichkeit zu zerquetschen, mag der Säuberung des Tellers dienlich sein, auf keinen Fall aber der Ästhetik des Essens. Pellkartoffeln werden mit der Gabel in der Linken aufgespießt und mit dem Messer in der Rechten gepellt.

Klöße und Knödel? Mit der Gabel. Das Messer darf beim Aufreißen zu Hilfe genommen werden.

Kuchen? Mit der Hand, wenn er weich ist (Napfkuchen, Stollen, Pfannkuchen), oder mit der Kuchengabel bzw. dem Kaffeelöffel (Torte, Obstkuchen usw.).

Mehlspeisen? Mit der Gabel. Bei Palatschinken, Eierkuchen usw. kann auch der Löffel in der Linken zur Hilfeleistung benutzt werden.

Pastete? Mit der Gabel – und, wenn's so leichter geht, dem Löffel in der Linken.

Reis? Mit der Gabel, Milchreis mit dem Löffel.

Spaghetti? Vgl. Kapitel »Spaghetti«!

Salat? Wird auf die Gabel gespießt. Große Blätter (wenn sie schon auf den Tisch kommen, was nicht sein sollte) darf man mit dem Messer zerschneiden. Auch wenn Soße am Messer ist, sieht das immer noch besser aus als der Versuch, ein großes Salatblatt unzerkleinert zwischen die Zähne zu bugsieren.

Wild? Wie Fleisch – mit Messer und Gabel.

Wurst? Warme Blut- und Leberwurst in der Mitte durchschneiden, die Hälften (nacheinander, versteht sich) mit der Gabel am Ende festhalten und die weiche Wurstmasse zur aufgeschnittenen Mitte hin aus dem Darm herausdrücken.

Wie nimmt man ...

Butter? Meist gibt es heute in Hotels vorverpackte kleine Portionen – wie bei Honig und bei Marmelade. Sonst wird ein Buttermesser gedeckt, mit dem man die Butter auf den eigenen Teller bringt. Dann erst bestreicht man – mit dem normalen Messer – Brot oder Brötchen. Das hört sich vielleicht etwas kompliziert an, ist aber die Gewähr dafür, daß mit dem eigenen Messer keine Wurst-, Käse- oder Marmeladenreste in die Butterdose kommen, was nicht gerade appetitlich aussieht.

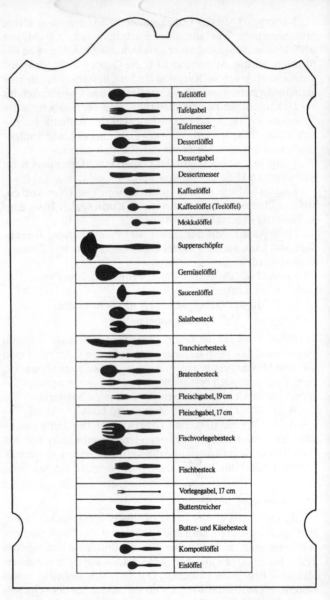

	Tafellöffel
	Tafelgabel
	Tafelmesser
	Dessertlöffel
	Dessertgabel
	Dessertmesser
	Kaffeelöffel
	Kaffeelöffel (Teelöffel)
	Mokkalöffel
	Suppenschöpfer
	Gemüselöffel
	Saucenlöffel
	Salatbesteck
	Tranchierbesteck
	Bratenbesteck
	Fleischgabel, 19 cm
	Fleischgabel, 17 cm
	Fischvorlegebesteck
	Fischbesteck
	Vorlegegabel, 17 cm
	Butterstreicher
	Butter- und Käsebesteck
	Kompottlöffel
	Eislöffel

*Für jede Gelegenheit bei Tisch gibt es das passende Eßwerkzeug.
Hier die Übersicht:*

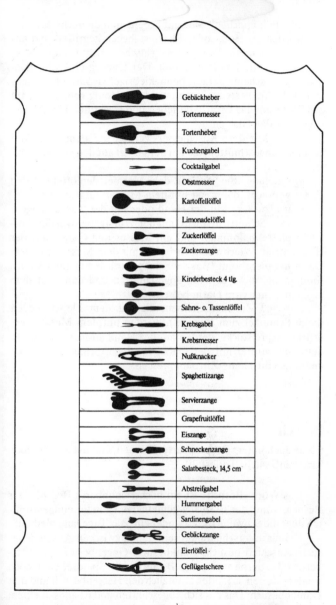

	Gebäckheber
	Tortenmesser
	Tortenheber
	Kuchengabel
	Cocktailgabel
	Obstmesser
	Kartoffellöffel
	Limonadelöffel
	Zuckerlöffel
	Zuckerzange
	Kinderbesteck 4 tlg.
	Sahne- o. Tassenlöffel
	Krebsgabel
	Krebsmesser
	Nußknacker
	Spaghettizange
	Servierzange
	Grapefruitlöffel
	Eiszange
	Schneckenzange
	Salatbesteck, 14,5 cm
	Abstreifgabel
	Hummergabel
	Sardinengabel
	Gebäckzange
	Eierlöffel
	Geflügelschere

Wer gern Spezialitäten ißt, sollte auch für die richtigen Bestecke sorgen – es ißt sich einfach besser!

Cocktailhäppchen? Sie sind bereits mundgerecht zubereitet, werden an Holz- oder Plastikstäbchen gegriffen und aus der Hand verspeist. Vorsicht: sie rutschen leicht runter!

Honig? Mit dem Honiglöffel. Der Umweg über den eigenen Teller scheint gerade beim klebrigen Honig etwas umständlich. Am besten läßt man wohl den Honig vom Löffel auf das Brot oder das Brötchen fließen und steckt den Honiglöffel wieder in das Glas zurück.

Käse? Mit dem Käsemesser werden auf dem Käsebrett Scheiben abgeschnitten, die mit der Gabel auf den eigenen Teller gebracht werden.

Marmelade? Sie wird mit dem Marmeladenlöffel auf den Teller gebracht, dann erst mit dem Messer aufgestrichen.

Würfelzucker? Mit der Hand oder mit der Zuckerzange.

Wurst? Schnittwurst wird mit der Wurstgabel von der Aufschnittplatte genommen und mit Messer und Gabel von der Haut befreit. Weichwurst wird nicht mit dem Messer aus dem Darm herausgehöhlt (was sehr unappetitlich aussehen kann), sondern als dicke Scheibe abgeschnitten und dann auf dem eigenen Teller vom Darm befreit.

Zitrone? Zitronenscheiben, die auf dem Fleisch liegen (beim Schnitzel zum Beispiel), werden mit dem Messer zerdrückt. Achtelstücke werden mit der Hand ausgedrückt, nachdem man vorher mit der Gabel hineingestochen hat. Es sei denn, es gibt kleine Zitronenpressen.

Besuch

(siehe auch unter: Besuchskarte, Blumen, Geburt, Geschenke, Krankenbesuch, Todesfall)

Das Wort »Besuch« ist ein höchst dehnbarer Begriff. Der Besuch, womit der Besucher gemeint ist, kann für einige Minuten über die Schwelle treten – oder ein paar Tage lang bleiben.

Früher unterschied man sehr genau zwischen Anstandsbesuch, Abschiedsbesuch, Dankbesuch, Gegenbesuch, Antrittsbesuch, Logierbesuch – und Brautbesuch. Spätere, eher noch prüdere Zeiten, erfanden zusätzlich den Herrenbesuch und den Damenbesuch. Das hat sich abgeschliffen und ist alles in einem großen »Besuchs-Topf« gelandet.

Irgendwann macht man irgendwo den ersten Besuch: bei

dem Nachbarn, bei Kollegen im neuen Wirkungskreis. Ein neuer Bundespräsident reist, bestes Beispiel für den formellen »Antrittsbesuch«, durch die Bundesländer, und die Länder-chefs begrüßen ihn.

In kleineren Städten und Orten, in denen das Gemeinwe-sen noch überschaubar ist, in denen »man« sich kennt, machen Neuzugezogene bei allen, mit denen sie in Zukunft näher zu tun haben werden, einen Besuch. Dabei geht es auch längst nicht mehr so offiziell zu wie früher.

Solche Besuche werden nicht über Gebühr ausgedehnt – eine Viertelstunde oder eine halbe genügt für die erste Kontakt-aufnahme. Der Besucher bringt nichts mit, auch keine Blumen, und ihm wird nichts angeboten (spontane Sympathie ausge-nommen). Man hat sich gesehen, und das genügt fürs erste. Die günstigste Zeit: abends zwischen 18 und 18.30 Uhr. Oder in der Mittagszeit gegen 12 (Sonnabend/Samstag). Das kommt auf den Beruf an. Vorherige Anmeldung ist anzuraten.

Etwas anderes ist es natürlich beim ersten Gang zu den El-tern des Freundes (oder der Freundin); das müssen ja nicht un-bedingt gleich die zukünftigen Schwiegereltern sein. Aber El-tern sind nun einmal, aus gutem Grund, neugierig und wollen wissen, in welcher Gesellschaft das Kind, sei es die Tochter, sei es der Sohn, seine Freizeit verbringt. Also macht man bei ihnen einen Besuch, auch wenn es schwerfällt. Am besten: ein kleines Mittagessen zum Wochenende oder, wenn das schon zuviel ist, ein Gläschen Wein nach Feierabend.

Überraschungen an der Wohnungstür

Zu den Schrecken der Hausfrauen gehörte einst und gehört auch heute noch, bei vielen jedenfalls, der unangemeldete Be-such. Überraschungen, auch gutgemeinte, sind nicht jeder-manns Sache. Wo ein Telefon im Hause ist, sollte man vorher anrufen und sich nach der Lage erkundigen. Dann kann die Hausfrau wenigstens noch die Lockenwickler entfernen.

Wo kein Telefon ist, wird man halt vorbeischauen – mit dem festen Vorsatz, sich auf der Stelle wieder zu empfehlen, wenn der Besuch sichtlich ungelegen kommt; oder man muß sich gedulden, weil schon jemand da ist. Dieses Risiko geht man bei einem »Überfall« ein, Übelnehmen darf es da nicht geben. Auch keine Hysterie. Man sagt sich offen, wie es aussieht (»Wir sind furchtbar müde«) – und verabredet einen festen Termin.

Von solchen Ausnahmen abgesehen, sollten überraschende

Besuche heute kein Grund mehr zur Aufregung sein. Schließlich gibt es einen Eisschrank mit Büchsen, Dosen und Flaschen. Allerdings muß man darauf achten, daß immer eine Art eiserne Ration im Hause ist. Dann kann gar nichts passieren.

Manchmal genügt ja schon ein schneller Rundblick, um festzustellen, daß man, bei aller Liebe und bei aller Freundschaft, den falschen Augenblick erwischt hat. In solchen Situationen zeigt sich Taktgefühl (was keineswegs angeboren ist!): Man setzt sich gar nicht erst, sondern geht.

In Wahlkampfzeiten (irgendwo ist immer Wahlkampf) dürfen Hausfrauen und Haushalte zwischen 10 und 12 Uhr und zwischen 16 und 18 Uhr, also in den klassischen Besuchszeiten, auch bei uns mit dem – meist unerwarteten – Besuch von politisch interessierten Mitbürgern rechnen.

Wahlhelfer und Kandidaten wissen inzwischen, wie wichtig derartige Hausbesuche sind. Viel Zeit haben sie nicht, keine Angst. Sie wollen sich weder festreden noch festtrinken, sie wollen gesehen werden, mehr nicht. Wenn Sie etwas auf dem Herzen haben, möglichst aus Ihrem Lebensbereich, dann sagen Sie es. Und knallen Sie den Frauen und Männern nicht die Tür vor der Nase zu. Es sei denn, Sie hätten tatsächlich etwas gegen Demokratie ...

Besuchskarten

(siehe auch unter: Besuch, Bekanntmachen, Einladung, Vorstellen)

Besuchskarten erweisen sich auch dann als sinnvoll, wenn sie nicht mit Kronen oder klangvollen Titeln verziert sind (diese, die feineren, sammelte man früher gut sichtbar in einem Schälchen!). Karten, auch Geschäftskarten, erleichtern den menschlichen Kontakt und sind heute ein praktisches Hilfsmittel im zeitsparenden Umgang.

Unternehmen gehen immer mehr dazu über, ihren Mitarbeitern, wenn sie irgendwie mit der Außenwelt in Berührung kommen, Karten drucken zu lassen, oft mit Geschäfts- und mit Privatadresse. Ein Griff in die Brieftasche, und unser Gegenüber hat alles Wissenswerte über weitere Kontaktmöglichkeiten im Geschäft und meist auch privat schwarz auf weiß. Letzte Steigerung: die Karte mit fotografiertem Konterfei, damit es sich einprägt.

Das Format der Karten sollte nicht zu klein sein – der individuelle Geschmack kann sich auf einem Raum, der sich in der Breite zwischen 7 und 10 cm, in der Höhe zwischen 3 und 6 cm bewegt, entfalten. Der Text muß nicht unbedingt in Schwarz gedruckt sein – Blau, beispielsweise, geht auch, ebenso ein Bordeauxrot. Man sollte sich vorher die Schrift ansehen, welche die Druckerei zur Verfügung hat. Auch Schriften ändern sich mit der Zeit – wie Frisuren und Fahrradlenker.

Nicht nur im geschäftlichen Alltag, auch im Privatleben kommt man schließlich nicht mehr ohne die kleinen Karten aus, wenn man sich erst einmal an sie gewöhnt hat. Eine flüchtige Bekanntschaft auf der Reise? »Hier ist meine Karte«, das ist unverbindlich und unaufdringlich. Ein vergeblicher Besuch? Die Karte rutscht mit einem Gruß durch den Briefschlitz. Eine etwas formellere Einladung zu einem geselligen Abend? Zeit und Art des Treffens werden auf der Karte vermerkt. Auch die Eingeladenen können sich mit ihren Karten bedanken und zusagen. Solche kurzen Mitteilungen werden über den Namen geschrieben, deshalb sollte man den gedruckten Text etwas tiefer setzen. Nichts spricht dagegen, für einen längeren Satz die Rückseite zu benutzen. Name und Unterschrift erübrigen sich.

Früher fingen Duelle damit an, daß sich die Herren schweigend ihre Karten überreichten. Heute enden sie manchmal damit: Auch bei Blechrempeleien im Straßenverkehr bewährt sich die Visitenkarte als schnelles Verständigungsmittel. Bei einem verunglückten Einparken steckt man die Karte hinter den Scheibenwischer des gestreiften Fahrzeugs (und macht sich nicht aus dem Staube, wie es leider immer wieder geschieht).

Mag sein, daß manchem selbst die schlichte Besuchskarte (von der wir immer sprechen) eine Spur zu »fein« vorkommt. Ihm bleibt als Informationsmittel immer noch das kleinere, meist gummierte Klebe-Etikett. Es erfüllt, mit Namen und Adresse, auch seinen Zweck, und man kann sich damit auf seinem Hab und Gut, im Buch und im Koffer, verewigen.

Bewerbung

(siehe auch unter: Anreden, Briefschreiben)

Immerhin läßt sich das Risiko einer Ablehnung, das mit einer Bewerbung stets verbunden ist, dadurch mindern, daß die Bewerbungsunterlagen korrekt und fehlerfrei geschrieben sind und daß der Personalchef, der sie lesen muß, ohne langes Suchen die Aussagen und Hinweise findet, die ihn interessieren.

Über drei Millionen Bewerbungsschreiben gehen jährlich in der Bundesrepublik bei Unternehmen und Behörden ein – viele, die meisten ohne Erfolg. Niemand ist gegen solche Vergeblichkeit gefeit, auch der Beste nicht.

Jede Bewerbung gleicht einer Aufgabe; aus der Geschicklichkeit, mit der Sie sie lösen, kann der Kenner bereits seine Schlüsse ziehen. Grund genug, auf die schriftliche Vorstellung hinreichend Zeit zu verwenden.

Zu den »üblichen Unterlagen« gehören:
Lebenslauf, Zeugniskopien, Handschriftenprobe, Foto, Anschreiben. Falls eine Firma noch Wünsche hat, schreibt sie das in ihrer Anzeige.

Die alte Form des Lebenslaufs, die mit »Ich, X.Y . . .« begann, gibt es nicht mehr. Heute verlangt man eine tabellarische Übersicht von längstens einer Seite, die Auskunft über die Lebensstationen gibt – und zwar lückenlos nach Jahr und Monat.

Der Lebenslauf soll enthalten:
Name, Adresse, Telefon, Geburtstag, Geburtsort, Religion (nicht unbedingt nötig), Familienstand und Zahl der Kinder, Beruf des Vaters, Schulausbildung (kurz), Wehrdienst, Studium, Berufsausbildung und -weg, Kurse und Prüfungen, möglicher Eintrittstermin, gegenwärtiges Gehalt, Unterschrift.

Für jedes angeführte Arbeitsverhältnis muß auch ein Zeugnis vorliegen. Eingeschickt werden Kopien von Zeugnissen. Berufsanfänger müssen einen Satz der Schulzeugnisse beifügen, bei Akademikern genügt das Hochschuldiplom. Arbeitsproben und Leistungsbelege muß man über Jahre hinweg sammeln, und nicht im letzten Augenblick zusammensuchen.

Die Handschriftenprobe wird auf ein eigenes DIN-A 4-Blatt geschrieben, etwa 20 Zeilen lang, mit Tinte oder Kugelschreiber, das bleibt sich gleich. Schon der Text, auf dem Ihre Schriftprobe basiert, läßt Schlüsse zu; Fachleute empfehlen deshalb einen neutralen Inhalt, am besten und unverfänglichsten ist eine Wortfolge aus der Zeitung (Wirtschaftsteil). Sie raten außerdem, den Text in ausgeruhtem Zustand zu Papier zu bringen.

Ein Foto kann, wer wüßte das nicht, eine sympathische Ausstrahlung haben. Um so unverständlicher ist freilich die Sorglosigkeit, mit der sich viele Bewerber optisch »verkaufen«.

Die sogenannten »Schnappschüsse« erweisen sich bei genauerem Hinsehen meistens als unbrauchbar, und Automatenfotos erinnern oft genug an Steckbriefe. Deshalb sollten Sie lieber in ein richtiges Fotoatelier gehen und gute Fotos von sich machen lassen. Größe: zwischen Paßbild und Postkarte. Die Auswahl des einzuschickenden Fotos sollte man anderen, am besten wohlmeinenden Freunden, überlassen.

Wer einen Brief zu seinen Bewerbungsunterlagen schreibt, darf auf keinen Fall auf Originalität aus sein. Geschätzt wird Sachlichkeit und nichts weiter. Das Anschreiben wird auf weißes DIN-A 4-Briefpapier (mit gedrucktem oder maschinegeschriebenem Briefkopf) getippt. In diesem Anschreiben – Länge: nicht über eine Seite! – erwartet der Leser Aufklärung über die Gründe des beabsichtigten Wechsels (Neues kennenlernen; an größere Aufgaben herangehen; sich augenblicklich nicht gefordert fühlen usw.)

Vor allem muß Ihren Ausführungen zu entnehmen sein, durch welche Kenntnisse, Tätigkeiten, Befähigungen und Erfahrungen Sie den Anforderungen der neuen Position glauben gerecht werden zu können. Ihre gegenwärtige Tätigkeit muß dabei ausführlicher geschildert werden. Sollten Sie Referenzen angeben (». . . wenden Sie sich bitte an . . .«), dann informieren Sie auf jeden Fall den oder die Genannten, damit sie nicht aus allen Wolken fallen, falls sie angerufen werden (was verständlicherweise keinen guten Eindruck macht).

Wenn Sie – kritisches Bewußtsein vorausgesetzt – wissen, was Sie können, braucht Sie eine Ablehnung Ihrer Bewerbung nicht aus dem Gleichgewicht zu bringen. Dafür kann es viele Erklärungen geben. Die tröstlichste: Der Personalchef hat gar nicht begriffen, welche Perle mit Ihrer Bewerbung auf seinem Tisch lag . . .

Das Eigeninserat

Bevor Sie Ihr Inserat in einer Zeitung oder Zeitschrift aufgeben, sollten Sie sich unbedingt ansehen, was Ihre »Konkurrenz« macht. Den Text für Ihre Anzeige müssen Sie schon selbst entwerfen, die Arbeit kann Ihnen keiner abnehmen. Dazu gehört, sich in aller Ehrlichkeit klarzuwerden über das, was Sie wissen, was Sie können, was Sie wollen.

Sie sollen kein Geld beim Inserieren aus dem Fenster werfen (großformatige Anzeigen werden leicht als Größenwahn gedeutet, wenn sie nicht im rechten Verhältnis zur Position stehen). Sie sollten aber auch nicht allzu kleinlich mit Zeilen geizen und dem geplagten Leser einen Wust von Abkürzungen zumuten. Wichtig ist, daß er klipp und klar erfährt, was Sie können. Über alles andere kann man später reden.

Tips für die Bewerbung

Der erste Eindruck entscheidet häufig im Leben – auch bei Bewerbungen.

Schicken Sie keinen Wust von Papier! Ordnen Sie die Unterlagen so, daß sie für den Leser schnell überschaubar sind!

Vor allem: Schicken Sie beim ersten Kontakt nicht zuviel!

Lebenslauf und Bewerbungsbrief müssen Originale sein, die Zeugnisse saubere, nicht abgegriffene Kopien.

Lücken im Lebenslauf entgehen keinem Personalchef. Am besten ist also eine offene und ehrliche Aufklärung!

Was im Lebenslauf steht, braucht in dem Anschreiben nicht nochmals wiederholt zu werden.

»Eigenlob stinkt«, sagt ein altes Sprichwort. An der Tatsache hat sich bis heute nichts geändert. Aber seien Sie auch nicht übertrieben bescheiden!

Schreiben Sie Brief und Lebenslauf fehlerlos! Nichts korrigieren, nichts radieren! Jeder von Ihnen übersehene Fehler zählt gegen Sie.

Keine Flunkerei bei Ihrem gegenwärtigen Gehalt! Die Zahl läßt sich, wenn Ihre Bewerbung Erfolg hat, leicht nachprüfen – und dann wird's peinlich!

Frankieren Sie die Sendung richtig – Strafporto ist ein schlechter Anfang!

Personalchefs haben eine gut geordnete Ablage. Mit einer hingeschluderten Bewerbung können Sie sich auch die Chancen für später verbauen!

Bier

(siehe auch unter: Alkohol, Essen, Getränke, Gläser, Trinken und Trinksitten)

Bier macht Durst erst schön, wie wahr, wie wahr. Der Mann, der ohne Umschweife die Flasche an die Lippen setzt, ist dafür genauso ein Beweis wie der Kenner, der geduldig wartet, bis endlich der Kelch mit der weißen Blume kommt, weil er weiß, daß ein gut gezapftes Pils seine Zeit braucht, nämlich sieben bis acht Minuten. Bier läßt sich konsumieren – Bier läßt sich auch genießen.

Bier hat, kein Zweifel, Karriere gemacht, Exportbiere sind weltweit bekannte Markenartikel. Längst entschwunden sind jene guten alten Zeiten, als der Gerstensaft in besseren Lokalen in silbernen Bechern serviert wurde, damit bloß keiner sehen konnte, was für ein profanes Getränk auf den Tisch kam.

Bier ist heute gesellschaftsfähig – nicht nur in biertrinkenden Ländern wie Deutschland und Belgien, sondern auf der ganzen Welt. Bier ist auch keine Männersache mehr – Frauen delektieren sich an dem goldbraunen Saft nicht minder, seitdem sich die Erkenntnis durchgesetzt hat, daß Bier (nach Mineralwasser, Kaffee und Tee) zu den kalorienärmsten Getränken zählt und zu fast allen Gerichten schmeckt.

Bier muß kühl lagern, in der Brauerei wie zu Hause. Als beste Temperatur für den Verbrauch gilt die schmale Spanne zwischen 8 und 10 Grad, da schäumt das Bier richtig. Wer es ganz genau nimmt, sollte auch wissen, daß die optimale Temperatur beim dunklen Bier um ein Geringes, etwa 1 bis 2 Grad, höher liegt als beim hellen. Wenn Bier im Eisschrank zu kalt gelagert wird, bleibt die Schaumkrone aus und der Geschmack geht weg; für das Auge eine »Mißgeburt«, für die Zunge – ein vollkommenes Nichts.

Kühles Bier, gut temperiertes Bier also, ist gleichwohl nicht jedermanns Sache. Der Streß schlägt auf den Magen, und der reagiert, sein gutes Recht, empfindlich. Deshalb ist es immer ratsam, einen kleinen Vorrat von etlichen Flaschen ungekühlt in eine dunkle Ecke zu stellen. Licht schadet dem echten Bier-Geschmack.

Apropos Lagerung: Flaschenbier hält sich zwar mehrere Monate lang, wird aber nicht besser dabei. Man sollte es vier bis sechs Wochen nach Kauf oder Lieferung verbrauchen (Bierjahrgänge, die durch Lagerung gewinnen, gibt es nicht). Dosenbier und vor allem Exportbier hält sich etwas länger.

Einschenken und Anzapfen

Beim Bier kommt es auch auf das Einschenken an. Wer einfach den Strahl aus der Flasche schießen läßt, hat nur Schaum im Glas, manchmal auch auf dem Tisch. Deshalb das Glas schräg halten und langsam eingießen, dann das Glas aufrichten und mit Gefühl bis unter den Rand auffüllen. Wer

Schaum vermeiden will, hält das Glas weiter schräg und vorsichtiger, aber dann entwickelt sich kein fester Schaumkegel.

Ein gutes Pils soll von einer Blume aus festem, sahnigem Schaum gekrönt sein. Am Glasrand setzen sich, entsprechend den Etappen des Trinkens, Ringe ab, die »Gardinen« – vorausgesetzt, daß das Glas sorgsam, mit klarem Wasser gespült worden ist. Fettreste und Lippenstift sind Gift für den Schaum. Deshalb wischen sich gewiefte Biertrinker, wohl ganz instinktiv, vor jedem Schluck den Mund ab.

Das Öffnen der Flaschen ist ja beim Bier kein Problem (allerdings sollten Flaschenöffner in genügend großer Anzahl vorhanden sein). Ein zünftiges Gartenfest bekommt freilich die »höheren Bierweihen« erst durch das Faß. Anzapfen aber will gelernt sein. Münchens Oberbürgermeister müssen sich bekanntlich jedes Jahr unter den kritischen Blicken einer bierkundigen Öffentlichkeit dieser Pflichtübung (beim Oktoberfest) unterziehen, auf daß es gehörig schäume und spritze.

Fässer holt man sich von der Brauerei, leihweise; sie gibt auch Schlegel, Hahn und Ventil mit (und manche legen sogar die Schürze dazu!). Die modernen Alu-Fässer wirken zwar nicht mehr so urig wie die Holzfässer, erleichtern aber das Anzapfen: es spritzt weniger, bei geringerem Kraftaufwand. Mit dem Hahn zusammen wird eine Gummidichtung in das Faß, das durch eine Plastikhaut verschlossen ist, getrieben. Der Hahn, der beim Holzfaß ganz fest steckt, wackelt beim Alu-Faß. Wenn unten am Hahn kein Bier mehr läuft, wird oben das Ventil eingesetzt.

Blumen

(siehe auch unter: Einladung, Geschenke)

Auf die Maxime »Laßt Blumen sprechen« reagieren Bundesdeutsche am folgsamsten: Sie führen eindeutig mit ihren Ausgaben für Blumen in der europäischen Statistik. Und das ist ja nicht das Schlechteste, was man uns nachsagen kann ...

Einige hochgespielte Kalenderdaten – wie Valentinstag und Muttertag –, die mit Sicherheit nur den Einzelhandel so recht zu beglücken vermögen, sollten uns nicht davon abhalten, uns mit Blumen zu umgeben und unsere Mitmenschen mit duftendem Dank und farbigen Grüßen zu bedenken.

Was Blumen aus den vielen denkbaren Möglichkeiten, eine Freude zu bereiten, heraushebt, ist die Erfahrung, daß der Schenkende nichts falsch machen kann: Blumen erweisen sich, sozusagen, als narrensicher. Wer meint, daß Schokolade den Zähnen schadet und Alkohol der Leber, wer im Kunstgewerbe nur den Staubfänger sieht, der verschenke getrost die zweckfreie Schönheit von Blüten und Blättern. Auch der kleinste Strauß wird noch als das gewertet, was er sein will: als Zeichen einer Verbundenheit – in frohen wie in schlimmen Tagen. Danke für die Blumen . . .

Blumen sind narrensicher. Die letzten Hürden, über die man noch hätte stolpern können, wurden beseitigt. Frauen dürfen nun auch Männern Blumen schenken, weil man begriffen hat, wie unverfänglich dieses Geschenk ist. Die Regel, daß Blumen nur in ungerader Zahl überreicht werden dürfen, gilt ebenfalls als überholt (drei Stiele lassen sich in der Vase hübscher drapieren als regelmäßige vier, das ist alles; bei fünf oder sechs entfällt das Problem schon).

Die – einst virtuos beherrschte – Blumensprache versteht keiner mehr so recht. Nur das Wissen, daß rote Rosen etwas mit Liebe zu tun haben und für derartige Herzensbekundungen reserviert sein wollen, hat sich über die Jahre gerettet. Der alte Aberglaube, daß bestimmte Blumen – »Totenblumen« seien, wird nur noch belächelt. Im Laufe der Jahrhunderte sind nämlich zu viele Blumen Symbole des Todes gewesen, als daß diese Bezeichnung heute auf eine besondere zutreffen würde. (Alte Menschen werden freilich weiße Blumen nicht so gern sehen.)

Ob Sie Blumen zum Geburtstag, zur Taufe oder zum Jubiläum verschenken, zur bestandenen Prüfung oder als Danksagung, ob Sie einen Strauß zur Verlobungsfeier, zur Hochzeit oder zum Hochzeitstag kaufen, zum Krankenbesuch mitnehmen oder als Gruß in die Ferne schicken lassen: der »Florist« (wie der ehrenwerte Berufsstand jetzt firmiert) wird Ihnen zu dem raten, was der Jahreszeit und dem Anlaß entspricht, was Gewächshaus und Großmarkthalle gerade hergeben. Feste Regeln lassen sich da nicht aufstellen.

Scheuen Sie aber, vor die Wahl gestellt, nicht das Ausgefallenere! Bloß nicht immer Nelken – diese Einfallslosigkeit kann Blumen auch dem, der sie mag, verleiden. Neues imponiert immer. Eine seltene, ungewöhnliche Blüte macht mehr her als der dutzendmal gesehene Strauß, und das bei gleichem Preis. Auch Orchideen gehören längst nicht mehr zum Luxus. Und jüngere

Floristen entwickeln ein bemerkenswertes Talent, aus Blumen und einem Geschenk (sei es eine Flasche, sei es ein Taschenschirm) eine ansprechende Einheit zu komponieren.

Wohin mit dem Papier?

Bei einer Einladung bekommt die Hausfrau die Blumen. Die Gastgeberin muß sich deshalb, wenn die Gäste kommen, in der Nähe der Tür aufhalten. Blumen werden ohne Papier überreicht, lautet eine immer wieder nachgedruckte Regel, über die sich schon mancher Feuilletonist lustig gemacht hat. Naheliegende Frage: wohin mit dem Papier? Behält es der Mann, der die Blumen überreicht, in der Hand? Steckt er das dicke Knäuel schon vor der Haustür in die Manteltasche (oder läßt er es gleich im Wagen)?

Dabei ist diese Regel gar nicht so wörtlich zu nehmen. Sie soll nur verhindern, daß nach dem Begrüßungs-Händedruck durch umständliche Papierknisterei jene Art von Pausen entsteht, bei der sich jeder ein bißchen albern vorkommt – die Gastgeberin, die womöglich schon mit ausgestrecktem Arm wartet, und der Gast, der Tesafilm am Finger hat.

Es empfiehlt sich also, das Papier vor der Übergabe von Nadeln und Klebestreifen zu befreien. Die Blumen selbst aus dem Papier zu wickeln, ist ja eine Sache von Sekunds. Und die Verpackung wandert wenige Augenblicke nach der Strauß-Übergabe in den bereitgestellten Papierkorb. Entweder macht man das selbst oder die beschenkte Hausfrau.

Um das zu erwartende Blumenmeer bei größeren Einladungen nicht allzusehr ansteigen zu lassen (wer hat schon Vasen in unbegrenzter Zahl?), schickt man den Strauß in solchem Fall schon vorher ins Haus, verbunden mit dem Dank für die Einladung. Oder man läßt die Blumen im Laufe des nächsten Tages mit dem (schriftlichen) Ausdruck des Dankes abgeben.

Für die Tischdekoration bei festlichen Gelegenheiten verwendet man keine stark duftenden Blumen. Üppige Sträuße auf dem Tisch versperren den Blick auf das Gegenüber und erschweren die Unterhaltung.

Blumen-Tips

Man kann Blumen in etwa 130 Länder, von Abessinien bis Zululand, verschicken. Blumengeschenk-Organisationen kümmern sich darum.

Auf dem Bahnhof, am Flughafen wartet der Abholer mit einem Strauß, dem »Willkommensstrauß«

Brautsträuße waren früher weiß. Heute entscheidet man sich für Blumen, die zum Kleid und zum Typ passen

Bei Kondolenzsträußen beschränkt man sich auf eine Blumenart und eine Farbe (zum Beispiel gelbe Chrysanthemen)

Beim Krankenbesuch bevorzugt man kleinere Sträuße (keine Topfpflanzen!). Zumindest beim ersten Besuch kann man eine Vase mitbringen

Briefschreiben

(siehe auch unter: Beschwer(d)en, Bewerbung, Einladungen, Glückwünsche, Mahnen, Todesfall)

Wer schreibt heute schon noch Briefe? Jede Sekretärin – Geschäftsbriefe – aber privat? Es gibt, jawohl, auch heute noch ausgesprochene Briefschreiber und Briefschreiberinnen, die sich sonntags hinsetzen und ihre Erlebnisse und Gedanken zu Papier bringen, das ja so herrlich geduldig ist. Das gibt's noch.

Ausnahmen, zugegeben. Die hohe Kunst des Briefschreibens, das war siebzehntes, achtzehntes, neunzehntes Jahrhundert, und diese Zeiten sind vorbei – der Griff zum Telefon ist nun mal bequemer und spart Zeit.

Mit mangelnder Übung packt allerdings manchen eine regelrechte Scheu vor unbeschriebenem Papier, greift Unbeholfenheit um sich – und damit wird es gefährlich. Schließlich muß sich jeder mal im Leben bewerben, und zwar brieflich. Schließlich muß jeder mal einen Beileidsbrief oder einen Glückwunsch schreiben, und zwar mit der Hand!

Sehen wir also zu, daß wir den Umgang mit Papier und Schreibzeug (Feder und Kugelschreiber sind heute gleichberechtigt) nicht ganz verlernen! Einen »Duden« in Griffweite braucht übrigens auch der Beschlagene – die deutsche Sprache ist eine schwere Sprache . . .

Im Verkehr mit Behörden oder Firmen benutzt man weißes DIN-A 4-Papier. Formlosigkeit ist hier nicht angebracht (von wichtigen Briefen macht man sich ja auch einen Durchschlag). Im privaten Verkehr, so von Mensch zu Mensch, kann jeder nach Lust und Laune seinem individuellen Geschmack, seiner

Freude an poppigen Farben und ausgefallenen Formaten frönen. Offensichtlich gesteht man Mädchen und Frauen dabei größere Freiheiten zu als dem Mann.

Jeder Brief ist, neben der inhaltlichen Botschaft, ein ästhetisches Zeugnis. Das fängt bei dem Briefkopf an, man sollte an der Zeit für einen graphischen Entwurf nicht sparen. Die Breite der Ränder, die der Schreiber zu lassen pflegt, die Raumausnutzung überhaupt, der Sinn für Proportionen, die Art zu korrigieren (oder auch nicht) und zu unterschreiben: aus alldem kann ein Kenner schon seine Schlüsse ziehen.

Impulsiv geschriebene, spontane Privatbriefe, tendieren zu Formlosigkeit – und das ist das Schöne an ihnen. Ein Geschäftsbrief aber sollte vorher formuliert werden – und sei es wegen seiner Länge. Denn es wirkt häßlich, wenn ein Text unmotiviert irgendwo auf der Seite steht oder wenn aus Platzmangel bloß die Schlußformel und die Unterschrift auf die Rückseite verbannt werden müssen.

Heute werden auch Privatbriefe, Liebesbriefe eingeschlossen, mit der Maschine geschrieben, der Leser hat es dadurch einfacher, der Schreiber natürlich auch. Niemand findet etwas dabei; hier haben sich Nützlichkeitserwägungen über alles andere hinweggesetzt. Schlußsatz und Schlußfloskel kann man, muß man aber nicht, mit der Hand schreiben. Es wirkt unmittelbarer, direkter.

Wenn es um eine sehr persönliche Botschaft geht – um ein Beileidsschreiben oder um eine Danksagung – bleibt das Handschreiben immer noch die einzig angemessene Form. Solche Briefe müssen sich keineswegs durch Länge auszeichnen. Im Gegenteil: geschwollene Formulierungen muß man zu vermeiden trachten. Kurz, spontan, von Herzen kommend: darin liegt ja die Schwierigkeit. Selbst Schreibgewandten fallen solche Briefe nicht leicht.

Im Privatbrief wird die Anschrift des Empfängers auf dem Briefbogen nicht wiederholt – im Gegensatz zu einem Geschäftsbrief. Die Anrede endet entweder mit einem Ausrufungszeichen oder mit einem Komma (auch in Geschäftsbriefen) – entsprechend beginnt der Brieftext mit einem Groß- oder Kleinbuchstaben.

Die Spannweite der Freundschafts- und Verehrungsbekundungen reicht im Privatbrief weit: von »lieb . . .« bis »hochverehrt . . .« Allerdings sollte man mit den Steigerungsformen nicht allzu freigebig umgehen, sondern sie nur dann gebrauchen, wenn es wirklich angemessen ist.

Ehepaare werden, bei freundschaftlichem Verhältnis, mit Vornamen angeredet (»Liebe Y., lieber X.«). Wenn man nur einen der beiden Ehepartner näher kennt, spricht man diesen mit Vornamen an, den anderen aber mit »Liebe Frau X.« oder »Lieber Herr Y.«

Im Geschäftsleben redet man sich normalerweise mit »Sehr geehrt . . .« an, gleichgültig ob der Adressat männlich oder weiblich ist. Wenn ein Brief an nicht namentlich bekannte Adressaten geht, schreibt man: »Sehr geehrte Damen und Herren«, wenn er erwiesenermaßen an Frauen geht: »Sehr geehrte Damen«. Das »Sehr geehrte Herren« wird oft zu mechanisch angewandt.

Ganz offizielle Schreiben an hochgestellte Persönlichkeiten des öffentlichen Lebens und des Staates kann man, wenn einem das »Sehr geehrt . . .« zu wenig ausdrückt, mit »Hochverehrt . . .« oder »Sehr verehrt . . .« beginnen. Nur: dann darf man auch in der Schlußfloskel nicht tiefstapeln. »Mit freundlicher Empfehlung« trifft die Stillage der Anrede auf keinen Fall. Dann muß man sich schon ›konsequent‹ in Wendungen wie: »Mit dem Ausdruck meiner Hochachtung bin ich Ihr Ihnen ergebener . . .« steigern.

In Ämtern und konservativen Firmen haben sich solche steifen Wendungen wie »Hochachtungsvoll« oder »Mit vorzüglicher Hochachtung« selbst in normalen Briefen bis heute gehalten – Überbleibsel einer vergangenen Zeit. »Mit freundlichen Empfehlungen« oder »Mit freundlichen Grüßen« klingt einfach freundlicher. Eine große deutsche Firma hat die Schlußfloskel »Wir grüßen Sie« eingeführt – keine schlechte Lösung! Sie sollte Schule machen.

Dann folgt der Name. Ein »Ihr« oder »Ihre« davor (für Frauen überhaupt nicht kompromittierend) ist, Bekanntschaft vorausgesetzt, erlaubt, zuweilen sogar erforderlich. Je persönlicher ein Brief gehalten ist, desto weiter sollte er sich von konventionellen Flöskeln auch in der Schlußwendung entfernen.

Rationalisierung

Immer mehr Firmen gehen dazu über, bei Anfragen kurze Antworten auf den Originalbrief zu tippen, dazu Datum und

Unterschrift. Der Brief wird in einem neuen Umschlag zurückgeschickt. Kein Mensch findet heute etwas bei diesem abgekürzten Verfahren, das auf alle Floskeln verzichtet. »Fasse dich kurz«, die immer noch gültige Telefonregel, gilt für die Korrespondenz.

Briefumschlag

Wer will, kann auch noch aus dem Einstecken des Briefes in den Umschlag ein Problem machen. Formalisten verweisen auf die richtige Faltung: Der Empfänger müsse sofort sehen, wer ihm geschrieben hat. Nach den neuesten Postvorschriften sollte der Absender auf dem Briefumschlag links oben stehen. Wichtiger dürfte der Hinweis sein, die Faltkante nach unten in den Umschlag zu stecken, damit durch den Brieföffner das gefaltete Blatt nicht zerschlitzt wird.

Auch das gehört zu den Regeln des Briefverkehrs: Wenn Sie irgendeine Frage, eine Bitte um Auskunft oder um ein Autogramm haben und deshalb einen Brief schreiben, legen Sie Rückporto bei. Sie stehen mit Ihrem Wunsch meistens nicht allein da, und man braucht nicht gleich an die sprichwörtlichen Wäschekörbe voll Post zu denken, um sich vorzustellen, was bei Briefauskünften an Porto zusammenkommt. Noch höflicher und praktischer ist es, wenn Sie Ihrem Schreiben einen fertigen Brief mit Ihrer Adresse und einer Briefmarke beilegen.

Briefgeheimnis

Übrigens: Es gibt ein gesetzlich geschütztes Briefgeheimnis. Der Staat darf Ihre Post nicht öffnen, denn das wäre Zensur; auch der Postbeamte nicht, das wäre für ihn strafbar; und, dito, nicht der Familienangehörige, denn das wäre Mißtrauen – oder falsch verstandene Kameraderie.

Darüber kann man sich in der Familie aussprechen. Auch ein Teenager hat bestimmt sein, sagen wir, »süßes Geheimnis«, das er vor den Eltern für sich zu behalten sucht – aus seiner Sicht gewiß mit Recht (wenn auch nicht vor dem Gesetz). Es wäre gut, wenn Eltern das Briefgeheimnis schon bei ihren Kindern respektieren. Vertrauen, nicht Argwohn . . .

Da Postkarten und Ansichtskarten neugierigen Blicken nicht verschlossen sind, dürfen sie wirklich nur für schnelle Grüße und unverbindliche Mitteilungen benutzt werden. Auf keinen Fall für sehr persönliche Informationen. Irgendwo beginnt ja die Intimsphäre: wenn es um Angehörige und Familienverhältnisse, um Geld und Sorgen geht. So etwas gehört in einen verschlossenen Umschlag – ebenso die Mahnung!

»Wir haben keine größeren Feinde als unsere geschriebenen Briefe«, hat ein berühmter deutscher Dichter gesagt.

Woraus sich, neben anderem, die Binsenweisheit ergibt, daß mancher Brief besser nicht geschrieben worden wäre. Vielmehr: Schreiben kann man ihn ja – Zorn, der ein Ventil findet, führt nicht zu Magengeschwüren. Bloß abschicken sollte man solche Affektbriefe erst, wenn sie einer sachlicheren Prüfung am nächsten Tag standgehalten haben. Meistens wirft man sie besser in den Papierkorb.

Anreden in Briefen

Anschrift	Briefliche Anrede
An den Präsidenten der Bundesrepublik Deutschland Herrn . . .	Hochverehrter Herr Bundespräsident oder Sehr verehrter Herr Bundespräsident
Herrn Bundeskanzler . . .	Hochverehrter Herr Bundeskanzler oder Sehr geehrter Herr Bundeskanzler
An den Ministerpräsidenten des Landes . . . Herrn . . .	Sehr geehrter Herr Ministerpräsident
An den Bundes- (bzw. Staats)minister des Innern, der Justiz Herrn . . .	Sehr geehrter Herr Minister
An den Abgeordneten des Deutschen Bundestages Herrn . . .	Sehr geehrter Herr . . . oder Sehr geehrter Herr Bundestagsabgeordneter

Anschrift	Briefliche Anrede
An den Bürgermeister der Stadt . . . Herrn . . .	Sehr geehrter Herr Bürgermeister
An den Landrat des Kreises . . . Herrn . . .	Sehr geehrter Herr Landrat
Seiner Exzellenz dem Botschafter (Gesandten) der bzw. des . . . Herrn . . .	Eure Exzellenz
An den Botschafter (Gesandten) der Bundesrepublik Deutschland Herrn . . .	Sehr geehrter Herr Botschafter
Herrn Landesbischof . . .	Sehr geehrter Herr Landesbischof
Herrn Pfarrer . . .	Sehr geehrter Herr Pfarrer
Seiner Eminenz (Vorname) Kardinal . . . (Erzbischof von . . .)	Eure Eminenz
Herrn Dekan, Pfarrer, Kaplan, Kurat usw. (Name . . .)	Sehr geehrter Herr Dekan, Pfarrer usw.
An den Rektor der . . . Universität Herrn Prof. Dr.	Hochverehrter Herr Professor oder Sehr geehrter Herr Professor

Generaldirektor, Direktor, Geschäftsführer und ähnliche in der *Wirtschaft* übliche Bezeichnungen werden nur in der Anschrift verwendet. Die Anrede beschränkt sich auf:
Sehr geehrter Herr . . .

Ratschläge für die Korrespondenz

Namen in der Anschrift müssen richtig geschrieben werden! Die falsche Schreibweise kommt fast einer Beleidigung gleich.

Man darf heute einen Brief mit »Ich« anfangen, ohne deshalb gleich als Egozentriker und Wichtigtuer zu gelten. Oft, wenn nicht meistens, ist es die einfachste, unkomplizierteste Art, einen Brief zu schreiben. Andere Lösungen wirken geschraubt.

Der Schreiber hat dafür zu sorgen, daß der Leser auf den ersten Blick die Hinweise findet, die er braucht, um sich über den Vorgang zu orientieren (Ihr Schreiben vom . . .; Unser Telefongespräch am . . .).

Frauen, gleich welchen Alters, sollten sich auch in Geschäftsbriefen als Frau zu erkennen geben: durch ihren ausgeschriebenen Vornamen. Die Antwort geht dann an »*Frau* X.« (nicht an Fräulein X.).

Abkürzungen wie »frdl.«, »höfl.« oder »gesch.« unterstreichen eigentlich nur, wie gedankenlos und unpersönlich der Schreiber bei der Sache war. Auf solche abgestandenen Höflichkeiten kann man verzichten.

Vermeiden Sie überhaupt alle Floskeln, die so furchtbar eingängig sind, dem Gesagten aber eher die Wirkung nehmen. »Ich danke Ihnen für . . .« klingt ehrlicher und auch eine Spur glaubwürdiger als »Mit verbindlichstem Dank bestätige ich . . .«

Mit der Hand beschreibt man Briefbogen auf der Vor- und Rückseite. Bei der Schreibmaschine nimmt man einen zweiten Bogen.

Die Unterschrift soll leserlich sein. Genialische Schnörkel wirken bloß lächerlich. In Geschäftsbriefen wiederholt man den Namen, maschinegeschrieben, unter der Unterschrift.

Die Antwort auf einen Brief darf man nicht auf die lange Bank schieben. Notfalls empfiehlt sich ein Zwischenbescheid.

Wer anonyme Briefe schreibt, offenbart ein bedauerliches Charakterdefizit: Ihm fehlt es an Zivilcourage. Anonyme Briefe gehören in den Papierkorb!

Camping

Die Kameradschaft der Camper, das Gemeinschaftserlebnis: immer wieder hört man dieses Argument, wenn es um das Für und Wider des Campens geht, in einer Zeit, die vom unverfälschten Naturerlebnis längst Abschied genommen hat und sich auf gehobene Komforterwartung hinorientiert; schon ist das Wort vom »Hilton-Camping« gefallen.

Um so wichtiger ist es, diesen Geist der Kameradschaft nicht allzusehr zu strapazieren und die vermeintliche Ungebundenheit lärmend zu übertreiben. Nachtmenschen sind auf Campingplätzen nicht so sehr gefragt, manche Camper wollen früh aufbrechen.

Für jeden Campingplatz gibt es eine mehr oder weniger umfangreiche Platzordnung, die am Eingang hängt, wo man sich an- und abmeldet. Je nach Temperament des Besitzers oder Pächters enthält sie nur einige wenige oder einen ganzen Katalog von Regeln, die eigentlich im Umgang von Menschen, die auf engem Raum zusammenleben, beherzigt werden sollten.

Regeln für den Campingplatz

das rücksichtsvolle Verhalten
die Sorge für Ordnung und Sauberkeit
die schonende Behandlung der Anlagen und
Einrichtungen
die Beseitigung der Abfälle
die Benutzung der gekennzeichneten Feuerstellen und
das Löschen der offenen Feuer (22 Uhr)
die Einhaltung der Platzruhe von 22 Uhr bis 6 Uhr
das Verbot aller unzumutbaren Lärmbelästigungen

Selbstverständlichkeiten, gewiß. Doch wie schön könnte das Leben sein, auch das Leben auf Campingplätzen, wenn sich alle an solche Selbstverständlichkeiten halten würden . . .

Cocktail

(siehe auch unter: Cocktailparty)

Wo immer Sie heute mit großen Reisegesellschaften hinfliegen: im Hotel wartet bei Ihrer Ankunft schon der obligatorische »Begrüßungscocktail« auf Sie, denn der Cocktail ist mittlerweile das klassische Begrüßungsgetränk geworden, akzeptabel auch für jene, die ein klarer Schnaps schüttelt.

Meistens wird der »Begrüßungscocktail« ein Martini sein. Das ist nicht nur der bekannteste Cocktail in Ost und West, sondern auch ein recht neutraler: zum Beispiel 50 Prozent Gin, 50 Prozent trockener Wermut und eine Olive als Zugabe. Die Olive dürfen Sie, müssen Sie aber nicht vertilgen. Sie wird aus dem leeren Glas in den Mund jongliert (meistens ist ein Löffelchen beim Glas). Der Kern wird mit Lippe und Zunge in das Glas zurückgegeben oder mit dem dazugehörigen Löffel auf den Untersatz gelegt.

Cocktails wie der Martini sind appetitanregende Mischgetränke: kalt, duftend, alkoholhaltig. Sie werden in Maßen (oder verdünnt) genossen. Zwei Cocktails genügen, drei sind meistens schon zuviel des Guten. Die ungezählten Rezepte füllen ganze Bücher. Jeder Barkeeper, der etwas auf sich hält, setzt seinen Ehrgeiz darein, ein originelles Getränk zu erfinden.

In das scheinbare Chaos der zahllosen denkbaren Mixturen kommt schnell Ordnung, wenn man weiß, daß in verträglichen Mischgetränken (und von ihnen sei hier die Rede) stets eine einzige Spirituosensorte – Gin, Rum, Weinbrand, Whisky, Wodka oder ein Obstbranntwein – die Basis für die anderen Komponenten bildet. Man hüte sich davor, verschiedene Schnapsfamilien zusammenzuführen. Das kann bei zweien gerade noch, bei dreien nicht mehr gutgehen. Von dieser Unsitte des Zusammenkippens rührt auch der schlechte Ruf der Cocktails her, daß sie Kater erzeugen und betrunken machen.

Die Spirituosen-Grundlage hat den größten Anteil beim Cocktail. Dazu kommen Ingredienzen zur Geschmacksumwandlung (Fruchtsäfte, Kräuterweine, Aperitifs usw.) und Aromaträger, die dem Drink einen besonderen Pfiff geben (vor allem Liköre und Fruchtsirup).

In die Geheimnisse dieser Wissenschaft muß sich jeder, der glaubt, daran Spaß zu finden, selbst vortasten. Erfahrenen Barkeepern kann man dabei manchen Kunstgriff und die Eleganz der Show abluchsen. Seine eigenen Freunde sollte man allerdings nicht zu Versuchskaninchen für vermeintliche originelle Mix-Ideen degradieren.

Und denken Sie immer daran: Cocktails sind nicht jedermanns Sache (Schnecken schließlich auch nicht). Ein reiner Schnaps ist auch was Schönes.

Die Hausbar

Der »Selbstgemixte« am Abend bei der Heimkehr oder beim Empfang von lieben Freunden zählt längst nicht mehr zu den feudalen Vorrechten von ein paar Großkopfeten. Die Hausbar muß ja nicht gleich raumfüllend sein oder garantiert echtes Barock (welch ein Greuel!). Ein paar Getränke, einige wenige Gerätschaften gehören zur Grundausrüstung. Alles andere ist bereits Luxus, bleibt Geschmackssache.

Die wandfüllende Flaschenbatterie mag ja imposant wirken – notwendig ist sie keineswegs. Je eine Flasche Gin, Weinbrand, Rum, Whisky, Wermut (sowohl trocken als auch süß), ein oder zwei süße Liköre oder Südweine genügen. Vor allem Gin ist als Basis wichtig und vielseitig verwendbar: Rückgrat jeder Hausbar.

Dazu kommen noch Zitrusfrüchte, Selters, Tonic water, Ginger Ale, Cola. Außerdem Spritzfläschchen mit Angostura-Bitter und Orange-Bitter sowie Instant-Zucker. Das reicht erst einmal, und der Vorrat läßt sich nach und nach ausbauen. Versuchen Sie aber nicht zu mogeln, indem Sie an irgendeiner Ecke sparen. Der Cocktail wird immer so gut wie seine Bestandteile: Eine einzige schlechte Qualität verdirbt auch die anderen Zutaten – das ist wie bei der Kette und ihrem schwächsten Glied.

Das Handwerkszeug des Barmixers ist bis zur Perfektion ausbaufähig – wie beim Heimwerker. Unbedingt braucht er fürs erste einen zweiteiligen Cocktailshaker, dessen unterer Teil als Rührglas benutzt wird; ein Barsieb (Strainer); langstielige Barlöffel und ein Meßglas.

Dazu gesellen sich ein paar Kleinigkeiten aus der Küche: ein scharfes Messer, Reibeisen, Schneidebrett, Salz- und Pfefferstreuer, Zuckerdose. Natürlich dürfen Flaschenöffner und Eisbehälter nicht fehlen – denn Sie brauchen viel Eis. Cocktails werden kalt getrunken, sonst schmecken sie greulich.

Bleiben die Gläser. Mit einem Allround-Glas kommt man an der Hausbar auf keinen Fall aus. Sie benötigen: niedrige breite Bechergläser; hohe schmale Bechergläser (für Long-drinks); kleinere Stielgläser (Südweingläser) und breite flache Sektschalen.

Noch etwas: Long-drinks werden mit Strohhalm serviert. Zu allen Cocktails, in denen Früchte oder Schalen schwimmen, gehören kleine Löffel und Tellerchen (Untersätze), um Kerne und sonstige Reste loszuwerden. Löffel werden, wenn sie beim Trinken stören, ebenfalls auf dem Untersatz abgelegt.

Fragen an der Hausbar

Was ist ein Short-drink? Jedes Bargetränk von nicht mehr als 5 cl Inhalt.

Was ist ein Long-drink? Mischgetränke, die mit Selters, Soda oder Sekt aufgefüllt werden: alle Collins, Fizzes und Sours. Long-drinks haben einen relativ geringeren Alkoholgehalt. Auch Gin Tonic zählt zu den Long-drinks.

Was heißt »on the rocks«? Wörtlich: auf Felsen. Im übertragenen Sinn bedeutet es, daß Eiswürfel im Glas (z. B. bei Whisky) liegen.

Wann heißt ein Wermut »trocken«? Wenn er herb ist. Die englische Bezeichnung ist »dry«.

Was heißt »Crusta«? Die 1–2 cm breite Zuckerkruste am Rand der Sektschale. Der Trick dabei: Der Glasrand wird mit einem Zitronenstück eingerieben und das Glas dann in den Zuckerbehälter getaucht.

Welches sind die gebräuchlichen Bar-Maße? 1 dash (Spritzer) = 1 ccm; 1 Schuß = 5 ccm; 1 Barlöffel = 5 ccm; 1 Eßlöffel = 15 ccm; 1 Likörglas = 20 ccm.

Cocktailparty
(siehe auch unter: Cocktail, Parties, Verabschiedung)

Neun Zehntel, eher noch neunzehn Zwanzigstel aller Bundesdeutschen werden nie eine richtige Cocktailparty erleben. Es wäre übertrieben zu behaupten, daß sie etwas versäumen. Alle, die sich dieser gesellschaftlichen Pflichtübung nicht glauben entziehen zu können, stöhnen jedenfalls – sind allerdings auch beleidigt, wenn sie übergangen werden.

»Wir bitten Herrn und Frau X. zur Cocktailparty«, meldet eine Karte, mit Datum, Zeit und Adresse; man kann aber auch telefonieren. Für zwei bis drei Stunden (17–19 oder 18–20 Uhr ist das übliche, das Ende wird auf der Einladung ebenfalls genannt) steht dann Haus oder Wohnung all denen offen, die mal wieder ein »paar Takte« miteinander reden oder neue Gesichter sehen wollen.

Denn die Cocktailparty, die unverbindlichste Form der Geselligkeit, ist dazu da, Menschen, die sich noch nicht kennen, miteinander bekannt zu machen, Gäste aus dem In- und Ausland mit dem Freundes- oder Bekanntenkreis ins Gespräch zu bringen. Man darf deshalb auch selbst einmal Freunde oder Bekannte mitbringen, die man den Gastgebern natürlich vorstellen muß. Man bringt aber nicht nur Blumen mit.

Dem Namen Cocktailparty zum Trotz ist niemand zum Konsum von Cocktails verpflichtet. Es werden auch Fruchtsäfte gereicht und Long-drinks wie Gin Tonic oder auch mal ein Whisky pur.

Die Cocktailparty ist eine Stehparty, erfordert also einen großen, möglichst leeren Raum (oder mehrere) mit Abstellmöglichkeiten an der Wand. Cliquenbildung in der Ecke ist verpönt, bleibt aber nicht aus. Als Idealfall schwebte den amerikanischen Erfindern wohl die ständig rotierende Gesellschaft vor: jeder sieht jeden, das Glas in der Hand.

Ob diese Bewegung zustande kommt, hängt nicht zuletzt vom Geschick der Gastgeber ab, wieweit sie es nämlich verstehen, Menschen einander zuzuführen und sie auch wieder voneinander zu trennen – nicht immer eine leichte Aufgabe. Es gibt aber wahre Meister darin. Daß sich niemand alle Namen merken kann, steht auf einem anderen Blatt; notfalls muß man sich später beim Gastgeber erkundigen.

Der schluckweise Verzehr von aromatischen Getränken (ohne gegenseitiges Zutrinken!) regt den Appetit an. Deshalb steht überall Eßbares herum: kleine Platten mit appetitlichen, ebenfalls nichts weiter als appetitfördernden Cocktailhappen und -häppchen (jedes Kochbuch gibt genügend Anregungen).

Kleine Stäbchen oder Zahnstocher, an denen die Häppchen gegriffen werden, sind nicht sehr praktisch: allzuoft fällt etwas auf den Boden. Besser man versucht gar nicht erst, Brot und Belag per Stäbchen zum Mund zu balancieren, sondern nimmt gleich die Hand zu Hilfe. Servietten müssen überall griffbereit liegen, an Schalen für Stäbchen und Servietten darf kein Mangel sein. Sandwiches und was noch an Gebäck und Knabbereien angeboten wird, nimmt man ja ohnehin mit der Hand.

Zwischen Kauen, Schlucken und Trinken tauscht man Meinungen und Augen-Blicke. Alle Menschen sind nett zueinander

(»niceness is all«), niemand legt den Partyklatsch auf die Goldwaage. Tiefgang wird bei einer Cocktailparty nicht erwartet.

»Lieben Sie Parties«, fragte singend Daliah Lavi und kam zu dem Schluß: »Ich finde sie kriminell. Jeder sagt ›Reizend hier‹ – und verdrückt sich schnell . . .« Was ja das Schöne an einer Cocktailparty ist: Jeder kann kommen und gehen, wann er will.

Dänemark
(siehe auch unter: Auslandsreisen)

Das erste, was einem Touristen in einer belebten Hotelhalle unüberhörbar ins Ohr »tickt«, ist das schier ununterbrochene »Tak« – »Tak« der Einheimischen. »Tak« heißt »danke«. Und Dänen (die deutsch und englisch verstehen) benutzen jede mögliche und unmögliche Gelegenheit, um sich »Tak« zu sagen.

So höflich, so freundlich sind unsere (4,8 Millionen) nördlichen Nachbarn – humorvolle und unkomplizierte Menschen, die sich einer alten demokratischen Tradition bewußt sind (was sich durchaus mit einem Monarchen oder einer Monarchin verträgt, siehe auch Großbritannien).

Was die Dänen nicht mögen: Wenn man sie mit anderen Skandinaviern in einen Topf wirft oder behauptet, sie würden zuviel essen oder trinken. Dabei essen und trinken sie gern, kein Zweifel. Beim Smörrebröd, belegten Butterbroten, sieht man das Brot vor lauter Delikatessen nicht: Hering, Aal, Leberpastete, Krabben, Schweinebraten mit Rotkohl, es gibt Dutzende von Möglichkeiten. Die Speisekarte im Restaurant von Oscar Davidsen in Kopenhagen, die so ziemlich alle denkbaren Arten von Smörrebröd enthält, ist fast zwei Meter lang.

Smörrebröd ist ein Mittagessen (Frokost). Das Abendbrot (ab 18 Uhr) heißt in Dänemark »Middag«; es ist die Hauptmahlzeit und besteht aus einem warmen Gericht mit Nachtisch. Das dänische Frühstück ist, wie man weiß, wegen seiner Reichhaltigkeit berühmt.

Trinkgeld wird in dänischen Lokalen nicht gegeben (sonst schon). Dafür wird der Schnaps oft aus der Flasche auf dem Tisch serviert. Ein »kleines Gedeck« besteht aus Aquavit und Bier – beides dänische Spezialitäten. Weniger bekannt dürfte sein, daß Fußball der Nationalsport ist.

Dänemark, ein Land ohne strenge Gesetze, hat einen gewissen Ruf wegen seiner Groß- und Freizügigkeit in puncto Sex. Trotzdem sind die Menschen eher ein bißchen provinziell (von Kopenhagen abgesehen). Allerdings hat sich an manchen Badestränden schon eine Art Gemischtbadeweise eingebürgert – von den FKK-Stränden ganz abgesehen.

Noch ein Hinweis für Autofahrer: Überall entlang der gut ausgebauten Straßen befinden sich in kurzen Abständen Häuser und Gehöfte. Man muß sich deshalb darauf einstellen, dauernd die Geschwindigkeit zu verringern, und darf nicht mit der gleichen Durchschnittsgeschwindigkeit rechnen wie in anderen Ländern. In Dänemark ist alles etwas bedächtiger – ein Volk, das noch gern mit dem Fahrrad fährt.

Danksagen

Vielen Menschen fällt es aus unerfindlichen Gründen schwer, aus gebotenem Anlaß vernehmlich und herzlich »Dankeschön« zu sagen – auch und gerade solchen, die sonst mit dem rechten Wort schnell, vielleicht zu schnell bei der Hand sind.

»Große Worte«, zugegeben, werden leicht peinlich, die sind auch nicht gemeint. Aber ist es wirklich zuviel verlangt, sich persönlich, brieflich oder telefonisch zu bedanken, wenn uns jemand ein paar heitere Stunden beschert hat, wenn er uns einen Dienst erwiesen oder wenn er Anteil genommen hat? Wir vergessen das gern – oder verdrängen es gar. Es wird viel zuwenig »Danke« gesagt.

Die unterkühlte Gebärde, die Hand bis in Hüfthöhe zu heben, wie sie heute bei der Jugend international üblich ist, zählt dabei genauso wie das kurze Anhupen auf der Landstraße, wie der stumme Händedruck oder der Brief mit Blumen. Der Redner dankt den Zuhörern, der Besuchte bedankt sich beim Besucher, der Angerufene beim Anrufer. Auf das »Wie« kommt es nicht so sehr an. Wichtig ist nur, daß die Geste spontan und von Herzen kommt – und eben das spürt man schon!

Die Danksagung für eine Einladung zu einer Party oder zu einem Essen dürfte selbstverständlich sein – vorher (als Zusage), nachher mit einem Strauß oder Sträußchen. Auch nach einer Übernachtung sollte man es nicht mit einem »Danke« an der Haustür bewenden lassen, sondern eine Ansichtskarte vom nächsten Stopp hinterdreinschicken. Man darf ruhig zweimal Dankeschön sagen.

Geschenke

Schwestern, die einen Kranken gesundgepflegt haben, sollten über den verdienten Dank hinaus auch ein angemessenes Geschenk erwarten dürfen. Alle tun ihre Pflicht, könnte man einwenden. Trotzdem: Wenn eine Angestellte auf der Bank jahraus, jahrein Ihr Gehaltskonto führt und Daueraufträge erledigt, kann man ihr wohl mal ganz überraschend ein paar Blumen mit dazugehörigem »Danke« überreichen. Das Leben, das bekanntlich kein Zuckerschlecken ist, schafft Anlässe genug, und irgendwo sind wir immer mit einem Dank in der Schuld.

Für Geschenke und Glückwünsche, für Aufmerksamkeiten und für Anteilnahme bedankt man sich am besten schriftlich: ein paar freundliche Zeilen mit der Hand genügen. Gedruckte Danksagungen, auf denen sich natürlich auch ein paar private Worte unterbringen lassen (»Ihre Rosen waren wunderbar!«), können sich wirklich nur Leute leisten, denen man unbesehen abnimmt, daß sie mit Zeichen der Anteilnahme oder mit Glückwünschen überschüttet worden sind. Oder, selbstverständlich, ältere Menschen, denen das Schreiben meistens schon etwas schwerfällt.

Es bleibt schließlich noch die Anzeige, die Danksagung in der (Regional-)Presse. Sie ist bei Todesfällen üblich, aber auch bei Ehrentagen oder hohen Geburtstagen (»Für die anläßlich meines 80. Geburtstages übersandten Glückwünsche und Geschenke sage ich meinen herzlichsten Dank!«).

Diskutieren

(siehe auch unter: Reden)

Diskussion ist allemal eine Sache des guten, des richtigen Tons – und Tonfalls. Eine Meinung gewinnt ja nicht dadurch an Gewicht, daß sie lautstark, vielleicht noch alkoholbeflügelt, über den Tisch kommt. Diskussionen sind hierzulande meistens zu laut – was Gastwirte, Tisch- und sonstige Nachbarn stört.

1. Gebot: Niemand hat die Weisheit und die Wahrheit gepachtet

2. Gebot: Den Diskussionspartner ausreden lassen!

3. Gebot: Ruhig bleiben, sich nicht ereifern!

4. Gebot: Hinhören, zuhören – auf das Gesagte reagieren

Das hört sich so selbstverständlich an – und ist doch so schwer. Eine faire Diskussion sollte ein gedämpfter Austausch von vernünftigen Argumenten zu einem möglichst eingeengten und genau umrissenen Thema sein. Eine gute Diskussion sollte – der Idealfall! – dazu führen, daß sich einer der Kontrahenten von dem, was der andere vorzubringen weiß, beeindruckt zeigt. Gute Diskussionen sind, wie man weiß, leider selten.

1. Fehler: Die Diskutierenden kommen vom Hundertsten ins Tausendste

2. Fehler: Sie werden persönlich

3. Fehler: Sie operieren mit Schlagworten, die nicht definiert werden

Eine Diskussion ohne ein Mindestmaß an Kenntnissen ist unmöglich und gleitet ab zum puren Wortgedröhn. Diskussion setzt Informiertheit voraus – zumindest den Willen dazu. Viel zu viele Wortgefechte verrennen sich in Oberflächlichkeiten, man verwechselt ganz offensichtlich geistige Auseinandersetzung mit simplem Streit über Zahlen und Tatsachen (wo doch ein schneller Griff zum Lexikon zur Klärung genügte). Die meisten »Diskussionen« sind gar keine.

Wir liegen nämlich alle ganz schön fest. Wir sind gar nicht willens – jede Diskussion im kleinen Kreis, in der Öffentlichkeit oder im Fernsehen beweist das –, uns von den Argumenten des anderen beeindrucken zu lassen. Wir wollen nicht nachdenken. Wir lieben Menschen, so bemerkte Mark Twain, und der war Humorist, die frisch heraus sagen, was sie denken – falls sie dasselbe denken wie wir.

Wir müssen also dringend diskutieren lernen. Denn der große Demokratisierungsprozeß in den Betrieben, in den Schulen, in der Familie verlangt nach Menschen, die miteinander reden können – ohne Scheuklappen. Die die Kraft eines Argumentes zu schätzen wissen – und sie gebrauchen können.

Ratschläge für die Diskussion

Es ist wichtig, die Argumente des anderen im Gedächtnis zu behalten – notfalls auf dem Papier.

Die Diskussion darf nicht ins Uferlose wuchern. Bleiben Sie innerhalb der Grenzen, die das Thema bestimmt – und erinnern Sie auch den Gesprächspartner daran.

Zahlen machen sich gut in einer Debatte. Stimmen sollen sie auch. Allerdings operieren Redner gern damit, weil sie wissen, daß die meisten Zahlen im Augenblick gar nicht zu überprüfen sind.

Auf Zuhörer wirken die Sätze am stärksten, die einfach und ohne Einschränkungen, ohne »Wenn und Aber«, formuliert werden. Das besagt wenig über den Wahrheitsgehalt der Sätze. Die Wahrheit, oder jedenfalls die Annäherung an die Wahrheit, läßt sich selten in einfache Sätze fassen.

Lassen Sie sich nicht von Schlagwörtern beeindrucken und von Fremdwörtern bluffen. Eine bescheidene Zwischenfrage (»Erklären Sie das mal!«) kann Wunder wirken.

Denkbare Gegenargumente des Diskussionspartners lassen sich schon vorwegnehmen – und widerlegen. Das nimmt Wind aus den Segeln!

Allzu leichtfertig wird bei Diskussionen mit Autoritäten umgesprungen, die ungefragt zu allem herhalten müssen. Die eigene Meinungsbildung kommt bei solchem Austausch von Zitaten zu kurz.

Zwischenrufe können die Diskussion beleben, sollen sie aber nicht übertönen. Zwischenrufe wie »Hört, hört!« oder »Sehr richtig!« wirken durch häufigen Gebrauch im Parlament schon recht abgegriffen.

Duzen, Brüderschaft

Du läßt dich oft duzen, zu oft. Du duzt dich am Arbeitsplatz und im Wirtshaus, unter Kumpels, Kameraden oder Kolleginnen. Du wirst geduzt, und du merkst es kaum noch: Trimm dich, Iß dich schlank und Hol dir den Frühling ins Haus oder einfach: Seid nett zueinander, tönt die Werbung. Sie rücken dir ganz dicht auf die Haut . . .

Sie wollen etwas von Ihnen, darum diese Anbiederung. Das »Sie«, diese Wohltat der deutschen Sprache, schafft dagegen Distanz, umgibt uns mit einer Art Schutzkreis, schirmt uns ab gegen die laute Verbrüderung (die ja etwas anderes ist als das »Du« der Solidarität). Unsere Sprache macht's möglich – Engländer und Amerikaner sagen »you« zueinander, und damit basta und Schluß.

Wir aber haben die Wahl, können uns wehren gegen allzu bedrängende Vertraulichkeiten. Die Grundregel lautet: Das »Sie« ist unter normalen Menschen das Normale. Im »Sie« liegt das Bekenntnis, die Würde des Mitmenschen zu achten – und seine Kreise, bitte schön, nicht zu stören.

Das »Du« ist die Ausnahme. Wenn es, aus welchen Gründen auch immer, zum »Du« kommt, und zu dem dann offenbar unumgänglichen Akt der »Brüderschaft«, sind zwei Regeln zu beachten, gegen die kein Kraut gewachsen ist:

Der oder die Ältere bietet dem oder der Jüngeren das »Du«

an; der Mann bietet der Frau das »Du« an (Ausnahmen: Schwiegermütter, die selbst aktiv werden dürfen).

Brüderschaft, so will es der Brauch, wird mit einem Gläschen, Glas oder Humpen Alkohol (Sekt, Wein, Likör, oft auch Bier) »begossen«. Das Einhaken der Arme beim Heben der Gläser und der Brüderschaftskuß sind Fragen der feuchtfröhlichen Stimmung – nichts spricht dagegen (man will ja kein Spielverderber sein), nichts spricht dafür; kein Muß, es ist eben Geschmackssache. Männer drücken sich auch, mehr oder minder ergriffen, die Hand.

Kann man das »Du« ablehnen?

Allerdings: kein Mensch, männlich oder weiblich, ist wehrlos gegen solche Verbrüderungs-Anträge, die ja oft eher Ansinnen gleichen. Frauen sind keineswegs verpflichtet, zu allem »Du« und amen zu sagen. Sie können genausogut auf einem freundlichen, aber bestimmten »Nein« bestehen. Ein Mann, der dann hartnäckig bleibt, ja aufdringlich-fordernd wird, macht sich nur lächerlich. Man muß auch den Willen anderer respektieren.

Daß das gesetztere, unpersönlichere »Sie« seine Vorzüge hat, bemerken viele Menschen erst am Morgen nach der alkoholbeschwingten »Sause«, die nicht selten ein verlängerter Betriebsausflug ist. Was macht man?

Man hakt ein, wenn der andere schon hörbar stockt: »Ich glaube, wir haben uns gestern geduzt. Wollen wir dabei bleiben – oder wieder Sie sagen?« Morgens im Büro sieht die Welt wieder anders aus, und keiner wird es dem anderen verübeln können, wenn er wieder reumütig zu dem altvertrauten »Sie« zurückkehren möchte. Das »Du« schafft eben eine Intimität, die nicht jedermanns Sache ist. Erprobter Vorschlag zur Güte: Man bleibe beim »Sie«, rede sich aber mit dem Vornamen an. In Büros ergibt das einen Umgangston, der nicht mehr so förmlich steif ist und trotzdem einen Rest von Distanz erhält.

Auch Familienzusammenführungen durch Verlobung oder Hochzeit sind noch kein hinreichender Grund zur allgemeinen Verbrüderung unter fremden Menschen. Die Eltern als die am nächsten Betroffenen, gut, sie sollen sich duzen – aber die anderen? Hier muß Sympathie entscheiden – und die Zeit, die ja nicht nur Wunden heilt, sondern auch Vertrautheit und Bindungen schafft.

Es hält sich, offensichtlich unausrottbar, auch das »Du« angemaßter Autorität, das »Du« des verkappten Herrenmenschen – gegenüber Büroangestellten, gegenüber Gastarbeitern (früher waren es die Leibeigenen). Dieses joviale Du, eine Mischung aus »Was seid ihr doch für Schwachköpfe« und »Wir sitzen alle im selben Boot«, erweist sich als eine besonders abgefeimte Form, weil die Geduzten sich nicht wehren können (oder wollen).

Eier

Weichgekochte Eier im Eierbecher werden mit der Kante des Eilöffels oder mit dem Messerrücken unterhalb der Spitze angeschlagen. Dann stößt man mit dem Löffel in die Bruchstelle der Schale nach, so daß man die Eispitze auf dem Löffel hat; sie wird dann aus der Schale herausgehoben. So sieht es am saubersten aus. Oder die Schale wird mit den Fingerspitzen gepellt (bei frischen Eiern zuweilen schwierig).

Als dritte Möglichkeit, die heute auch nicht mehr abgelehnt wird, bleibt schließlich noch, das Ei mit einem Schlag der Messerschneide zu köpfen. Allerdings sollte man dabei aufpassen und nicht zu tief ansetzen, damit das Eigelb nicht ausläuft.

Auf keinen Fall darf man zum Eieressen einen silbernen Kaffeelöffel auflegen. Das Ei enthält nämlich Schwefel, das sich mit Silber verbindet und dabei auch den Geschmack verändert. Eierlöffel sind deshalb aus Kunststoff oder Edelstahl.

Für Rühreier und auch für Spiegeleier, wenn sie nicht zu scharf gebraten sind, benutzt man die Gabel, für Spiegeleier mit Schinken natürlich Messer und Gabel. Das Eigelb wird dabei notgedrungen zerschnitten; es gleichsam »im Stück« zu nehmen, würde wohl manchen Mund überfordern. Das zerflossene Eigelb kann man mit Brot an der Gabel auftunken.

Eierkuchen und Omelette werden mit Gabel und Löffel gegessen. Der Löffel wird dabei in der Linken gehalten, er leistet Hilfestellung.

Einladung, offiziell

(siehe auch unter: Abendkleidung, Kleidung und Mode)

Der Bundespräsident und die Regierungen der deutschen Bundesländer bemühen sich, die Barrieren zwischen Staat und Bürger abzubauen. Empfänge der Ministerpräsidenten für Vertreter von vielerlei Berufsgruppen, für Kulturschaffende und ehrenamtliche Helfer gehören nicht mehr zu den Seltenheiten.

Jeder kann heute, irgendwann, als geladener Gast seinem »Landesvater« gegenüberstehen. Grund zur Aufregung und zum Lampenfieber ist das nicht mehr. Es geht dabei betont zivil zu.

Die Einladung kommt von der Staats- oder Senatskanzlei.

Um Antwort wird gebeten (meist auf beiliegender Karte) – der Rechnungshof ist pingelig, es soll nicht mehr geordert werden als gebraucht wird.

Neben Anlaß, Ort und Zeit des Empfangs steht auch die gewünschte Kleidung auf der Einladung. »Dunkler Anzug« heißt schwarzer oder dunkelblauer Anzug; »gedeckter Anzug« heißt grau oder braun, jedenfalls nichts auffällig Gemustertes.

Ehefrauen (oder die Ehemänner geladener Frauen) werden öfter als früher dazugebeten. Die Garderobe der Frau richtet sich nach der für Männer vorgeschriebenen Kleidung. Bei einem »Smoking« auf der Einladung bedeutet das: kleines Abendkleid. Ein Anruf bei der Protokollabteilung der Staatskanzlei (»Was trägt die Frau des Ministerpräsidenten?«) kann nichts schaden. Von dieser Auskunftsmöglichkeit wird, wie man hört, auch gern Gebrauch gemacht. Die Vorzimmerdamen haben dafür volles Verständnis.

Schickt der Protokollchef dem Eingeladenen eine – bereits ausgefüllte – »Vorstellungskarte« mit, wird der Gastgeber mit Frau höchstwahrscheinlich am Eingang seine Gäste händeschüttelnd begrüßen. Der Protokollchef neben ihm nimmt vorher die – griffbereit zu haltende! – Vorstellungskarte wieder entgegen und sagt dem Gastgeber Namen und Beruf. Bei der Begrüßung werden nur ein paar nichtssagende Worte gewechselt.

Familiärer und intimer geht es zu, wenn sich der Gastgeber, ein Ministerpräsident, oder wer immer eingeladen hat, nach einer kurzen Begrüßungsansprache zu den Gruppen, die sich gebildet haben, begibt und das kurze Gespräch sucht (»Was machen Sie?«, »Wo leben Sie?«). Von seiner Geschicklichkeit und der des Protokollchefs hängt es dann ab, ob Unsicherheiten überwunden werden und gelöste Stimmung aufkommt. Es soll darin wahre Meister geben.

Die Empfänge sind fast ausschließlich Stehempfänge, sie dauern etwa anderthalb Stunden. Getränke und Büffet halten sich in Maßen, es kostet schließlich alles Steuergelder.

Besondere Einweisungen durch das Repräsentations-Management des Protokolls gibt es bei solchen Empfängen nicht. Die Anrede des Ministerpräsidenten lautet »Herr Ministerpräsident«, die von Ministern »Herr Minister«.

Wenn der »Landesvater« selbst geladener Gast ist, geht niemand vor ihm, dem Ehrengast. Ist er selbst aber Gastgeber, muß er also bis zum Schluß bleiben, können die geladenen Gäste aufbrechen, wenn ihnen die Füße weh tun.

Einladung, privat/geschäftlich

(siehe auch unter: Gast und Gastgeber, Geburtstag, Hochzeit, Hochzeitsjubiläen, Verlobung)

Einladung – das Wort klingt etwas zu steif und geschwollen für unsere Ohren und weist zurück in jene Tage, als der dunkle Anzug aus dem »Mottenschrank« geholt und fein säuberlich abgebürstet wurde und die Hausfrau als Gastgeberin kurz vor dem Nervenzusammenbruch stand, weil der Braten nicht rechtzeitig gar werden wollte. Einladung, das hatte etwas Angestrengtes und Verpflichtendes, das auf lange Vorbereitung schließen ließ – und wehe, wenn dann etwas schiefging!

Das Telefon, die bequeme Art »kurzzuschließen«, hat die konventionelle Art der »Einladung« entschärft – man telefoniert sich schnell und kurzfristig zusammen, wenn die Großwetterlage der Meteorologen ein sonniges Wochenende verheißt, man verabredet sich halt bei irgendwem, um sich am Freitagabend nach Herzenslust auszutanzen. Das Telefon macht's möglich – auch die Improvisation.

Also: Alles, was mehr oder minder der Eingebung entspringt und dem Spaß und der Unterhaltung dient, läßt sich mittels Telefon arrangieren. Der Einladende weiß dann auch gleich, woran er ist, mit wie vielen Gästen er rechnen muß, was er einzukaufen hat.

Schriftliche Einladungen

Bei einer x-beliebigen Fete würde wohl jeder den Kopf schütteln, der eine feingedruckte Einladung bekäme. Doch spätestens, wenn Mädchen heiraten und sich, wie es ja häufig geschieht, für eine »große« Hochzeit entscheiden, stellen sie selber fest, daß das kurzentschlossene Telefongespräch dem Tag und dem Kreis der zu erwartenden Gäste nicht mehr angemessen ist, daß es geradezu stillos erscheint. Zu festlich-feierlichen Anlässen gehört eben auch die entsprechende Einladung, und das ist nun einmal die schriftliche.

Die eigens gedruckte Einladungskarte ist in bürgerlich-privaten Kreisen heute gewiß die Ausnahme und wirklich bedeutenden Anlässen – wie eben der Hochzeit, einem Jubiläum – vorbehalten, während sie in der Wirtschaft schon bei ganz prosaischen Anlässen wie einer Pressekonferenz zu den Selbstverständlichkeiten gehört. Der Druck einer solchen Karte ist übrigens billiger, als man gemeinhin denkt.

Gedrucktes wirkt immer offiziell. Persönlicher und einem kleineren Kreis angemessen wirkt die geschriebene Einladung. Diese Aufgabe übernähme normalerweise die Gastgeberin, liest man. Wenn es ihr Spaß macht, ist ja dagegen nichts zu sagen – wenn nicht, sollte freilich der Mann bei dieser Aufgabe ruhig ein bißchen mithelfen.

Muß die Einladung handgeschrieben sein? Da der Text meistens recht kurz sein kann, ist es wohl keine Zumutung. Andererseits sollte man diese kleinen Dinge nicht überbewerten – wer, Hand aufs Herz, macht sich noch die Mühe, Handgeschriebenes zu verschicken?

Mann oder Frau, je nachdem, werden also mit der Hand oder mit der Maschine (weil es sehr sauber und gestochen aussehen kann) eine Einladung schreiben. Am besten auf eine Briefkarte, die in einen Umschlag gesteckt wird. Wie ein Brief aussehen könnte, lesen Sie auf Seite 77 ff.

Den gleichen Zweck wie die geschriebene Einladung erfüllt im näheren Bekanntenkreis auch die Besuchskarte, auf der man Zeit und Anlaß oder Art der Geselligkeit notiert und um Erscheinen bittet (»Wir freuen uns, wenn Sie kommen!«)

Man »beehre sich« lautete einst eine gängige Floskel, die jeder, der eingeladen wurde, erwarten durfte. Honorige ältere Herrschaften mit allseits bekanntem Sinn für Umgangsformen können sich diese antiquierte Wendung noch erlauben, und auch einer Staatsregierung steht sie wohl an.

Bei jüngeren Menschen wirkt sie einfach lächerlich. Weg mit dem alten Zopf! Selbst das Wort »einladen« wird ja heute nach Möglichkeit vermieden. Und je nach Gelegenheit und Bekanntschaftsgrad gibt es mancherlei Umschreibungen für die Tatsache, daß man sich einfach freuen würde, die Eingeladenen bei sich zu sehen – und wenn es der Chef ist, der sich über eine spontane Einladung sicher auch freut.

Je beschäftigter diejenigen sind, die man um sich versammelt sehen möchte, desto früher müssen die Einladungen hinausgehen. Eine Woche vorher ist bei Leuten mit gefülltem Terminkalender zu spät. Vierzehn Tage bis drei Wochen sind durchaus angebracht, wenn es nicht von allen Seiten Absagen hageln soll.

Ein Hinweis auf die Kleidung ist niemals falsch und keineswegs überflüssig. Kein Gast möchte verständlicherweise in zu bescheidenem Aufzug in einer festlicher gewandeten Gesellschaft erscheinen. Es ist deshalb ein Gebot der Höflichkeit, allen Eingeladenen zu sagen, in welcher Kleidung sie kommen sollten, um nicht aus dem Rahmen zu fallen (Sommerkleidung, gedeckter Anzug, dunkler Anzug, Party-Kleidung, Smoking). Damit ist auch, für jeden verständlich, die Garderobe der Frau gemeint, die sich ja der des Mannes anpaßt.

Übrigens kann man natürlich originelle schriftliche Einladungen zu allen denkbaren Gelegenheiten verschicken: auf Packpapier zum Hausfasching; auf selbstgemalten Karten zum Kindergeburtstag; auf Bierdeckeln zur Samstag-Brotzeit; auf Tapetenresten zur Wohnungseinweihung. Ein überraschender und lustiger Einfall sollte niemals bloß Idee bleiben, sondern in die Tat umgesetzt werden.

Die Platzfrage

Gastgeber legen sich, wenn sie sich zu einer größeren Einladung entschlossen haben, am zweckmäßigsten eine Art Checkliste an, einen Block oder Zettel, auf dem sie sich alles notieren, was ihnen dazu einfällt. Auch das scheinbar Beiläufige wie Aschenbecher oder genügende Eismengen, sollte man getrost aufschreiben. Wenn etwas erledigt ist, nach jedem Einkauf beispielsweise, wird das Stichwort gestrichen. Das Gedächtnis ist dadurch erheblich entlastet.

Das erste Problem, das sich anläßlich einer Einladung erhebt, die über den kleinen intimen Freundeskreis hinausgeht, ist das Raumproblem (das fängt im Winter schon bei der Unterbringung der Garderobe an!). Drangvolle Enge ist allenfalls beim Fasching ein Stimulans der Gesellschaft – wer sich unterhalten will, schätzt es, wenn er bequem sitzt und nicht bei jeder Bewegung riskiert, Gläser oder Vasen umzustoßen.

Bei einer Cocktailparty rechnet man mit einem Raum von etwa zwei Quadratmetern, den jeder braucht, um ein bißchen Bewegungsfreiheit zu haben. Der Raum setzt also natürliche Grenzen. Die Zahl der vorhandenen Bestecke, Teller, Gläser oder Stühle sollte dagegen nicht unbedingt von vornherein ein Grund zur Beschränkung sein – es gibt Verleihe, es gibt Nachbarn, es gibt Stadtküchen. Aber bleiben Sie auf dem Boden der Tatsachen! In einer Dreizimmerwohnung läßt sich nicht die Party des Jahrhunderts feiern!

Wenn die Zahl der Gäste geklärt ist (ein paar Absagen lassen sich nie vermeiden und werden gleich einkalkuliert), kann die Liste der Gäste aufgestellt werden. Denken Sie daran, daß viele Menschen außerordentlich empfindlich reagieren, wenn sie bei einer Einladung übergangen werden (anderen, auch diese gibt es gottlob, ist das völlig gleichgültig). Ehepaare werden gemeinsam eingeladen, anders geht es nicht; und genauso auch Verlobte.

Der Erfolg einer Gesellschaft, zu der Sie eingeladen haben, hängt wesentlich davon ab, ob es Ihnen gelingt, Menschen miteinander ins Gespräch zu bringen, die sich sympathisch, oder sagen wir bescheidener, die sich nicht unsympathisch sind – und das läßt sich schon ein wenig steuern! Wer auf das Gespräch aus ist, muß sich klarmachen, daß sechs bis acht geladene Gäste für eine ersprießliche Unterhaltung in *einem* Kreis das höchste ist. Oder man muß mehrere Sitzgruppen bilden.

Wenn nicht gerade ein bestimmter geschäftlicher Anlaß den Personenkreis bestimmt, müßte es möglich sein, unter den Gästen eine Inzucht der Berufe und damit jene lähmende Fachsimpelei zu vermeiden, die alle zum Gähnen bringt. Niemand kann eigentlich so egozentrisch sein, als daß er nicht mit Interesse Berichte und Mitteilungen aus anderen Berufs- und Lebensbereichen hören würde (vorausgesetzt, er kommt dabei auch einmal zu Wort!).

Wer wildfremde Menschen zusammenbringen will, veranstaltet am besten eine zwanglose Cocktailparty. Wer aber ein exquisites Mahl im kleinen Kreis genießen möchte, sollte sich bei der Einladung auch sicher sein, daß die Gäste Kochkünste zu würdigen wissen und keine »Essen-Muffel« sind. Vom Empfang mit Sekt bis zur Garten-Party reicht die lange Liste denkbarer Einladungen.

Absage: Grund angeben

Wer eine private Einladung bekommt, ist auch verpflichtet zu antworten, und zwar innerhalb einiger weniger Tage. Eine schriftliche Einladung wird schriftlich beantwortet, da sollte man getrost pingelig sein – entweder mit einem kleinen Brief (»Herzlichen Dank für Ihre Einladung! Wir kommen gern . . .«) oder mit einer Besuchskarte im Umschlag, auf der ähnliches, vielleicht kürzer, steht.

Aber die Antwort kann ja nicht immer positiv sein. Jeder Mensch hat noch andere Dinge zu tun, als bloß Einladungen wahrzunehmen – und jeder Mitmensch, der Einladende eingeschlossen, hat dafür vollstes Verständnis. Also wird man in einem solchen Fall ablehnen müssen, höflich und unter Angabe eines Grundes. Eine sang- und klanglose Absage ohne weitere Begründung wäre schon eine ziemliche Unverfrorenheit (und allenfalls ein Mittel, mit Sicherheit nie wieder eingeladen zu werden).

Telefonische Einladungen sind deshalb gefährlich, weil sie einem Überfall ohne Warnung gleichkommen. Nicht jeder hat, sofern ihm an der Einladung nichts gelegen ist, geistesgegenwärtig die richtige und plausible Antwort zur Hand – es sei denn, er hätte wirklich einen triftigen Grund, um aus ehrlicher Überzeugung »Tut mir leid« sagen zu können.

Erfahrene »Gesellschaftsmenschen« hüten sich deshalb, gleich am Telefon mit einem unbedingten klaren »Ja« oder »Nein« ins blanke Messer zu laufen. Sie ziehen sich erst einmal mit einem Kunstgriff aus der Affäre, sagen beispielsweise vorsichtig »Ich muß mal hören, ob Henny schon was vorhat« oder »Ich fürchte, dann bin ich gar nicht hier«. Damit ist Zeit zum Überlegen gewonnen. Zusage und Absage, beides ist immer noch möglich, ohne sich, in die Enge gedrängt, ärgern zu müssen. Diese Ausflucht muß erlaubt sein angesichts der Überfallsituation, in die uns jeder unvorhergesehene Telefonanruf bringen kann.

Wer eine Notlüge nur stammelnd und stotternd über die Lippen bringt und selbst noch am Telefon dabei rot wird; wer kein Gedächtnis für solche Schutzbehauptungen hat und sich später dadurch leicht in selbstgegrabene Gruben stürzt: der allerdings sollte mit solchen Ausflüchten vorsichtig sein und versuchen, bei der Wahrheit zu bleiben. Man darf nämlich ruhig bei der Wahrheit bleiben – und wenn sie auch einmal schlicht lautet: Ich möchte richtig ausschlafen.

Das mit der Wahrheit gilt eigentlich grundsätzlich – auch für die, die mit Ausflüchten geschickter sind. Zunächst sollte man es mit der Wahrheit versuchen – und erst dann, wenn's gar nicht anders geht (und solche Fälle gibt es ja), auf die Notlüge ausweichen. Sie ist schon deshalb kein Vergehen am Mitmenschen, weil sich jeder einmal, irgendwann, dahinter verschanzen muß.

Wer aber auf eine Einladung zugesagt hat und durch irgend etwas Unvorhersehbares schließlich doch am Kommen verhindert wird, muß natürlich ebenfalls noch absagen (und sei es telegraphisch). Eine Hausfrau stellt sich schließlich auf die Gäste, die sie erwartet, ein.

Datum und Zeit:
Ist der Zeitpunkt richtig gewählt? Ferienbeginn? Ferien? Irgendein wichtiges Fernsehereignis?

Liste der Einzuladenden:
Wer *muß* eingeladen werden? Wer paßt zusammen? Wer auf keinen Fall? Wie groß wird die Gesellschaft? Wird sie zu groß? Nachbarn (benachrichtigen – auch einladen?)

Form der Einladung:
Gedruckte Einladung? Selbstentworfene, -gedichtete, -gemalte Einladungen? Gekaufte Karten? Brieflich? Telefonisch? Ist ein gezeichneter Wegweiser nötig? (Einbahnstraßen, Neubauviertel, die noch nicht auf der Karte verzeichnet sind?) Parkmöglichkeiten

Hinweis auf Anlaß und Kleidung, Essen und Trinken:
Geburtstag, Jubiläum, Hochzeitstag, Wohnungseinweihung, Karneval, Tanz, Abendkleidung, dunkler Anzug, Kostümierung, sommerliche Kleidung usw. Kaltes Buffet; Bowle oder ähnliches

Sitzplan oder Tischordnung:
Gibt es Ehrengäste? Reichen Stühle und sonstige Sitzgelegenheiten? Was läßt sich improvisieren? Was ist auszuräumen? (Teppiche, Möbel) Was umzuräumen?

Küche:
Genügend Möglichkeiten zum Kochen oder Warmhalten bzw. zum Kühlen? Einkauf von Servietten, Strohhalmen, Sets, Partybestecken, Partygeschirr, Spießchen

Grill:
Holzkohle, Alu-Folie. Fehlt noch Gerät?

Essen/Kaltes Buffet:
a) Selbst zu Hause anrichten? Was wird gebraucht?
b) Bestellen? Wo? Kostenvoranschlag, Angebot. Knabbereien. Bestecke, Teller, Gläser, Tassen, Tabletts, Platten, Tücher usw.

Getränke:

Voraussichtlicher Bedarf pro Person? Auswahl der Getränke. Hausbar auffüllen? Bierfaß oder Flaschenbier? Fruchtsäfte und Erfrischungsgetränke; Kaffee und Tee; Magenschnaps

Erfrischungen:

Obst, Fruchtsalat, Eis, Halbgefrorenes

Eis:

für Getränke, Gefäße?

Tabakwaren:

Zigaretten, Zigarren, Streichhölzer, Aschenbecher (Schalen oder auch Vasen, mit Sand gefüllt). Besondere Marken für besondere Gäste?

Beleuchtung:

Kerzen, Lampions, Windlichter

Schmuck, Dekoration:

Blumen, Papiergirlanden, Farben

Musik:

Tonbandgerät – welche Bänder? Plattenspieler – welche Platten?

Spiele:

Muß etwas aufgebaut werden (im Garten?)
Lose anfertigen?

Garderobe:

Bügel, Garderobenketten, Regenschirmbehälter

Blumenvasen:

reichen sie aus?

Bad:

Gästehandtücher, Gesichtswasser, Papiertücher, Sicherheitsnadeln

Abstellflächen:

für gebrauchtes Geschirr und gebrauchte Gläser. Abfallbehälter, Papierkörbe

Zum Abschluß:
Scharfe Suppe? Kaffee?

An- oder Abfahrtprobleme:
Ältere Gäste. Alkoholisierte Gäste. Übernachtungsmöglichkeit?

Kinder:
Umquartieren? Wer nimmt sie?

Haustiere:
Ausquartieren? Wer nimmt sie?

Was die Gäste erwartet

Feste soll man feiern, wie sie fallen, besagt eine uralte, und nicht die schlechteste Spruchweisheit. Anlässe, Menschen zu sich einzuladen, bieten sich genug. Nicht bloß die Hochzeit oder ein Jubiläum. Nein: ein Skatabend, ein guter Tropfen, ein Tänzchen in Ehren, das Gespräch unter Freunden, ein Fernsehkrimi der Extraklasse. Geselligkeit ist immer gefragt, Zeitpunkt und Art der Einladung liegen bei Ihnen. Klären Sie vorher, wann Ihre Gäste Zeit haben und was Sie für die Feier ausgeben wollen! Und entscheiden Sie sich:

Frühstück: Wenn dieses Wort auf Büttenpapier und gedruckt auftaucht, ist ein richtiges Mittagessen gemeint! Meistens um 13 Uhr. Inzwischen baut aber das Protokoll diese Irreführung, die noch aus der guten alten Zeit der Diplomatie stammt, dankenswerterweise ab. – In der Sommerzeit, an einem schönen Sonntagmorgen, kann man sich auch zu einem richtigen, ausgedehnten Frühstück mit allem Drum und Dran treffen. Man kann auch ein Brunch daraus machen.

Frühschoppen: In Bayern auch Brotzeit genannt, er/sie findet zwischen 11 und 12 Uhr statt und ist spätestens um 14 Uhr beendet. Je nach Landschaft wird Bier oder Wein ausgeschenkt, dazu Deftiges, Würstchen, Leberkäs, Brot und Käse. Ein sommerlicher Anlaß in Bayern, den Trachtenanzug und das Dirndl auszuführen.

Empfang: Bei Jubiläen, Ehrungen, Einweihungen und ähnlichen Anlässen, meistens zwischen 11 und 13 Uhr – zuweilen auch nachmittags, in besonders festlicher Form auch abends. Beim normalen Empfang bleiben die Gratulanten oder Gäste nur kurz. Sie werden mit Sekt, Kognak, Sherry (auch mit alkoholfreien Getränken, versteht sich) und mit Kleinigkeiten oder einem kalten Büffet bewirtet. Bei Verlobungen oder Hochzeiten, vormittags oder nachmittags, ist meistens ein kaltes Büffet üblich.

Aperitif: Ein kurzes Gespräch, eine Besinnungspause in der Zeit vor dem Mittagessen.

Sektfrühstück: Kleines Essen um die Mittagszeit – beispielsweise eines Brautpaares mit den Trauzeugen nach der standesamtlichen Trauung.

Mittagessen: (zuweilen auf Einladungen noch »Frühstück« genannt). Zwischen 12.30 Uhr und 13.30 Uhr. Üblich: 13 Uhr. Die Spannweite dieser Einladung ist groß: Vom bürgerlichen Essen im Familienkreis bis zum großen Essen im offiziellen Rahmen. Bei festlichen Anlässen dunkler Anzug – aber das steht dann in der Einladung.

Gartenfest, Garten-Party: An warmen Sommertagen mit Grill, Wein, Bier oder Bowle, mit Lampions und Spielen. Zum Wochenende schon am späten Vormittag (mit einem Essen, das der Temperatur angemessen ist), sonst nachmittags (Kinder dürfen mitgebracht werden) bis abends.

Nachmittagskaffee: Gutbürgerlicher Schwatz bei Kaffee und Kuchen.

5-Uhr-Tee: Wird bei älteren Damen als Plausch im kleinen Kreis noch gepflegt. Gereicht werden Tee und Teegebäck, auch ein milder Alkohol.

Jour fixe: Die alte Salontradition des (Nachmittags- oder Abend-)Empfangs an einem bestimmten Wochentag zu einer bestimmten Zeit ist selten geworden.

Cocktail, Cocktail-Party: Im allgemeinen zwischen 17 und 20 Uhr (das Ende wird auf der Einladung genannt). Cocktail-Parties bieten die Gelegenheit, sich höchst zwanglos zu treffen, um unter anderem Bosheiten und Klatsch auszutauschen. Sie werden besonders von denen besucht, die dann hinterher gern darüber stöhnen.

Abendessen: Beste Zeit: 20 Uhr. Ob es sich um ein zwangloses Beisammensein oder um eine offiziellere Angelegenheit handelt, geht aus der Art der Einladung und aus dem Hinweis auf die Kleidung hervor.

<u>Nach dem Abendessen</u>: Der »gesellige Abend« zum Skat- oder Bridge-Spiel, zur Diskussion, zum Fernsehen oder Tanzen. Es gibt immer Getränke, meist auch eine kalte Platte (Aufschnitt, Butter, Käse, Brot, Salate), manchmal auch ein etwas üppigeres kaltes Büffet. Zum Abschied nach Mitternacht: eine Suppe – oder Kaffee.

<u>Party</u>: Der dehnbarste und schillerndste Begriff der modernen, zeitgemäßen Geselligkeit. Für jüngere Menschen ist drum alles Party, wo immer Menschen zusammenkommen. Party-Kenner wissen zwischen zehn und zwanzig Möglichkeiten aufzusagen – vom Alltäglichen bis zum Ausgefallenen, um nicht zu sagen: an den Haaren Herbeigezogenen.

<u>Katerfrühstück</u>: Sicher die spontanste Art der Einladung. Gefragt ist alles Saure aus dem Kühlschrank oder eine kräftige Suppe, erwünscht Bier oder Kaffee – und ein bißchen Zurückhaltung (weil andere Mitmenschen noch schlafen).

Einstand geben

Die alte Bürositte, einen »Einstand« zu geben, hat sich nicht nur in der Arbeitswelt erhalten, sondern auch auf Klubs, Vereine und Vereinigungen ausgedehnt. Nicht immer zur Freude der Betroffenen.

Entziehen kann sich dieser leidigen Pflichtübung so leicht keiner – zumal wenn er sich freiwillig in einen Kreis begeben hat, in dem das so üblich ist. Allerdings sollten alle Teilnehmer der Einstandsfeier darauf achten, daß die Rechnung für das neue Mitglied nicht ungebührlich hoch wird – was ja bei guter Laune leicht passieren kann. Dann legt man halt zusammen – und läßt nicht einen bluten.

In Betrieben und Büros, in denen es Sitte ist, seinen Einstand zu geben, wird schon augenzwinkernd darauf angespielt werden (vorher unternimmt man besser nichts und stellt sich dumm). Einen Schluck in Ehren (eine Flasche Bier, Kaffee und Kuchen, das kommt auf die Zahl der Einzuladenden an) wird wohl niemand verwehren. Auch beim »Ausstand« nicht, also beim Abschied.

Leider bringen viele Menschen nicht den Mut zu angemessener Bescheidenheit auf. Wennschon Einstand (in manchen Betrieben ist der Brauch längst abgeschafft, in manchen wird es von Abteilung zu Abteilung anders gehalten), dann genügt eine Kleinigkeit. Und vernünftige Kollegen sollten darauf achten, daß es mit diesem kleinen Tribut getan ist.

Essen

(siehe auch unter: Bestecke, Eier, Essen mit den Fingern, Fische, Geflügel, Getränke, kaltes Büffet. Obst und Früchte, Parties, Restaurant, Servieren, Spezialitäten, Suppen, Tischdecken)

Jedes – gute – Essen beginnt mit einem Trunk: mit dem Aperitif, der Appetit machen soll.

Solche zumeist bitteren Appetizer (wie sie die Amerikaner nennen) gibt es immer – gleichgültig, ob Sie Freunde und Bekannte an einem reservierten Tisch im Restaurant um sich versammeln oder sich die Mühe machen, daheim selbst den Gastgeber zu spielen.

Angenommen, Sie empfangen zu Hause. Alle Gäste sind schon da, alle Gäste, alle (was leider die große Ausnahme ist). Man steht herum, ist, wenn nötig, bekannt gemacht worden, hat sich wieder erinnert, wen man kennt, und unterhält sich. Unwichtiges, Entspannendes. Gutes Essen braucht eine gute Atmosphäre. Länger als eine Viertelstunde sollte diese gegenseitige Einstimmung auf den Gaumenkitzel nicht dauern.

Das Gefühl für gesellschaftliche Formen wird heute bekanntlich nicht mehr überstrapaziert, und das ist, nach dem übertriebenen Formalismus des 19. Jahrhunderts, richtig und vernünftig. Jedoch, übertriebene Formlosigkeit fällt auch unangenehm auf. Und als solche würde es auch heute gelten, wenn sich ein Gast an den Tisch setzte oder der Gastgeber sich am kalten Büffet bediente, bevor die Gastgeberin dazu aufgefordert hat. Das verstößt gegen jede Gastfreundschaft.

Sitzordnung

Die Gastgeberin (oder der Hausherr, am besten beide zusammen) hat sich vorher überlegt, wer beim Essen zu wem paßt. Bei großen Essen werden sogar Tischlisten ausgelegt und Tischkarten benutzt. Beim normalen Essen weist die Gastgeberin die Gäste mit einer freundlichen Handbewegung an ihren Platz; Ehepaare müssen nicht zusammensitzen.

Die Gäste stehen also nach einigem Hin und Her an dem ihnen zugedachten Stuhl, genauer gesagt: hinter ihm. Ein Mann setzt sich auf keinen Fall, bevor nicht auch die Hausfrau und die anderen Frauen Platz genommen haben; beim Stühlerücken ist er behilflich.

Wer auch beim Essen ein ansprechendes Bild abgeben will,

muß den nötigen Halt haben, um die Unterarme frei bewegen zu können. Kurz: Er muß richtig sitzen, aufrecht und entspannt. Die Füße ruhen – ganz – auf dem Boden, der Stuhl ist so weit zum Tisch herangezogen, daß der Sitzende die Lehne im Rükken spürt. Die Handgelenke liegen auf der Tischkante, die Hände neben dem Teller.

Das eigentliche Essen beginnt, wenn die Hausfrau selbst, als Gastgeberin, zum Besteck greift. Jedes Essen ist eine Art von Komposition.

Erster Grundsatz: *Ein* gehaltvolles Gericht genügt.

Zweiter Grundsatz: Abwechslung; auf ein schweres Gericht darf nicht noch ein schweres, auf eine kalte Speise nicht eine zweite kalte folgen.

Dritter Grundsatz: Das Menü soll für das Auge nicht langweilig sein – es soll Farben und Kontraste haben.

Gänge

Zehn Gänge, wie sie früher, natürlich bei entsprechend kleinen Mengen, serviert und tatsächlich auch verzehrt wurden, wären heute, bei unserem ausgeprägten Kalorien-Bewußtsein, eine unzumutbare Völlerei. Die Masse macht es nicht – wir essen dafür gehaltvoller. Drei Gänge zu Hause, fünf im Restaurant gelten als äußerste Grenze.

Die Speisenfolge, bei der man gut und gern zwei Gänge weglassen kann, sieht also folgendermaßen aus:

1. Gang: Kaltes Vorgericht, Horsd'œuvres (verschiedene Salate, Lachs, Hummercocktail, Kaviar)
2. Gang: Suppe
3. Gang: Fisch
4. Gang: Fleischgericht
5. Gang: Süßspeise, Dessert, Nachgericht (Kompott, Creme, Eisspeisen), Käse oder Obst.

Wir wiederholen: Suppe, Braten oder Geflügel und Nachspeise genügen völlig. Zu Hause sollte man vielleicht besser zu Originellerem übergehen, zur Fleisch- oder Käsefondue beispielsweise. Bei geringerem Aufwand ist der Spaß größer.

Man kann sich darauf beschränken, zum Hauptgericht *einen* Wein auszuschenken – und man kann ebensogut darauf Wert

Faustregeln für den richtigen Wein

Vor Beginn des Essens:	ein trockener Wermut
Zu Fisch:	Weißwein (Mosel)
Zu Geflügel:	Weißwein (Rheinwein)
Zu weißem Fleisch (Kalbfleisch, Schweinefleisch usw.):	Weißwein (Mosel, Rheinhessen, Frankenwein, weißer Bordeaux)
Zu dunklem Fleisch (Hammel, Wild, Rindfleisch):	Rotwein (Rheinpfalz, Rheinhessen, Burgunder)
Zu süßen Nachspeisen, Kompott, Eis und Halbgefrorenem:	Sekt
Zu Käse, Käsegebäck:	Weißwein, leicht und herb kräftiger Rotwein oder Bier

legen, zu jeder Speise das richtige Getränk zu reichen. Das ist Geschmackssache und sicher auch eine Frage des Stehvermögens der Gäste (deren Wohl man schließlich immer im Auge haben sollte). Ein Getränk darf man aber auf keinen Fall vergessen (in Frankreich ist es selbstverständlich, hier nicht immer): den Kaffee, feiner: den Mokka nach dem Essen.

Tischsitten

»Iß wie ein Mensch, was dir vorgesetzt ist; und friß nicht zu sehr, auf daß man dir nicht gram werde«, steht in der Bibel. In zweitausend Jahren hat sich auf der Welt viel, an der Brauchbarkeit dieses Sirach-Wortes aber nichts geändert.

Ins Neuhochdeutsche übersetzt, heißt das etwa: Bedienen Sie sich nicht zu reichlich, füllen Sie Ihren Teller in Maßen, damit am Rande nichts überschwappen kann und damit Sie die Portion, die Sie sich zumuten, auch schaffen. Es wird ja nachgereicht – mit einem gekreuzten Besteck auf dem Teller signalisieren Sie den Wunsch, noch einmal bedient zu werden. Übrigbleiben muß nichts – die Schüsseln und Platten dürfen natürlich geleert werden.

»Iß wie ein Mensch« heißt auch: an die Tischnachbarn denken und die Ellenbogen am Oberkörper belassen, wo sie beim Essen hingehören. Ellenbogen auf dem Tisch nehmen anderen den Raum weg und sind obendrein ganz unpraktisch: die beste Hebelwirkung beim Schneiden hat der bewegliche Unterarm – und nicht der auf den Tisch gelegte.

»Iß wie ein Mensch« bedeutet schließlich: Das Fleisch wird in kleine Bissen zerschnitten, beim Kauen bleibt der Mund geschlossen. Löffel oder Gabel werden zum Mund geführt, der Oberkörper bleibt in aufrechter, leicht nach vorn geneigter Haltung, man beugt sich nicht über den Teller. Höchstes Ziel sollte sein: geräuschloses Essen ohne Schlürfen, ohne Scheppern des Löffels, ohne das Quietschen des Messers auf dem Teller (das Schmatzen ist Snoopys Vorrecht!).

Das einleuchtende Gebot, daß man mit vollem Mund nicht sprechen soll, schließt das Tischgespräch keineswegs aus: Man kaut erst und schluckt, bevor man antwortet oder weiterspricht. Ein angeregtes Tischgespräch setzt allerdings gewärmte Teller voraus und Rechauds, um die Platten warm zu halten.

Man spricht mit dem nächsten Tischnachbarn, nicht bloß mit der Dame zur Rechten, der »Tischdame« (ein schreckliches Wort). Neutrale Themen – vom Klatsch der Weltpresse über Reiseerlebnisse bis zum Fernsehen – sind erwünscht, weltanschauliche und politische verpönt. Denn bei einem guten Essen ist nun einmal das Essen die Hauptsache, alles andere nur Beigabe, auch das freundlich-heitere Gespräch. Die größte Sünde: anderen den Appetit zu verderben. Und das geht schneller, als man denkt, da genügt oft schon eine ungeschickte Bemerkung.

Nach dem Essen

Eine Mahlzeit ohne Käse gleiche einer einäugigen Schönheit, hat ein großer Kenner der Tafelfreuden gesagt. Mit Käse endet das Essen. Die Hausfrau, die zu Tisch gebeten hat, steht auf, nachdem sie sich vergewissert hat, daß alle Gäste fertig sind. Wenn andere Frauen mit am Tisch sitzen, werden sie der Hausfrau ihre Mithilfe beim Abräumen anbieten (es sei denn, es gibt Ober oder Serviererinnen). Jetzt, endlich, darf auch geraucht werden. Zum Abschluß gibt es Kaffee oder Mokka.

Wenn das Essen gut und gelungen war, aber wirklich nur dann (eine Hausfrau weiß das selbst sehr genau), sollte man der Gastgeberin jetzt auch ein ehrliches Wort des Dankes sagen. Wenn es ein neuartiges oder originelles Gericht war, sollte man sich, schönstes Kompliment, nach dem Rezept erkundigen.

Welche Getränke wozu?

Vor dem Essen: Aperitif

Martini, Cinzano, Dubonnet, Picon, Anisette (Pernod), Vermouth, Sherry (herb), einen Korn oder Whisky, Wodka. Ein Glas Sekt, Portwein oder Muskateller oder einen Fruchtsaft-Cocktail

---

Zur Vorspeise: Suppen, Pasteten, Hummer, Languste, Krabben, Schnecken,

Sekt, Champagner (trocken), spritzige Weißweine, Rieslingweine von Mosel, Saar, Ruwer, Rheingau, Nahe und der Rheinpfalz, weißer Burgunder

---

Austern

Chablis, trockenen Graves, Muscadet, Pinot Blanc

Kaviar

Wodka, Sekt

Gekochter oder gedünsteter Fisch

spritzige, blumige Weißweine: Mosel, Baden, Württemberg, Saar, Ruwer, Sauternes, leichter weißer Burgunder, trockener Graves, Barsac

---

zu Lachs

ein nicht zu kräftiger Rotwein, trockener Sekt, Pils oder ein kalter Klarer

---

zu gebratenem Fisch: Karpfen, Schleie, Räucherfisch

mittelschwere Weißweine: Rheinpfalz, Rheinhessen, Franken, Gewürztraminer oder leichte duftige Rotweine; Ahr, Rheinhessen oder Württemberg, weißer Burgunder

zu Ragout fin
volle Weißweine: Rheingau, Franken, oder leichte Rotweine

Kalte Platten oder Aufschnitt:
herbe, kräftige Weißweine: Franken, Württemberg, Pfalz

Gänseleber mit oder ohne Trüffeln
Spitzenrotweine

Geflügel gegrillt: Wachteln, Rebhuhn, Fasan
milde Rotweine: Rheinhessen, Rheinpfalz, Mittelrhein oder Ahr

Huhn, Truthahn
frische mittlere Weißweine: Mosel, Rheinhessen, eventuell auch Rosé, ein leichter Bordeaux, California Cabarnet

Weißes Bratenfleisch: Kalb-, Schweinefleisch, Lamm, Huhn, Poularde oder Pute
füllige Weißweine: Traminer, Ruländer, Rheinhessen, Baden, Franken, Mosel oder Nahe, weißer Chianti, Graves, Sauternes

Schweinefleisch
Bier oder auch leichter Rotwein

Lamm
eventuell auch leichter Rotwein

Dunkles Bratenfleisch: Rindfleisch, Hammel, Gans, Ente, Fasan
volle Rotweine: Rheinhessen, Rheingau, Pfalz, Mittelrhein, Württemberg, leichter Burgunder, Pinot Noir, Barbaresco, Barolo

Stews, Schmorfleisch
Beaujolais, Côtes-du-Rhône, Gamay

Wild: Reh, Wildente (auch Steak)
Rotweine: Burgunder, Château-neuf-du-Pape, Bordeaux, aber auch ein weißer Rheinpfälzer mit üppigem Bukett, Hermitage, Pinot Noir, Barolo

Fleischfondue
Burgunder, Rosé

Hausmannskost
Schnäpse, Bier

Käse
kräftige Rotweine: Bordeaux, Burgunder, Rhône, Pinot Noir, volle Weißweine, Bier

Frisch- und Schmelzkäse, Edamer oder Butterkäse
leichte, süße Schillerweine, oder feine blumige Rotweine

Kräftige Käsesorten: Edelpilz, Emmentaler, Tilsiter, Brie, Camembert, Ziegenkäse
vollmundige, fruchtige Spätburgunder

Käsefondue
vorher einen Kirsch
Weißwein: Walliser Fendant, feine Spätlesen und Auslesen: Rhein oder Mosel

Nachspeisen: Dessert Gebäck, Obst, Walnüsse
süße Sauternes, Anjou, Rheinwein-Beerenauslese, Champagner, Portwein, süßer Madeira, süßer Sherry

Kaffee, Mokka
Kognak oder Weinbrand, Likör, Obstschnäpse

Tafel-Tips

Der erste Schluck bei Tisch aus dem gefüllten Glas steht dem Gastgeber zu – im Restaurant ist das der Einladende.

Die Serviette wird, wenn die Speisen aufgetragen werden, über Knie und Oberschenkel gelegt. Nach dem Essen legt man sie nur lose zusammengefaltet auf den Tisch zurück.

Brot, das während des Essens auf den Tisch kommt, wird gebrochen, nicht geschnitten.

Der Umgang mit dem Vorlegebesteck, das heißt die aus Löffel (unten) und Gabel (oben) gebildete Zange, will geübt sein. Man nimmt Löffel mit der Rechten und hilft mit der Gabel in der Linken nach. Der Gast am Tisch hat, im Gegensatz zum servierenden Ober, beide Hände frei.

Gräten oder kleine Knochen werden entweder mit Daumen und Zeigefinger zwischen den Lippen weggenommen oder – was als feiner gilt – mit der Zungenspitze auf die Gabel geschoben. Wenn kein besonderer Teller für solche Reste gedeckt ist, kommen sie auf den Tellerrand. Obstkerne werden, über den Löffel, auf den Untersatz gelegt.

Der sogenannte »Anstandsbissen« – ein Stück muß immer übrigbleiben – ist eine ziemlich alberne Sitte. Wenn's schmeckt, sollte auch alles aufgegessen werden.

Bei ausgefalleneren Gerichten darf man sich ruhig beim Nachbarn erkundigen, wie sie gegessen werden. Jeder fängt einmal an, keiner kann alles wissen. Offenheit ist keine Schande, und auf jeden Fall besser als ungeschicktes und ratloses Herumstochern.

Bei einer Einladung zum Essen kann man nicht gleich nach Schluß der Tafel aufbrechen. Wenn die Zeit wirklich drängt, muß man sich bei den Gastgebern ausdrücklich entschuldigen.

Es sieht nicht gut aus ...

... wenn die Ellenbogen auf dem Tisch liegen – statt leicht angewinkelt am Oberkörper

... wenn zu hastig und zu mechanisch gegessen oder gelöffelt wird – statt kleine Pausen beim Essen einzulegen

... wenn »geschlungen« wird – statt zu kauen

... wenn in die heiße Suppe »gepustet« wird – statt sie umzurühren

... wenn der Kopf zu weit in Richtung Teller gebeugt wird – statt Löffel oder Gabel zum Mund zu führen

... wenn die Hand Messer oder Gabel zu weit vorn anfaßt – statt unverkrampft in der Mitte des Griffes

... wenn Kartoffeln mit Soße zu Brei zerquetscht werden – statt sie nur mit der Gabel zu zerteilen

... wenn der Mund (und damit auch der Lippenstift) mit der Serviette abgewischt wird – statt ihn bloß abzutupfen

... wenn beim Heben von Glas oder Tasse der kleine Finger abgespreizt wird – statt ihn bei den anderen Fingern der Hand, wo er hingehört, zu belassen

... wenn Essenreste zwischen den Zähnen hinter der vorgehaltenen Hand beseitigt werden – statt auf der Toilette

Essen mit den Fingern

Mit den Fingern zugreifen, das ist beileibe kein Rückfall in barbarische, längst entschwundene Zeiten. Im Gegenteil: gerade Feinschmecker wissen, daß unsere Finger unter Umständen die einzigen Instrumente sind, die sich komplizierteren Operationen bei Tisch gewachsen zeigen.

Ob Artischocken, Krebse oder Muscheln: die Finger sind unsere einfachsten und auch gelenkigsten Helfer beim Essen. Kleinere Knochen beim Geflügel lassen sich am besten abnagen, wenn man sie in die Hand nimmt. Das darf man in der feinsten Gesellschaft.

Das Essen aus der Hand, bei der »Wiener« und der »Frankfurter«, beim Steckerlfisch und beim Hühnchen selbstverständlich, hat sich auch bei Gartenfesten durchgesetzt. Selbst kleine gebratene Seezungenfilets kann man ungeniert mit den Fingern zum Munde führen.

Wo immer man im Stehen ißt, beim Volksfest, an der Würstchenbude oder eben im Garten, kann mit den Fingern gegessen werden. Wenn man am Tisch sitzt, wird man, auch bei Würstchen, lieber das Besteck benutzen. Auf jeden Fall dann, wenn Beilagen serviert werden. – Beim Essen aus der Hand müssen Servietten in ausreichender Zahl verteilt und ausgelegt werden.

109

Fernsehen

Muß man wirklich an das Telefon gehen, wenn der Kommissar gerade eine ganz heiße Spur gefunden hat? Ja. Man kann nämlich nicht wissen, was der Anrufer will, um was es dabei geht. Wenn sich das Gespräch, wie so oft, als Belanglosigkeit herausstellt, darf man ohne jede Hemmung auf die laufende Sendung hinweisen (». . . Wir sprechen in einer halben Stunde, ja?«) und auflegen. Fernsehen entschuldigt.

Zwanzig Jahre haben genügt, um aus unserem Volk diesseits und jenseits der Grenze ein Heer von »Fernsehern« zu machen. Die Mattscheibe, der »Hausfreund Nr. 1«, hat uns alle verändert – unsere Gewohnheiten, unsere tägliche Zeiteinteilung, unsere Weltanschauung und, natürlich, unsere Vorstellung davon, was eine gute Kinderstube ist. Immerhin verbringt ein Mensch (wie man errechnet hat) etwa zwölf Jahre seines Lebens vor dem Bildschirm! Wenn das nicht prägt . . .

Das Recht auf das Fernsehen lassen wir uns nicht nehmen – sonst gibt es Mord und Totschlag, wie man weiß. In der Tat: Die »fünfte Wand« bringt Probleme in die Familie. Wer, beispielsweise, bestimmt das Programm? Wer die Auswahl bei Kindern in ganz unterschiedlichen Lebensstadien? Muß der »Boß« im Haus wirklich immer seinen Willen durchsetzen, wenn es zwischen den Generationen zu Meinungsverschiedenheiten über den zu wählenden Kanal kommt?

Bestimmt nicht. Erstens muß man sich als Erwachsener von Zeit zu Zeit ganz bewußt dem Sog entziehen, der von dem Fernsehapparat ausgeht, man muß darauf verzichten können, was angesichts der Langeweile, die manche Sendungen um sich verbreiten, auch gar nicht so schwerfällt, wie mancher Zeitgenosse glauben mag. Es gibt sogar Menschen, die das Gerät bewußt in eine unwohnliche Umgebung stellen, um sich der Gemütlichkeit vor dem Bildschirm zu entziehen.

Und warum sollten, zweitens, nicht mal die Kinder mit Freunden abends vor dem Gerät sitzen dürfen? Schlimmstenfalls geht man halt selbst mit Frau zu Freunden. Oder man knobelt, spaßeshalber, mit Frau und Kindern um das Programm. Oder man diskutiert. Jeder sollte einmal zu seinem Recht kommen! Sonst sagen Kinder nachher: »Ist ein Krimi schlecht, geht Vati Bier holen. Ist er gut, muß ich Bier holen gehen.«

Was macht der höfliche Mensch, der sich gerade vor dem Fernseher entspannt, wenn unverhofft Besuch kommt? Er sollte, normales Programm vorausgesetzt, den Kasten sofort ohne irgendeine bedauernde Bemerkung abdrehen. Der Besuch hat sich vermutlich nicht des Fernsehens wegen auf den Weg gemacht. Wenn man selbst jemanden zu sich geladen hat, und zwar zum Gespräch, sollte der Apparat gar nicht laufen.

Jedoch, jedoch ... Wer heute eine Einladung verschickt oder einladend herumtelefoniert, sollte vorher unbedingt einen Blick auf die anstehenden Fernsehereignisse werfen. Sonst muß er sich nicht wundern, wenn er nur Absagen erhält.

Es bleibt die Flucht nach vorn: Man lädt eigens zu einem der großen Fernsehspektakel ein – zu einem gemeinsamen Ratespiel bei der dritten und letzten Serie des Super-Krimis, zum Fußball-Länderspiel, zu einer Theateraufführung (warum eigentlich nicht?).

Keiner hat etwas dagegen, wenn Farbfernsehbesitzer ihre »ärmeren Schwarz-Weiß-Freunde« zu sich holen, wann immer sich ein farbiger Anlaß bietet. Geladene Gäste sollten dann aber auch rechtzeitig vor Beginn erscheinen.

Fernsehen zu viert, sechst oder zu acht: das kann sehr anregend und heiter sein, spontane Zwischenrufe sind nicht nur gestattet, sondern erwünscht!

Bei der gegenwärtigen Fernsehdichte sind »Fernsehmuffel« zwar seltener geworden, doch es gibt sie immer noch. Sie rufen ausgerechnet in dem Augenblick an, da der Gong zur »Abendschau« ertönt. Sie wissen es halt nicht anders – oder übersehen es geflissentlich. Wenn nicht gerade eine Krise der Weltpolitik ins Haus steht, sollte man die Nachrichten schießen lassen und sich mit dem Anrufer unterhalten (es steht ohnehin alles am nächsten Morgen in der Zeitung!).

Wenn aber gerade eine 8000-Mark-Frage verhandelt wird oder ein spannender Krimi läuft, sollte man ebenso in aller Offenheit bekennen: »Wir sehen jetzt fern«. Früher hätte Sie auch keiner aus dem Kino geholt, um Ihnen »Guten Tag« zu sagen.

Das Fernsehangebot ist eine große Versuchung – wer von uns, Hand aufs Herz, ist nicht faul und bequem? Zuweilen freilich, wir wiederholen es, sollte man dieser Passivität bewußt widerstehen. Bevor sich die zivilisierte Menschheit an die

»Glotze« gewöhnt hat, wurde abends geredet, gestritten, gespielt, getanzt – wurde, tatsächlich, gelesen. An diese glaubhaft überlieferte Erfahrung sollten wir uns immer wieder einmal erinnern.

Ein namhafter deutscher Publizist schrieb: »Das deutsche Fernsehen ist bekanntlich das beste der Welt, aber es ist nicht immer gut. Darum: spät und ruhig speisen, den Bildschirm erst nach neun öffnen, dann ist das Schlimmste vorbei.« In der Tat: Vor dem Fernseher können wir zeigen, was für mündige Bürger wir sind. Daß wir in der Lage sind, unkontrolliertes Dauerfernsehen und Wahllosigkeit des Bilderkonsums zu vermeiden.

Denn in der Familie, wo sonst, müssen Kinder dazu erzogen werden, mit dem Medium vernünftig umzugehen. Wenn wir das Gespräch in der Familie zugunsten des Fernsehens schon vernachlässigen: warum sollten wir dann nicht wenigstens ausgiebig über das Gesehene diskutieren?

Finnland
(siehe auch unter: Auslandsreisen)

Finnland (finnisch Suomi): »Land der 1000 Seen« – in Wirklichkeit sind es etwa 60000, und dazu kommen noch 30000 Inseln und Inselchen.

Die 4,7 Millionen Finnen (fast durchweg evangelisch-lutherisch) sprechen eine vokalreiche, dem Ungarischen verwandte und ähnlich komplizierte Sprache (unbedingt einen kleinen Sprachführer mitnehmen!). Mit Englisch und mit Deutsch kann man sich aber verständlich machen.

Finnen mögen, gemessen an einem Mitteleuropäer, verschlossen wirken, sind aber äußerst hilfsbereit und auch gastfreundlich, nur eben leiser (bis der Gesang anhebt). In die Familiensauna eingeladen zu werden, gilt als besondere Ehre; es wäre aber ein schwerer Fehler, von der Ungezwungenheit des gemeinsamen Sauniernes auf lockere Sitten zu schließen!

Alkohol ist teuer in Finnland; je höher der Alkoholgehalt, desto teurer das Getränk. Alkoholika, auch Bier, werden im Staatsmonopol verkauft und sind nur in staatlichen Läden erhältlich. Die Gaststättenbetriebe sind in »mit« und »ohne« Schankrechte eingeteilt; auch das verführerische Wort »Baari« verheißt keineswegs immer eine Lizenz für den Ausschank von Alkohol, es ist manchmal nur ein Eßlokal oder Café.

Das reichliche Abendessen entspricht unserem Mittagessen. Es wird deshalb auch früher als bei uns eingenommen: vor 18 Uhr. Dafür dauert es aber auch länger – schon wegen der zahlreichen Vorspeisen.

Wenn das Licht spätabends im Lokal für ein paar Sekunden verlischt, liegt das nicht an der Sicherung. Das Lichtsignal bedeutet: von jetzt an werden keine Bestellungen mehr entgegengenommen. Etwa eine halbe Stunde später schließt der Wirt.

Firmung

Firmlinge sind heute bis zu 14 Jahre alt und treffen ihre Entscheidung selbst. Moderne Pfarrer verbinden den feierlichen Akt der Aufnahme in die Gemeinde sogar mit einer Jazzmesse. Und der nicht unvermögende Firmpate, von dem Kinder ärmerer Eltern einstens träumten (höchster Wunsch: eine Uhr), hat im Zeichen des allgemein gehobenen Lebensstandards an Bedeutung verloren. Nicht der Pate an sich.

In manchen Familien wird die Firmung groß gefeiert (und der regionale Party-Service steht in katholischen Gegenden nicht an, sich mit kaltem Büffet auch für die Firmung zu empfehlen). Andere begehen die Feier, sicher christlicher, in bescheidenem Rahmen. Aber das ist jedermanns eigene Sache.

Fische

Fisch mit Messer, das galt einmal als Inbegriff des schlechten und falschen, des unmöglichen Benehmens.

Aber die Formel stimmt nicht mehr. Wie man Fisch ißt, mit welchem Besteck, richtet sich nach der Zubereitungsart. *Marinierter* Fisch – also Hering, Rollmops – und *geräucherter* Fisch – wie Bückling – werden in der Tat mit Messer und Gabel gegessen. Dem geräucherten Aal geht man genauso wie dem Lachs mit dem normalen Messer zu Leibe. Fisch mit dem Messer? Jawohl.

Gekochter und *gebratener* Fisch jeder Art, ob Seezunge, Flunder, Forelle oder Karpfen, wird mit zwei Gabeln oder mit dem Fischbesteck (Gabel und Fischmesser) gegessen. Werden zwei Gabeln benutzt, ißt man mit der Gabel, die die rechte Hand hält; die Gabel in der Linken leistet Hilfestellung.

Erst wird der Fisch in der Mitte mit dem Fischmesser aufgeschnitten – aber nur an der Oberfläche – oder mit den Gabelzinken geteilt. Dann hebt man die Haut ab, und schiebt sie mit den Nebengräten beiseite; bei gebratenem Fisch ißt man die Haut mit. Nun kann man das Fleisch mühelos von dem Hauptgrätengerüst lösen und essen. Wenn man die obenauf liegende Hälfte abgegessen hat, dreht man den Fisch mit Kopf und Schwanz um und macht sich anschließend über die andere Hälfte her.

Wenn Gräten in den Mund geraten – und das bleibt ja nie aus –, werden sie von den Lippen auf die Gabel und dann auf den Tellerrand gelegt. Eine größere Gräte kann man auch mit zwei Fingerspitzen greifen. Gegen die Gräte im Hals soll ein Stück Brot helfen. Schlimmstenfalls muß man freilich den Arzt bemühen.

Bei weichen Büchsenfischen ohne Gräten (Sardinen, Heringe in Gelee) genügt eine Gabel. In der Linken kann man ein Stück Brot oder Brötchen als Hilfe zum Schieben benutzen.

Flugreisen

Der schweißtreibende Geschwindlauf über das Rollfeld zu der Maschine gehört längst in die Annalen der Zivilluftfahrt, und auch der verbissene Kampf um den Fensterplatz ist Gelassenheit gewichen, seitdem es sich herumgesprochen hat, daß die Ostsee aus gehobener Warte von der Nordsee oder dem Pazifischen Ozean nicht zu unterscheiden ist.

Geblieben ist, trotzdem, das Drängeln am und im Flughafenbus mit dem Ziel, sich möglichst nahe an den Ausstiegtüren zu behaupten.

Auch an der Tatsache, daß beim Fliegen sehr viele Menschen auf bescheidenem Raum zusammengedrängt werden, eine Stunde lang, aber auch zehn und mehr, hat sich vorerst nichts geändert.

Es wird eng in der Kabine und in den Sitzreihen (der Economy-Class), wenn die Strecke gut ausgelastet ist. Unter höflichen Menschen gilt dann der Satz: Im Flugzeug ist kein Platz für den Gebrauch der Ellenbogen. Zeitersparnis erfordert ein gewisses An-sich-Halten.

Beispielsweise beim Essen. Es gehört, zugegeben, etwas

Übung dazu, mit kleinem Besteck von einem kleinen Tablett zu essen. Aber 10 000 Meter über der Erdoberfläche kann niemand den Luxus eines bequemen Eßtisches erwarten, an dem er sich nach Herzenslust breitmachen kann (was ja auch auf Erden nicht gerade erfreulich aussieht). Also: Beim Essen, beim Zeitunglesen die Oberarme an den Körper anwinkeln, damit auch der Nachbar Platz hat.

Mit ihm muß man sich auch auf Tuchfühlung arrangieren, bevor man die Augen zu einem Nickerchen schließt. Die Armlehne gehört keinem allein, und mit einem Lächeln läßt sich da schon eine Einigung finden. Auch der Fensterplatzinhaber hat bestimmt nichts dagegen, daß Sie Ihren Kopf mal gelegentlich der Scheibe nähern.

Mehr oder minder unterdrückten Ärger gibt es immer wieder wegen der Rückenlehne. Sie ist bekanntlich durch Knopfdruck verstellbar, was manche Passagiere während des Fluges dazu verführt, sich ohne Rück-Sicht in die entspannte Rückenlage fallen zu lassen, gleichgültig ob ihr Hintermann ein Bier oder einen Kaffee auf dem Tablett oder selbst Mühe hat, seine Knie zwischen Sitz und Vordersitz unterzubringen. Etwas behutsamer, bitte!

Wenn es sich Ihr Vordermann so richtig bequem macht und sich nach hinten legt, was, bis zur Landung, sein gutes Recht ist, bleibt Ihnen eigentlich nichts weiter übrig, als ein Gleiches zu tun, sonst wird es sehr eng. Nachts bedenke man, daß sich jede heftige Bewegung des Sitzes den anderen in der Reihe mitteilt. Da kann man nicht rücksichtsvoll genug sein.

Manch einer braucht öfter Auslauf; er tut gut daran, sich freiwillig auf den Platz am Gang zu setzen (was Oft-Flieger ohnehin gern tun!). Dauerndes Aufstehen eines Fensterplatzinhabers wäre eine Zumutung für die anderen Fluggäste (übrigens meldet ein deutlich sichtbares Lichtzeichen, wenn die Toiletten besetzt sind).

Wer die Zigarettenpackung zückt, sobald das »No smoking«-Zeichen vor ihm erlischt, sollte rechtzeitig darauf achten, ob über seiner Reihe nicht eine rot durchgestrichene Zigarette prangt: Es gibt vorn in den Flugzeugen Nichtraucherreihen.

Der Blick ins enge Cockpit: wer kennt ihn nicht aus Filmen! Piloten und Navigator haben eine verantwortungsvolle Tätigkeit, auf die sie sich konzentrieren müssen, ohne daß ihnen jemand neugierig über die Schulter guckt. Eine Besichtigung des

Cockpits bleibt also die Ausnahme – man fragt erst einmal die Stewardeß. Auf längeren Geradeausflügen ist der Live-Blick auf die Instrumente schon mal möglich ...

Passagiere mit empfindlichen Magennerven haben ihre Luftreisetabletten (Vasano, Hexobion, Peremesin) normalerweise bei sich. Auch die Stewardeß oder der Steward – Anrede: »Stewardeß«, »Steward«, oder mit »Fräulein« und »Herr«, wenn der Name am Revers steht – bringt eines dieser lindernden Medikamente.

Sollte sich der Magen trotzdem melden, hilft nur eines: Rückenlehne zurückstellen, tief durchatmen und nicht ans Essen denken. Schlimmstenfalls bleibt der Griff zur Tüte im Zeitungsnetz. Peinlichkeiten tauchen dabei nicht auf, denn die Stewardeß trägt alles mit Fassung, auch die – wieder verschlossene – Tüte ...

Wer Wünsche hat, sage es der Stewardeß – Knopfdruck genügt: Nähzeug, Schreibpapier, Streichhölzer, Spielzeug (für Kinder), zollfreie Zigaretten, Getränke (alkoholische müssen bezahlt werden), es wird Ihnen alles mit einem freundlichen Lächeln an den Platz gebracht.

Auch die »heißen Tücher« (»hot towels« genannt), die in feucht-heißen Zonen vor der Landung für Erfrischung sorgen. Sie werden für das Gesicht, für Nacken und Hände verwendet, und zwar dampfheiß, wie sie gereicht werden, das ist der Witz dabei. Die benutzten Tücher werden wieder eingesammelt.

Es gibt weitgereiste Leute, die an Bord der Maschine ihre Straßenschuhe gegen bequemere Hausschuhe vertauschen, und dagegen ist nichts zu sagen. Was Stewardessen gar nicht mögen, sind Passagiere, die erst munter dem Alkohol zusprechen, um sich dann noch munterer den Stewardessen zu widmen.

Oder die beim Zahlen mit großzügiger Geste »Stimmt so!« sagen. Trinkgelder werden hier nämlich grundsätzlich nicht genommen. An Bord ist der Passagier zwar nicht König, so doch Gast – die Stewardeß ist so etwas wie die Dame des Hauses ...

Ratschläge für Erstflieger

1. Der Fluggast muß rechtzeitig vor dem Abflug auf dem Flughafen sein. Im Inland und in Europa etwa 30 Minuten, in Ländern mit komplizierterer Zoll- und Paßabfertigung etwa eine Stunde vorher. Die Flugtouristik-Unternehmen empfehlen auf deutschen Flughäfen sogar $1^1/2$ Stunden!

2. Bis zu 20 kg ist das Gepäck im Flugpreis inbegriffen. Was darüber ist, muß – teuer! – bezahlt werden. Ein Stück Handgepäck (Aktenkoffer, Kosmetikkoffer) darf mit an Bord genommen werden.

3. Die Benutzung von handelsüblichen Diktier- und Tonbandgeräten sowie von Cassetten-Recordern wird im allgemeinen nicht beanstandet.

4. Beim Start muß jeder Fluggast angeschnallt sein. Im allgemeinen wird empfohlen, auch während des Fluges locker angeschnallt zu bleiben.

5. Bei Start und Landung darf nicht geraucht werden.

6. Gegen Angst und Beklemmung hilft die Unterhaltung mit dem Nachbarn, notfalls mit der Stewardeß.

7. Handgepäck gehört unter den vorderen Sitz, Garderobe in das Ablagefach über den Sitzen.

8. Der Gang ist ein Durch-Gang, er muß frei bleiben.

9. Bei Betreten und Verlassen der Maschine grüßt man Stewardeß oder Steward mit einem freundlichen Lächeln.

10. Gepäckstücke können sich verirren und erst ein paar Tage später (oder gar nicht) ankommen. Es empfiehlt sich, bei größeren Reisen, ein Täschchen mit den wichtigsten Utensilien (Waschzeug!) mit in die Maschine zu nehmen.

Fondue

Das gemeinsame Stippen in *eine* Schüssel – einst auf dem Lande üblich und für verwöhnte Städter der Inbegriff von Armut – ist längst wieder modern. Die heitere Runde am Rechaud, am Spiritus- oder Campingkocher, eine zeitgemäße Form von Geselligkeit, erspart der Hausfrau Arbeit. Selbstbedienung, wie angenehm.

Der Tisch darf nicht zu große Ausmaße haben, jeder muß ohne Verrenkungen zum Brodeltopf in der Mitte langen können. Dadurch reduziert sich auch die Zahl der Gäste von vornherein (zur Fondue kann man aber ruhig Eltern mit Kindern einladen, für die ist das ein Heidenspaß!).

Das Fleisch (Rind- oder Schweinefilet, Rumpsteak) wird vorher in mundgerechte Stücke geschnitten. Zum Sieden benutzt man reines Öl, Pflanzenfett oder Schmalz. Jeder Gast spießt einen Fleischwürfel auf die lange, mit kleinen Widerhaken versehene Fondue-Gabel und brät ihn im Fett. Dann würzt er das Fleischstückchen auf seinem Teller und verzehrt es mit einer der pikanten Beigaben, die ja das I-Tüpfelchen auf einer Fleischfondue sind.

Über die Frage, ob die Fondue-Gabel auch zugleich die Eßgabel sein soll, gehen die Meinungen auseinander. Diejenigen, die in dieser Gabel nur das Kochwerkzeug sehen und das gesottene Fleisch mit Messer und Gabel vom Teller essen wollen, während das nächste Fleischstück im Fett an der Fondue-Gabel bruzzelt, haben angesichts der Widerhaken vielleicht nicht einmal unrecht.

Bei der Käsefondue hat jeder am Tisch grobgeschnittene Weißbrotwürfel auf dem Teller. Ein Würfel wird auf die Gabel gespießt (die keine Widerhaken hat), in den Käse getaucht und gedreht. Nach Schweizer Sitte – die Fondue kommt ja aus der Schweiz – muß jeder, der einen Brotbrocken von der Gabel verliert, eine Runde Schnaps spendieren. Die Brocken werden mit den Zähnen von der Gabel gezogen, ohne daß Zähne oder Lippen sie berühren.

Frankreich
(siehe auch unter: Auslandsreisen)

Paris ist nicht Frankreich, es muß wieder einmal gesagt werden. Und Paris ist auch nicht mehr das große »Oh, la, la«, dessentwegen es Groß- und Urgroßväter so magisch an die Seine zog.

Paris, die Metropole, regiert und beherrscht zwar ein Land, fast doppelt so groß wie die Bundesrepublik. Paris imponiert zwar mächtig durch Glanz und Gloria, durch Kunstschätze, Reichtum und schönen Schein. Doch Frankreich, das flache Land, die Provinz, ist ganz anders. Längst nicht so aufdringlich; ärmer und auch menschlicher. Vor allem aber: nicht so teuer.

Wer dieses Frankreich kennenlernen will, muß schon ein bißchen Französisch sprechen. Für Franzosen, die selten ins Ausland reisen, ist und bleibt ihr Land das schönste, ihre Sprache die vollkommenste. Man kann mit jungen Franzosen zu europäischen Bekenntnissen kommen. Doch mit älteren Franzosen, mit Patrioten alten Schlages, führt solch Disput nicht weit. Nach Verbrüderungen steht ihnen nicht der Sinn. Franzosen, diesen unkonventionellen Individualisten, kommt das »Du«

bei weitem nicht so schnell über die Lippen wie manchem weinseligen Deutschen. Schon Jugendliche werden gesiezt.

Franzosen beeindruckt man durch Höflichkeit und Benehmen, durch »merci, madame« und »s'il vous plait, monsieur«. Auch Titel werden gern gehört. Aber man störe ihre Kreise nicht und versuche nicht, in ihre private Sphäre einzudringen. Frankreich, das Land der »liberté«, der breiten Doppelbetten ohne Ritze und der zufriedenen Rentner: dieses Frankreich lasse man, bitte schön, wie es ist. Mitsamt jenen kleinen Ungereimtheiten, die den Touristen gelegentlich zur Verzweiflung bringen: das Schild »des grèves«, beispielsweise, Streik, das unvermutet am Bahnhof hängt; oder die Autoreparaturwerkstatt, die am Montag (wie alle Geschäfte) partout nicht aufmachen will . . .

Die heilige Gastronomie

Dafür hat Frankreich der Welt die bürgerliche Freiheit – und die erlesene Gastronomie geschenkt. Es wäre eine nie wiedergutzumachende Sünde, wenn der Tourist ausgerechnet in dem Land, das Köche zu Künstlern erhob, seine leiblichen Bedürfnisse in Snackbars oder Selbstbedienungsrestaurants befriedigen würde.

Dennoch: Deutsche haben nachgewiesenermaßen eine Scheu – oder ist es schon Ehrfurcht – vor französischen Restaurants: sie seien zu teuer und nur was für Kenner, heißt es, der Umgang mit Speisenkarte und Kellner sei zu schwierig. Man traut sich nicht hinein in die heiligen Hallen der Gastronomie, in denen Franzosen speisen. Sie haben Essen und Trinken zum Genuß stilisiert. Diese Steigerung der Nahrungsaufnahme darf sich niemand entgehen lassen.

Im Dreistern-Restaurant fängt keiner an, das versteht sich (der als kritische Instanz gefürchtete Guide Michelin vergibt als höchste Stufe drei Sterne; bei den »Restaurants de Tourisme«, die durch ein blau-weiß-rotes Schild mit Stern oder Sternen gekennzeichnet sind, bedeutet ein Stern »gutes Restaurant«, vier Sterne stehen für ein »Luxusrestaurant«). Der zivile Tourist beginnt, zum Eingewöhnen, in einem ganz normalen Bistro.

In Frankreich nimmt man nicht an einem Tisch Platz, an dem schon ein Gast sitzt. Der Ober (garçon) oder der maitre d'hotel wird dem eintretenden Gast einen Tisch zuweisen: darin, wie überhaupt im Service, sind Franzosen sehr aufmerksam und vorbildlich.

Auf Frühstück wird in Frankreich kein Wert gelegt. Franzosen leben von zwei Hauptmahlzeiten: dem Mittagessen (etwa ab 13 Uhr) und dem Abendbrot (etwa ab 20 Uhr), beide warm. Es gehört zur Tradition, vor dem Essen einen Aperitif zu nehmen: entweder im Restaurant selbst, vor dem ersten Gang, oder auf der Terrasse eines Cafés. Denn Appetit muß man schließlich schon haben.

Wo immer Sie in Frankreich sind, wählen Sie Spezialitäten der Gegend (ein kleines Wörterbuch in der Handtasche empfiehlt sich). Fragen Sie auch nach einem einheimischen Landwein, »petit vin de pays«. Oft mundet er besser als mancher weitherbeigeholte Wein.

Eine typische französische Mahlzeit besteht aus einer Vorspeise, einem Hauptgericht, *danach* einem Salat (gleichsam der Übergang vom Hauptgericht zum Käse), etwas Käse und einem Dessert. Dazu trinkt man meistens einen (kalorienarmen) Rotwein. Man wählt zuerst das Hauptgericht aus. Die Auswahl der Vorspeise hängt davon ab, ob Sie sich für Fleisch oder Fisch als Hauptgericht entschieden haben und ob es mit oder ohne Soße serviert wird.

Suppen ißt der Franzose mittags eigentlich nie, abends gehört sie vor allem im Winter und auf dem Land zur Tradition. Die Suppenauswahl ist deshalb besonders in Stadtrestaurants nicht groß. Wurstteller und kalte Platten mögen Ihnen zuerst klein vorkommen. Es sind aber bloß Vorspeisen – vor dem warmen Essen.

Zum Essen verzehrt man in Frankreich eine Menge Brot. Dafür zahlt man nichts (nur in Restaurants nach amerikanischem Muster). Die hierzulande allzubekannte, oft auch lästige Frage: »Wieviel Brot haben Sie gehabt?« ist in Speiserestaurants unbekannt. Sie brauchen also nicht mitzuzählen.

Den Abschluß eines Essens, mittags wie abends, bildet in Frankreich der Kaffee. (Den Franzosen ist dafür unsere Kaffeepause am Nachmittag so gut wie unbekannt).

Die Tischsitten sind, entsprechend dem Rang, den das Speisen bei Franzosen einnimmt, lockerer und elementarer als bei uns. Man fängt an, wenn serviert wird, ohne auf andere zu warten (das könnten ja Höllenqualen sein!). Franzosen schmausen und lassen sich Zeit dabei, sie schmatzen und schlürfen und nehmen auch, wenn's sein muß, die Finger zu Hilfe. Dem Genuß wird die Form untergeordnet. So ziemlich alles, was zum Wohlbehagen an der Tafel beiträgt, ist erlaubt – einschließlich auch der Serviette, die formlos zwischen Hemd und Hals gesteckt wird.

Wenn Sie sich erst einmal in das Abc der – oft handgeschriebenen – Speisenkarten eingelesen haben, können Sie sich Stern um Stern »hinaufessen«.

Froschschenkel

Froschschenkel und Schnecken, das ergab die Umfrage eines bekannten deutschen Meinungsforschungsinstitutes, endeten beim Beliebtheitstest einer Delikatessen-Auswahl unter ferner liefen; an der Spitze der Delikatessen lag unangefochten die Gänseleberpastete.

Aber immerhin, probieren kann man sie ja mal. Froschschenkel, die gern als Mini-Hühnerkeulen bezeichnet werden, ißt man aus der Hand. Und wie beim Huhn läßt man die kleinen Knochen übrig. Gewürzt wird mit Zitronensaft und Pfeffer.

Gästebuch

Man kann nicht früh genug damit anfangen, die Gegenwart, die ja schon in der nächsten Sekunde Vergangenheit ist, für die Zukunft zu konservieren. Durch ein Tagebuch, durch Aufzeichnungen, Briefsammlungen, Fotos – durch ein Gästebuch. Vielen Menschen fällt das leider zu spät ein. Und dann sind sie im Alter »Auf der Suche nach der verlorenen Zeit«.

Also nichts gegen das Gästebuch; nichts, genauer gesagt, gegen die lobenswerte Idee. Es muß allerdings zu denken geben, daß große Hoteliers, die nichts unversucht lassen, um es ihren Gästen so angenehm wie möglich zu machen, erschrocken abwinken, wenn sie nur das Wort »Gästebuch« hören. Sie wissen: Die meisten Gäste verewigen sich nur murrend.

Das sollten sich alle Gastgeber überlegen, bevor sie mit ihrem feinen dicken Buch herausrücken. Die heiterste Stimmung kann im gleichen Augenblick dahin sein, und jeder stöhnt bloß: auch das noch. Viele Gastgeber sind nämlich vermessen genug, geistreiche Sprüche oder originelle Wendungen zu erwarten – was eine Zumutung ist. Selbst dem, der sonst nicht auf den Kopf gefallen ist, fällt in der Gesellschaft und angesichts des Buches meistens nichts mehr ein.

Nochmals: Ein über viele Jahre geführtes Gästebuch ist für die Besitzer eine vergnügliche Einrichtung, sich heiterer und angeregter Stunden zu erinnern. Aber sie sollten das Buch nicht als boshafte Waffe benutzen, um ihre Gäste zu ärgern oder gar zu blamieren.

Konkret: Die Gastgeber schreiben oben auf eine Seite Datum und Anlaß der Einladung und sagen, wenn der Abschied naht: »Würden Sie so nett sein, Ihren Namen in unser Buch zu schreiben?« Bei dem ausdrücklichen Hinweis auf das gewünschte Autogramm ist der Schrecken von der Gesellschaft genommen, sind Blamagen ausgeschlossen, und keiner braucht sich den Schweiß der Verlegenheit von der Stirn zu tupfen.

Gäste, die den Zweizeiler aus dem Ärmel schütteln (oder immer denselben, ein Leben lang, auf Lager haben), werden sich durch diese Einschränkung nicht davon abhalten lassen, ihr Sprüchlein an den Mann zu bringen.

Wer gesellschaftliche Routine hat, wird es an einem Wort des Dankes oder der Bewunderung für die Gastgeber nicht fehlen lassen. Altmeister Goethe oder Zitate aus dem Poesiealbum zu bemühen ist hingegen kindisch und gequälter Humor unangebracht. Allzuoft liest man den Satz: »Auf diesem Hause ruht ein Fluch: das Gästebuch.«

Ein taktvoller Gastgeber sieht sich die Eintragungen erst dann an, wenn die Gäste gegangen sind. Es sei denn, diese sind von ihrem Geistesblitz derart angetan, daß sie ihn gleich präsentieren müssen.

Vielleicht weicht das Gästebuch eines Tages der kunststoffbeschichteten Wand, auf der sich Gäste – wie in Fernsehstudios – mit Filzschreiber verewigen? Und zwar mit ihrem Autogramm und nicht mit langen Sprüchen!

Gast und Gastgeber
(siehe auch unter: Verabschiedung)

Wenn die Gäste frohgelaunt und wohlriechend erscheinen und ihr kleines Dankessprüchlein für die Einladung hersagen, müssen die (oder der) Gastgeber bereit sein, sich ihnen zu widmen. Der Countdown der Speisen und Getränke muß also auf die Minute genau stimmen.

Gastgeber empfangen die Gäste, die ersten jedenfalls, an der Tür; später mag es turbulenter und ungeordneter zugehen. Die Gastgeberin muß sich allein wegen der Blumensträuße, die auf sie zukommen, in der Nähe des Eingangs aufhalten – Männer, die mit dem Strauß in der Hand herumstehen, sehen nicht gerade glücklich aus. Und wer zum erstenmal eingeladen ist, kann ja nicht gleich schnurstracks in die Küche laufen . . .

Der Gastgeber macht die Gäste, die sich nicht kennen, miteinander bekannt, hilft ein bißchen bei den ersten tastenden Gesprächsansätzen und reicht einen Begrüßungstrunk. Denn Getränke sind ja Männersache, so will es das uralte Rollenspiel, und um die Küche kümmert sich die Hausfrau. Von der einzigen Ausnahme abgesehen, daß des Hausherrn Kochkünste sich herumgesprochen haben.

Für die nächsten Stunden sind die beiden voll ausgelastet – Gastfreundschaft ist eine herrliche, aber auch anstrengende Aufgabe, selbst wenn man sie nicht ganz so ernst nimmt wie die als besonders gastfreundlich gerühmten Beduinen: Bei ihnen steht der Gastgeber, während seine Gäste schmausen, und wacht mit Argusaugen darüber, daß es den Tafelnden an nichts ermangele.

In der Tat, von einem guten Gastgeber wird viel verlangt. Er soll die Übersicht behalten und für den einzelnen dasein, soll nicht protzig wirken und es trotzdem an nichts fehlen lassen. Er soll entspannt, heiter und immer ansprechbar sein, hier ein Schlückchen nehmend und dort ein Schlückchen (Vorsicht!), an einem Tisch die Aschbecher leerend und am nächsten die Gläser füllend. Er gibt Feuer und bietet Zigaretten an, öffnet, wenn's not tut, die Fenster und sorgt für Musik.

Nichts läuft ja ganz von allein. Wenn eine Gruppe still vor sich hin sinniert, weil sie den Gesprächsfaden verloren hat, muß der Gastgeber zur Stelle sein (»Was halten Sie denn von . . .«; irgendein Tagesgespräch wird es ja geben). Wenn es allzu heiß hergeht, muß er mit einem beschwichtigenden Wort eingreifen. Und mit feinem Gespür läßt er Gäste in Ruhe, die sich wirklich etwas zu sagen haben – ein gutes Gespräch ist heute viel zu selten, als daß man es ruchlos unterbrechen dürfte.

Er muß sich um alleinstehende Damen und Herren kümmern (dieses Problem stellt sich allerdings schon bei der Einladung!) und Menschen, die Kontaktschwierigkeiten haben, in die Runde eingliedern. Gäste ihrerseits müssen die Bemühungen der Gastgeber natürlich nach Kräften unterstützen. Sich bloß in den Sessel setzen und der Dinge harren, die da kommen sollen – Motto: »Nun amüsiert mich mal . . .« –, grenzt schon an Unhöflichkeit. Jeder muß mitmachen und sein Teil zur Unterhaltung beitragen, redend, tanzend, wie auch immer.

An Gästen, die sich vollkommen in die Passivität zurückziehen und sich wie Paschas bedienen lassen, muß auch der gewandteste Gastgeber verzweifeln. Solchen Gästen, recht geschieht ihnen, soll er getrost seine Dias zeigen – sie haben es nicht anders verdient und dürfen sich nicht wundern, wenn der Gastgeber gegen jenes Gebot verstößt, das Gabriele Henkel, Deutschlands prominenteste Gastgeberin, einmal so formulierte: »Man darf sich nicht selber produzieren, man muß die anderen Sterne leuchten lassen.« Welch hoher Anspruch an die Gäste!

Ein guter Gastgeber achtet darauf, daß seine Gäste nur Alkoholika serviert bekommen, die zueinander passen. Er denkt auch an alkoholfreie Erfrischungsgetränke und Säfte, an den Kaffee im rechten Augenblick, an den Magenschnaps und die Kopfschmerztabletten. Er hat auch für die Gäste gesorgt, die eine längere Anreise haben (was immer häufiger der Fall ist, je mehr Stadtbewohner aufs Land ziehen), und in der Umgebung Zimmer besorgt (die er natürlich nicht zu bezahlen braucht).

Die Gäste werden – hoffentlich! – selbst bemerken, wenn es an der Zeit ist, sich zu verabschieden. Sie bedanken sich zuerst bei der Gastgeberin und dann beim Gastgeber. Und versuchen draußen vor der Tür den Lärm des Aufbruchs in Grenzen zu halten. Was manchmal ein guter Vorsatz bleibt. Dann ist am nächsten Tag ein beiläufiges Wort der Entschuldigung angebracht.

Es gibt vollendete Gastgeber, denen alles gelingt. Kann man das erlernen? Wer nicht von Hause aus eine Portion Großzügigkeit und Kontaktfreude mitbringt, wird sich natürlich ein bißchen schwerer daran tun, in die Rolle des wirklich überzeugenden Gastgebers hineinzuwachsen. Übung macht auch hier den Meister, und wenn es Ihnen gelingt, Ihren Gästen das Gefühl zu vermitteln, daß sie gern gesehen sind und daß es Ihnen Spaß macht, sie zu bewirten, ist schon viel gewonnen. Der Feinschliff kommt mit den Jahren.

Ein guter Gastgeber, vor allem, wird nie die kleinliche Rechnung Einladung-Gegeneinladung aufmachen und darauf warten, daß seine Gäste sich »revanchieren«. Ihm macht es einfach Freude, Menschen um sich zu versammeln, und bei dieser sympathischen Einstellung werden sich seine Gäste vermutlich genauso freuen, ihn wiederzusehen – bei sich zu Hause. Anlaß und Aufwand sind dabei nebensächlich, die Geste allein zählt; aufgerechnet wird ja nicht. Nur Junggesellen in beengten Verhältnissen sind von diesem stillschweigenden Übereinkommen ausgenommen. Ihnen bleibt als Ausweg immer noch das Essen im Restaurant, zu dem sie einladen.

Der Besuch bleibt länger

Wer lieber seine Ruhe hat als Gäste um sich, empfindet Logierbesuch vermutlich wie eine mittlere Katastrophe, während sich der geborene Gastgeber schon bei der Einrichtung seiner Wohnung überlegt, wie die Frage der Unterbringung von Besuch, auch auf engstem Raum, am besten zu lösen sei.

Sicher, das Gästezimmer ist heute eine Ausnahme. Aber ein Schrankbett oder eine Couch, die als Bett herzurichten ist, ein Feldbett oder eine Luftmatratze hat wohl jeder, und dazu noch eine Gelegenheit zum Ablegen. Der Koffer kann irgendwo auf der Erde stehen.

Ein Gast im Hause wird mit allem vorliebnehmen, wenn er nur spürt, daß er nicht auf die Nerven fällt und nicht das unangenehme Gefühl hat, eine starre Ordnung durcheinanderzubringen. Eine Wohnung ist schließlich zum Wohnen da – und keine Ausstellung von Wohngegenständen, an denen unsichtbar das Schild »Nicht berühren« hängt.

Das wohlige Gefühl, willkommen zu sein, läßt sich durch Kleinigkeiten vermitteln: durch den Lieblingsschnaps, der kalt steht, durch ein Blumensträußchen und eine Schale mit Obst, durch die Nachtlektüre am Bett, ein paar Zeitschriften und Krimis zur gefälligen Auswahl.

Der Gast seinerseits sollte versuchen, sich dem Lebensrhythmus des Hauses unauffällig anzupassen; für zwei oder drei Tage ist das keine Selbstkasteiung. Er wird sich also nach dem Tageslauf der (arbeitenden) Familie richten, wird das Bad nach ihr benutzen und sich sein Frühstück notfalls auch selbst bereiten, was ja kein Kunststück ist, wenn man ihm vorher zeigt, wo er was zu suchen hat. Er läßt sich nicht ständig bedienen und wird selbst zugreifen, sein Bett machen, aufräumen.

Gästebesuch wird um so anstrengender und ungemütlicher, je mehr man füreinander dasein zu müssen glaubt. Richtig ist, sich gegenseitig Freiheit und Spielraum zu lassen. Was nicht ausschließt, daß man gemeinsam Ausflüge oder Freundesbesuche plant und unternimmt.

Der Gast legt kein Geld auf den Tisch; schließlich ist er Gast. Dafür wird er selbst einmal ausgiebig einkaufen gehen oder die Gastgeber zum Essen einladen.

Gäste aus dem Ausland

Gäste, die anreisen, vielleicht von weither, müssen auch entsprechend begrüßt werden: auf dem Bahnhof oder auf dem Flugplatz. Je nach Länge des Besuches werden die Gastgeber sich zumindest Gedanken über ein mögliches Programm gemacht haben. Es sollte aber nur ein Vorschlag, kein bindender Stundenplan sein. Am besten, man unterhält sich darüber und hört sich an, was den Gast interessiert.

Laden Sie Freunde ein, möglichst zum Essen mit deutschen Spezialitäten! Wenn es dabei sprachliche Schwierigkeiten gibt, muß man die Runde so placieren, daß immer ein bißchen gedolmetscht werden kann, hin und her, kreuz und quer. Jeder soll etwas von der Unterhaltung haben. Und vergessen Sie auch nicht, daß in anderen Ländern anders, oft kräftiger gefrühstückt wird als bei uns. Sie sollen Ihren Haushalt keineswegs auf die Sitten anderer Länder einstellen, doch Beweise des guten Willens wird jeder Gast zu schätzen wissen.

Wer selbst in ein anderes Land eingeladen wird, muß sich, mehr noch als bei einer gewöhnlichen Reise, darauf einstellen, was ihn erwartet, indem er sich über Menschen und Gebräuche informiert. Übrigens, ein Brauch ist international: Man bringt ein Gastgeschenk mit!

Man weiß nie, was passieren kann, wenn man bei anderen zu Gast weilt. Schlimmstenfalls stößt man gar durch eine unglückliche Bewegung eine wertvolle Porzellanvase um oder vergißt, einen Wasserhahn zu schließen – die Möglichkeiten sind ja ziemlich unbegrenzt, gerade in ungewohnter und fremder Umgebung.

Wem der Gedanke an solch Ungemach den Schlaf raubt, der schließe schleunigst eine Versicherung ab. Eine private Haftpflichtversicherung kommt nämlich für derartige Schäden auf – wenn sie nicht vorsätzlich verursacht worden sind.

Diese Sicherheit verhindert denkbare Spannungen zwischen Gastgeber und Gast. Auch der Gastgeber, zumal der mit Kindern und/oder Hund, tut sich mit einer Haftpflichtversicherung leichter. So teuer ist sie nicht – und man lebt bedeutend ruhiger.

Geburt

Die Namensgebung

Bevor das Kind überhaupt das Licht der Welt erblickt, hat es schon seinen Namen und ist, wenn es Pech hat, schon »gezeichnet«. Was tun manche Eltern ihren Kindern nur mit den Namen an!

Es lohnt sich, Zeit auf die Suche zu verwenden – denn das Kind hat das Leben lang an seinem Namen zu tragen. Allzu schnell verlieben sich Eltern in eine als originell empfundene Lösung, anstatt einmal mit Menschen zu reden, die zu einem objektiven Urteil fähig sind oder selbst Ideen haben. Das erinnert an den Brillenkauf: Man soll sich in solchen Situationen nicht unbedingt auf den eigenen Geschmack verlassen. Andere sehen es anders.

Ein Vorname genügt übrigens. Hauptsache, er ist nicht so

modisch. Vokalreich und dem Nachnamen harmonisch angepaßt – nicht so abgegriffen, aber auch nicht zu gesucht. Warum nicht in einem Namenslexikon blättern – eine amüsante Lektüre, nebenbei bemerkt. Und vielleicht vergißt man angesichts dieses Angebots auch den Brauch, die Vornamen der Ahnen und Urahnen weiterzuschleppen. Jedes Stammbuch enthält übrigens eine Namensliste, an der Sie sich orientieren können. Bis vor kurzem noch konnte jeder Standesbeamte einen zu ausgefallenen oder nicht eindeutigen Vornamen verweigern.

Dann kommt der Tag der Geburt. Der selige Vater eilt (mit einer Bescheinigung des Arztes oder der Klinik) zum Standesamt, um das freudige Ereignis aktenkundig zu machen.

Und anschließend in die Druckerei. Wer einen größeren Freundes- oder Bekanntenkreis hat, verschickt eine – vorher gemeinsam gebilligte – Anzeige. Die nächsten Verwandten werden telefonisch oder telegraphisch verständigt.

Die Anzeige kann man natürlich nach eigenem Geschmack gestalten. Man sollte nur daran denken, daß eine Geburtsanzeige eine Nachricht ist, mit bestimmten Fakten. Vielleicht hält man sich deshalb ruhig an das Hergebrachte, an diese gebändigte Mischung aus Freude und Glück »Beehren« wird sich niemand mehr; der »Stammhalter«, was für ein Beruf, wirkt bei der Geburt schon ein bißchen altmodisch.

Besuch am Wochenbett

Die ersten Tage nach der Geburt kommt nur die allernächste Verwandtschaft zu der jungen Mutter, oder die beste Freundin. Alle anderen erkundigen sich vorher, ob ein Besuch erwünscht ist oder nicht. Die Empfänger der Anzeige schicken mit ein paar freundlichen Zeilen Glückwünsche (zumeist wohl Blumen) an die angegebene Adresse (privat, Klinik, Krankenhaus). Solche Gratulationen schreiben Frauen, von Frau zu Frau, spontaner und gewandter, Männer tun sich da oft schwer.

Für Blumen und Geschenke, für alles, was sie nicht selbst schon mit entsprechenden Worten des Dankes entgegengenommen hat, bedankt sich die Mutter innerhalb der nächsten zwei, drei Wochen schriftlich (etwa: »Herzlichen Dank für die Glückwünsche bei der Geburt unseres kleinen Michael. Wir haben uns sehr gefreut!«).

Geburtstag

Schon wieder ein Jahr älter: Mit dieser nicht sonderlich fröhlich stimmenden Erkenntnis setzt sich ein erwachsener Mensch in den sogenannten besten Jahren am Geburtstagsmorgen an den Frühstückstisch, den ein Blumenstrauß ziert. Grund zum Feiern? Der eine wird sagen: bestimmt nicht. Der andere: drum!

Es bleibt wohl ein Vorrecht der Kinder, sich am Jahrestag der Geburt ohne melancholische Anflüge zu freuen. Spätestens in dem Augenblick, in dem sie mündig werden, wirkt die nicht kleinzukriegende Wendung vom »Geburtstagskind« etwas kindlich-kindisch.

Kindergeburtstage werden in einer Kindergesellschaft richtig gefeiert. Mit Kerzen und Kuchen, belegten Brötchen und Kakao. Erwachsene, die lieben Tanten eingeschlossen, sollten sich etwas im Hintergrund halten, auch wenn sich der Geburtstag als Anlaß zu einem Kaffeeklatsch aufdrängt.

Später wird es ruhiger um diesen Tag – Alter ist schließlich kein Verdienst. Die Blumen auf dem Tisch, das kleine oder große Überraschungsgeschenk unter Eheleuten erinnern an die Tatsache, daß schon wieder ein Jahr vergangen ist (Kinder, wie die Zeit vergeht). Die Verwandtschaft rückt deswegen nicht mehr an.

Unter arbeitenden Menschen genügt heute der Beweis des Gedenkens: ein Gruß, ein Anruf, ein Blumenstrauß, mehr nicht. Und auch das wird ja oft genug vergessen (es gibt allerdings Menschen, die ganz pingelig einen eigenen Geburtstagskalender führen). Am Geburtstagsabend sollten sich auch Vielbeschäftigte die Zeit nehmen, essen zu gehen oder ein Theater zu besuchen. Oder beides.

Wer Freunde zu einer besinnlichen Geburtstagsrunde, zu einer guten Flasche Wein zu sich einlädt, bringt die Eingeladenen damit auch in einen Geschenkzwang. Vielleicht kann man sich unter vernünftigen Menschen durch gegenseitige Absprache von diesem lästigen Zwang befreien?

Auch in den Büros sollte man Geburtstage nicht allzu aufwendig feiern. Bei größeren Abteilungen geht das ganz schön ins Geld. Oft spüren alle insgeheim ein gewisses Unbehagen, aber keiner traut sich, etwas zu sagen. Hier liegt der Fehler. Man muß darüber reden. Wie wär's Anfang des Jahres unter dem Motto: Kollegen, wollen wir in diesem Jahr bei Geburtstagen nicht ein bißchen kürzer treten? Möglich, daß ein allgemeines Aufatmen durch die Runde geht . . .

Erst im höheren Alter, mit 50, 60, 65, 70, 75, 80 sind Geburtstage wieder Ereignisse – besser: kann man sie, wie Ehejubiläen, zu solchen machen, zum Beispiel mit einer Familienfeier im größeren Kreis. Mit einem festlichen Essen außer Haus. Mit einer Abendeinladung zum kalten Büffet.

Wenn der Jubilar besonderes Ansehen am Orte genießt, wenn gar die (vorher benachrichtigte) Zeitung davon Notiz nimmt, muß man mit öffentlicher Anteilnahme rechnen. Die übliche Form: Empfang der Gratulanten zwischen 11 und 13 Uhr. Die Pflichten des Gastgebers übernehmen jüngere Familienmitglieder.

Geflügel

Hühnchen, Enten, Gänse, Puten, Fasane, Rebhühner und was da sonst noch fleugt, werden mit Messer und Gabel verspeist – jedenfalls in Gesellschaft und in Restaurants. In einer zünftigen Hühnchenbraterei am Stehtisch kann man sich natürlich kleinere Portionen abteilen und sie in die Hand nehmen. Und was Sie zu Hause machen, ist ohnehin Ihre Privatsache.

Aber auch in Gesellschaft wird niemand etwas dagegen einwenden, wenn die kleineren Knochen in die Hand genommen und abgeknabbert werden. Wer jedoch eine Gänsekeule in die Hand nimmt, muß mit entgeisterten Blicken rechnen.

Wenn Knochenteilchen in den Mund geraten, werden sie, wie Fischgräten, mit der Zungenspitze wieder auf die Gabel und dann auf den Tellerrand gelegt.

Geschenke

(siehe auch unter: Gast und Gastgeber, Übernachten)

»Ich habe dich so lieb!« dichtete Ringelnatz, bekannter als »Kuddeldaddeldu«. »Ich würde dir ohne Bedenken – eine Kachel aus meinem Ofen schenken.« Da ist sie noch spürbar, die Romantik des Schenkens, die, wie viele meinen, um so mehr abnimmt, je mehr wir besitzen. Menschen, die sich umeinander kümmern, können sich mit Kleinigkeiten erfreuen, und sie machen das auch gern. Wenn sie aber aneinander vorbeileben, übertrumpfen sie sich mit immer aufwendigeren Präsenten zu den vorgeschriebenen Festtagen: Geschenke als Trostpflaster der Entfremdung.

Vor allem auf junge Menschen wirkt diese Schenkwut, dieser Konsumrausch abstoßend. Berechtigter Unmut schlägt sich seit Jahren vor dem Weihnachtsfest in kritischen Anti-Geschenk-Aktionen nieder. Siebzig Prozent aller Jugendlichen zwischen 14 und 25, so ergaben Umfragen, sprechen sich für eine Einschränkung des Schenkens aus. Niemand soll sich zum Schenken verpflichtet fühlen, bloß weil auf dem Kalender ein paar rotgedruckte Tage auftauchen. Gerade dieses mechanische Hin- und Herbewegen von Konsumwaren, diese prompte Lieferung von Haus zu Haus bringt das Schenken in Verruf.

Ältere Menschen, auch das müssen wir sehen und verstehen, haben zum Schenken eine andere Einstellung als jüngere oder junge. Die Vereinsamung alternder Mitmenschen zeigt sich ja auch in ihrem fast schon übertriebenen Zwang, sich Zuneigung durch Geschenke gleichsam zu erkaufen und sich damit in Erinnerung zu bringen. Wer will da den Vorwurf der Berechnung erheben – und gegen wen hätten sich diese Vorwürfe zu richten? Gegen die Alten – oder gegen die Jungen?

Nichts gegen den Blumenstrauß, mit dem man niemals aneckt – nicht bei einer Einladung, beim Geburtstag oder der Kommunion. Aber ein wenig unpersönlich ist er schon. Auch die schönste Blüte duftet etwas nach – Verlegenheit. Man kann und soll direkter und gezielter schenken, zum Beispiel Sachen, die wirklich gebraucht werden.

Immer wieder wird deshalb das hilfreiche kleine Notizbuch empohlen, in das man bloß seine Beobachtungen über Hobbies und Lieblingsspeisen, über Wünsche und Herzenswünsche von Freunden und Verwandten einzutragen braucht. So etwas schnappt man ja auf in Gesprächen. Rechtzeitig vor der Einladung oder vor dem Geburtstag schlägt man das kleine Büchlein auf – und ist aller Geschenksorgen enthoben. »Wunnebar«. Aber, mal ehrlich, wer führt dieses wunderwirkende Notiz buch eigentlich wirklich?

Wohl dem, der es ohne Büchlein fertigbringt, einige dieser Beobachtungen im Gedächtnis zu behalten, damit er nicht ziellos auf dem unendlich weiten Feld von zigtausend Konsumartikeln zu grasen braucht, von Büchern und Schallplatten ganz zu schweigen. Dabei kann es durchaus von Nutzen sein, in irgendeiner Ecke Versandhauskataloge und spezielle Geschenkartikelkataloge aufzubewahren. Neben scheußlichem Kunstgewerbe findet man oft auch mancherlei Verwertbares, das in jeden Haushalt paßt. Jedenfalls ist diese Lektüre die bequemste Art, sich einen Überblick zu verschaffen und sich Anregungen zu holen. Als letzter Ausweg bleibt immer noch der Geschenk-Gutschein (den man ja auch hübsch einpacken kann!).

In Großstädten gibt es Boutiquen mit einem originellen Angebot von gar nicht immer teuren Geschenkartikeln für alle, die nicht mehr wissen, was sie schenken sollen. Motto: »Hier finden Sie alles, was Sie selbst nie haben wollten.« Freilich: die irrige Vorstellung, daß wir doch eigentlich »alles« haben, führt zu kuriosen Engpässen. Eine Vase, um nur dieses eine Beispiel zu nennen, als Geschenk mitzubringen, kommt heute fast schon einem Offenbarungseid an Phantasie gleich. Ergebnis: Vasen sind knapp.

Richtiges Schenken heißt nichts weiter als Augen und Ohren aufmachen, um Lücken zu erspähen, Liebhabereien zu entdecken oder, ganz prosaisch, Bedarf zu erkennen. Gibt es etwas Herzerfrischenderes für den Schenkenden wie für den Beschenkten als eine wirklich gelungene Überraschung? Was dabei zuweilen wie Zauberei aussieht, entpuppt sich einfach als Aufmerksamkeit im Umgang mit Menschen.

Wer es sich angewöhnt, nach diesem Prinzip zu schenken und seine Sinne entsprechend schärft, braucht nicht ins Teuere und Protzige auszuweichen, das dem Beschenkten die Röte der peinlichen Betretenheit ins Gesicht treibt. Besser mit Pfiff und Charme untertreiben – als mit Gepränge übertreiben!

Was macht man mit Geschenken?

Blumen werden ohne Papierhülle, alle anderen Geschenke in der Verpackung überreicht. Wenn es sich einrichten läßt, wird man das Präsent gleich im Beisein des Schenkenden mit einer gewissen Behutsamkeit und Zeichen der Vorfreude von seiner Hülle befreien. Wenn die Zeit nicht gleich zum Auspakken reicht, weil schon andere Gäste erscheinen, legt man es erst einmal mit einem freundlichen »Dankeschön« und keineswegs achtlos beiseite, bis man Zeit hat, sich in Ruhe den Kästchen und Päckchen zu widmen.

Ein bißchen, aber wirklich nur ein bißchen, Schauspielerei muß beim Öffnen der Verpackung erlaubt sein. Guter Wille, wie er sich im Geschenk offenbart, muß auch mit spürbarer Freude, wenn auch nicht gleich mit geheuchelten Freudenausbrüchen vergolten werden. Außerdem mit einigen Dankesworten, auf die man bei der Verabschiedung nochmals zurückkommen kann. Auf jeden Fall überflüssig ist dagegen die immer wieder gebrauchte Phrase: »Das wäre doch nicht nötig gewesen . . .«

Bei Hochzeiten, Silberhochzeiten und ähnlichen geschenkträchtigen Anlässen werden mitgebrachte und übersandte Präsente auf einem Tisch oder einer Anrichte »drapiert«. Mit Herkunftsangabe: Brief oder Visitenkarte. Das ist sehr wichtig für das spätere Bedanken. Es empfiehlt sich vorher eine Absprache darüber, wer sich um die Registrierung der Geschenke kümmert. Ältere Herrschaften aus der Verwandtschaft erledigen diese Aufgabe mit Neugier und Hingabe.

Das »Dankeschön«, noch durch einen Händedruck besiegelt, genügt, eine schriftliche Danksagung erübrigt sich. Für alles, was geschickt worden ist, muß man sich schriftlich oder telefonisch bedanken, und zwar innerhalb der folgenden zehn bis vierzehn Tage.

Anlässe

Schenken setzt einen Anlaß voraus – Geburtstag, Verlobung, Hochzeit, Konfirmation oder was auch immer. Zu einer normalen Einladung bringt man eine Kleinigkeit mit: einen Strauß, eine Flasche oder mal etwas Selbstgemachtes, einen bemalten Stein zum Beispiel. Les petits cadeaux entretiennent amitie, sagt ein französisches Sprichwort. Kleine Geschenke *unter*halten die Freundschaft.

Man muß das nicht übertreiben. Wer nur »vorbeischaut«, braucht nichts dazulassen, es sei denn eine Kleinigkeit für die Kinder. Andererseits sollte man, wenn man zu Bekannten zum Fernsehen geht, nicht gerade mit leeren Händen ankommen. Die mitgebrachten Knabbereien (Chips usw.) genügen ja schon, sie kosten schließlich auch Geld.

Geldgeschenke

Die Scheu, Geld zu verschenken, kennt auch allgemein akzeptierte Ausnahmen: Kinder, die eine Sparbüchse oder ein Sparbuch haben. Man sollte darin aber nicht zu pingelig sein. Die Krankenschwester, die einen Patienten gesund pflegen half, wird mit einem Schein (der im Briefumschlag überreicht wird) mehr anfangen können als mit einem Blumenstrauß oder mit einer Packung Konfekt. »Geld stinkt nicht«, das wußten schon die alten Römer.

Einmal im Jahr, zum Jahresende, sollte man auch der Männer und Frauen gedenken, die uns das Jahr hindurch versorgen. Die Zeitungsfrau, die ihr Fahrrad durch Nacht und Nebel schiebt, muß ihr Geld wahrlich hart verdienen. Ihr drückt man ein Geldgeschenk in die Hand, genauso wie der Portiersfrau und vielleicht auch dem Briefträger. Müllmänner machen sich schon am Haus bemerkbar, und warum auch nicht? Was täten wir ohne sie?

Im Ausland zu Gast

Wer ins Ausland eingeladen ist, sollte ein Gastgeschenk mitbringen. Irgend etwas Typisches aus der Heimat am besten, das tunlichst nicht aus den reichhaltigen Lagern des üblichen Souvenirkitsches stammt. Vielleicht eine gutverpackte, wohlschmeckende Spezialität aus deutschen Landen oder eine Schallplatte mit heimischen Klängen. Traurig aber wahr: Die Kuckucksuhr als Inbegriff deutscher »Gemütlichkeit« und begehrtes deutsches Exportprodukt wird kaum zu schlagen sein. »Klasse«!

Tips fürs Schenken

Gehör schenken, Zeit widmen, Vertrauen schenken kann viel mehr wert sein als ein noch so gut gemeintes Geschenk.

Wenn Sie irgendwo etwas Originelles sehen, das Ihnen auf Anhieb gefällt und zudem noch preiswert ist, nehmen Sie es gleich mit. Sie können es immer bei der nächsten, passenden Gelegenheit gebrauchen.

Appetitliches kommt immer an. Gerade ausgefallenere Delikatessen pflegt man sich nicht leichten Herzens selbst zu leisten. Ein kleines Erbteil vom »sparsamen Hausvater« haben wir ja fast alle in uns.

Bei Wohnungseinweihungen und Hochzeiten kann man vorher offen über die Geschenke sprechen. Das ist besser, als wenn schließlich der gleiche Gegenstand ein paarmal vorhanden ist.

Beim Kauf von Geschenken unbedingt die Kassenzettel aufheben!

Der röhrende Hirsch aus Porzellan steht stumm herum. Staubfänger! Ein kleines Roulettespiel kann hingegen jede Gesellschaft unterhalten. Denken Sie beim Kauf auch daran: Was läßt sich damit anfangen?

Vorsicht bei Widmungen in Büchern! Gefühlsergüsse an gut sichtbarer Stelle können leicht peinlich wirken. Besser ist es, ein Kärtchen oder eine Karte vorn ins Buch zu legen.

Beim Kauf von Spielzeug und Kinderbüchern sollten sich

Erwachsene nicht an die Träume und Vorstellungen ihrer Jugendzeit halten und sich lieber im Fachgeschäft beraten lassen.

Bei mehreren Kindern nicht nur ein Kind beschenken, auch wenn nur eines Geburtstag hat. Die anderen bekommen wenigstens eine Kleinigkeit – gegen den Neid.

Auch ein Geldschein oder eine seltene Münze läßt sich originell verpacken!

Versuchen Sie beim Schenken auf den Geschmack des Empfängers Ihrer Gabe einzugehen, der ja nicht unbedingt Ihrem Geschmack entsprechen muß. Wer Kitsch haßt, wird über einen Gartenzwerg nicht sonderlich erfreut sein.

Kekse und Pralinen, auch ein Fläschchen Weinbrand können in Gegenwart dessen, der sie mitgebracht hat, zum Anbieten in der Runde geöffnet werden.

Lebende Tiere zu verschenken, beispielsweise an Kinder, kommt einem krassen Eingriff in das Leben anderer gleich. Das bedarf vorher unbedingt einer Anfrage.

Wie wäre es, wenn Sie zu Festtagen weniger Gedanken und Zeit darauf verwendeten, Geschenke für die zu finden, die ohnehin alles zum Leben Nötige haben, und statt dessen mehr an die denken würden, die nichts oder doch sehr wenig haben? Es muß nicht Indien sein. Die Not ist in jeder Stadt zu Hause.

Vergessen Sie, unterdrücken Sie das Wort »revanchieren«, wenn Sie beschenkt worden sind. Es hört sich fatal nach leidiger Pflichterfüllung und nach Kontoausgleich an.

Gespräche

Konversation – so nannte man einst den Zeitvertreib beim wohltemperierten Gespräch – soll eine Kunst gewesen sein, wie man hört. Die Zeit, die wir vor dem Fernsehschirm vergeuden, verbrachten unsere Vorfahren, soweit es Bürger waren, im Gespräch. Ein bißchen maulfaul sind wir schon geworden. Wenn heute in einer Gesellschaft ein fesselnder Erzähler auftaucht, wird er wie ein orientalisches Fabelwesen bestaunt.

Trösten wir uns: Auch bei der Konversation von ehedem wird es ein erhebliches Qualitätsgefälle gegeben haben zwischen den feinverpackten Bosheiten in den Salons und dem Dienstbotentratsch gutbürgerlicher Damen bei der gemeinsamen Handarbeitsstunde.

Letzteres, der banale Austausch von Alltäglichkeiten, hat sich bis heute erhalten – unter Eheleuten und Hausfrauen, in der Arbeitspause und im Berufsverkehr. Solange Menschen überhaupt miteinander reden, ist noch nicht alles verloren. Aufgeschlossenen jungen Menschen ist es freilich ein Rätsel, daß ihre Eltern sich mit diesem Minimum an Mitteilung zufriedengeben. »Alle reden vom Wetter. Wir nicht.« Das provozierende Poster traf den Nagel auf den Kopf: Es gibt heute einen engagierteren Gesprächsstil ohne das übliche unverbindliche Blabla.

Mag der übermäßige Konsum von Fernsehsendungen den Betrachter zu einer Passivität verführen, die dem Gespräch abträglich sein kann, so läßt sich doch nicht leugnen, daß das Fernsehen auch durch viele kritische und mutige Sendungen erheblich dazu beigetragen hat, den Katalog der Gesprächsthemen zu erweitern und kritisches Denken zu fördern.

Unter Gleichaltrigen gibt es bei einem ernsthaften Gespräch kaum noch Tabus (wenn man das große Tabu unserer Kultur, den Tod, ausnimmt). Wer Freunde um sich versammelt, muß wissen, ob er dieses Maß an Freiheit und Freimut auch älteren Jahrgängen zumuten kann. Schließlich soll keiner indigniert die Flucht ergreifen.

Noch etwas kommt hinzu. Seitdem es kaum einen Fernsehabend gibt, an dem nicht irgendein deutsches Kraftwort in die Haushalte, zu Vätern, Müttern und Kindern gelangt, hat sich auch im Gespräch die Redeweise gelockert. Sprache tritt jetzt hemdsärmelig, unverblümt und manchmal ungehobelt auf. Durch die Blume wird nicht mehr gesprochen. Nur am Rande sei vermerkt, daß man der Jugend die schnoddrigen Modewörter und den provozierenden Gebrauch von Vulgärvokabeln eher nachsieht als älteren Menschen (ungefähr so über 30).

Die Ruhe ist hin, natürlich. Ganz so unpolitisch, ganz so »nett« brauchen Gespräche heute nicht mehr zu sein. Auch nicht so unverbindlich drüber weg. Meinungen darf man sich sagen, sie müssen ja nicht gleich laut aufeinanderprallen.

Fast scheint es so, als ob die Kunst der Konversation (nehmen wir an, es gab eine) in dem Maße schwand, in dem die Konversationslexika an Umfang zunahmen. Menschliches Wissen ist heute unüberschaubar. Jedes Gespräch, das sich aus den seichten Tümpeln der Belanglosigkeit entfernt, gerät schnell in die Strudel der Halb- und Viertelbildung, der Uninformiertheit. Und das kann schlimm werden.

Gespräche unter friedlichen Menschen unterscheiden sich von harten Diskussionen auch dadurch, daß es weder Sieger noch Besiegte gibt. Wozu also hochstapeln, wozu so tun, als ob wir alles wüßten? Gehen wir doch die Probleme, die uns interessieren, weniger mit dem Fachvokabular an als mit dem gesunden Menschenverstand des preisgekrönten »mündigen Bürgers«! Versuchen wir überhaupt erst einmal, die Probleme zu verstehen, bevor wir an Lösungen denken!

Gesprächsthemen

Wer es darauf anlegt, eine Gesellschaft zu langweilen, kann das nicht besser zuwege bringen als durch die Fachsimpelei des Fachmannes. Sie tötet bekanntlich jede Stimmung. Eine einzige Art der dilettantischen Fachsimpelei verzeiht die Gesellschaft nicht nur, sondern genießt sie in vollen Zügen: die über Autos. Das Automobil bleibt Thema Nr. 1.

Das Auto, gehätscheltes Lieblingskind des Wohlstandsbürgers, gibt in der Tat viel her – besonders was die männliche Selbstdarstellung betrifft. Man kann einem durchschnittlichen Mann an Schlechtigkeit ja alles andichten: empfindlich reagiert er erst, wenn man seine Fähigkeiten als Fahrer in Frage stellt.

Und da (fast) jeder so denkt und auch Selbsterlebtes über die Idiotie der anderen Verkehrsteilnehmer zum besten zu geben vermag (es sind immer die anderen!), bietet sich hier ein unerschöpflicher Gesprächsstoff, bei dem jeder zu Wort und keiner zu kurz kommt. Erst danach folgen alle anderen konventionellen Gesprächsthemen: Reisen und Ausflüge; neue Filme, Platten, Bücher, das Fernsehen; die lieben Kinder; schöner wohnen; Hobbies; Sport, Gesundheit, Geldanlage.

Auch auf Parties, wo der »small talk« kultiviert wird, fühlt sich niemand durch die Frage »Wie verdichten Sie?« sonderlich gefordert. Und das ist ja die Hauptsache. »Small talk« ist die entspannte Unterhaltung ohne Anfang und Ende, die sich jederzeit abbrechen läßt, aber auch jedem Gelegenheit gibt, mühelos in das Gespräch einzusteigen.

Sie beruht auf der stillschweigenden Übereinkunft, daß keiner Probleme aufwirft und daß man über alles sprechen darf, aber detailliertere Kenntnisse nicht abgefragt werden. Wilhelm Busch, der nie auf einer Cocktailparty war, dichtete schon: »Da lob ich mir die Höflichkeit, das zärtliche Betrügen – ich weiß Bescheid, du weißt Bescheid – und allen macht's Vergnügen.«

Klatsch, laut Wörterbuch »Neuigkeiten über persönliche

Angelegenheiten anderer«, Klatsch würzt Parties und Gespräche. Warum denn auch nicht? Ist es nicht immer noch besser, über Menschen zu sprechen als über seelenlose Vehikel und ihre kleinen Wehwehchen? Schön und gut: Über Nichtanwesende herzuziehen, sie nach Strich und Faden durch den Kakao zu ziehen, zeugt gewiß nicht von Takt. Aber, bitte schön, man kann sich doch über andere Menschen auch mit freundlichem Interesse unterhalten – oder?

Gesucht: Zuhörer

Geselligkeit wäre eine wunderschöne Sache, meinte ein geistreicher Franzose, wenn wir ein wenig mehr Interesse füreinander hätten. In der Tat: Gespräche, die zu etwas taugen, setzen Interesse für den Gesprächspartner voraus, für seine Gedanken, Erfahrungen und Erlebnisse.

Wer nur von sich spricht, und es gibt ja viele Menschen, die am liebsten nur sich selbst reden hören, offenbart nichts weiter als Gleichgültigkeit und Teilnahmslosigkeit gegenüber seinen Mitmenschen.

Und liefert seinen mehr oder weniger entzückten Zuhörern gratis und franko einen kleinen »Seelen-Striptease«. Jeder entblättert sich, so gut er kann. Gerade in einem Gespräch.

Tips für Gespräche

Während des Gesprächs schaut man sich an, rückt sich aber nicht zu dicht auf den Leib.

Vokabeln wie »wahnsinnig«, »echt«, »irre«, »phantastisch« können schnell zu einer Sprachmanie werden. Man muß sich ab und zu mal selbst zuhören!

Fremdwörter sind mitnichten Glückssache. Wer auf dem laufenden bleiben will mit den vielen Neuprägungen, muß sich schon ein Büchlein anlegen, in das er, samt Definition, einträgt, was er gehört und gelesen hat.

Bosheiten zu erfinden, ist nicht schwer. Sie für sich zu behalten, ungleich schwerer.

Fachausdrücke darf man sich, genauso wie selten gebrauchte Fremdwörter, erklären lassen. Die berechtigte Frage »Was ist das?« zeugt eher von Interesse als von Unbildung.

»Nur keinen Krach vermeiden«, besagt eine (ironisch gemeinte) Gesellschaftsregel. Warum ernsthafte Meinungsverschiedenheiten nicht ausdiskutieren? Fragt sich bloß, ob man das unbedingt als Gast bei anderen Leuten tun muß. Wenn Ihnen wirklich an einem ernsthaften Gespräch mit Ihrem Kontrahenten liegt, laden Sie ihn doch zu sich ein!

Es muß nicht pausenlos drauflosgeredet werden. Kleine Pausen sind erholsam und kein Grund zur Nervosität, eher zu einem erquickenden Schluck. Sie dürfen sich nur nicht zu einem lähmenden Schweigen ausdehnen. Mit einem geseufzten »Ja, ja, so ist das . . .« als Überbrückung ist es nicht getan. Der Gastgeber selbst oder ein Mitglied der Runde muß dann ein neues Thema anschneiden – oder an das bisherige anknüpfen.

Geschickt gestellte Fragen sind ein bewährtes Mittel, um Gespräche zu lenken. Durch wiederholt eingeworfene Fragen kann man selbst Dauerredner stoppen oder durcheinanderbringen. Durch Fragen kann man auch Schweigsame aktivieren.

Übertreibungen, besonders in eigener Sache, werden leicht durchschaut; wer schwadroniert und angibt, macht sich lächerlich. Untertreiben wirkt ungleich eleganter: Sie haben immer noch etwas zum Zulegen!

Getränke zu Hause

(siehe auch unter: Alkohol, Bier, Cocktails, Gläser, Kaffee, Schnaps und Likör, Sekt, Tee, Trinken und Trinksitten, Wein, Weinprobe)

72 Prozent unserer Mitbürger, das ergab eine wissenschaftliche Untersuchung des »Trinkverhaltens der Deutschen«, genießen ihre alkoholischen Getränke am liebsten »in häuslicher Sphäre«. Das heißt: Die Kneipe, der Wirt um die Ecke verliert an Attraktivität.

In fast allen deutschen Haushalten können Besucher damit rechnen, etwas Alkoholisches vorgesetzt zu bekommen, auch das ermittelten die Verhaltensforscher. Über ein Drittel der Interviewten haben sogar alkoholische Getränke gelagert, »die an sich niemand recht mag« und die »nur für Gäste vorrätig gehalten« werden.

Das ist ein schöner Zug: heben und heben lassen. Bei Getränken, die »niemand recht mag«, besteht allerdings die Gefahr, daß sie falsch behandelt und falsch serviert werden und daß es die Gäste darob schüttelt. Ein lauwarmer Malteser ist ebensolch ein Genuß wie etwa ein lauwarmer Gänsebraten. Deshalb sollte man sich nicht auf Getränke »nur für Gäste«

einstellen, sondern Besuchern getrost das vorsetzen, was man selbst trinkt. Und wovon man etwas versteht.

Oberste Devise beim Einkauf: Sparen Sie nicht am Pfennig (eher an der Menge!) – Sie wollen Ihre Gäste ja nicht vergiften. Achten Sie auf Reinheit und Qualität! Ein klarer Schnaps, Wodka oder Korn; ein Qualitätswein; ein gepflegtes Bier: Mehr braucht man eigentlich gar nicht, damit liegen Sie immer richtig. Und denken Sie auch daran, daß Ihre Besucher vielleicht gar keinen Alkohol, sondern lieber einen Saft oder ein Erfrischungsgetränk haben möchten.

Gut gelagert, wohltemperiert

Getränke müssen kühl, ruhig und lichtgeschützt gelagert werden. Eine bescheidene Kellerecke, womöglich mit einem selbstgebauten Regal, bietet sich dafür an. Den Aufenthalt im Eisschrank verträgt allein der klare Schnaps, der eiskalt auf den Tisch kommt. Für den Wein: unmöglich! Lassen Sie sich am besten beim Fachhändler Instruktionen über Pflege und Aufbewahrung geben.

Auf die Frage, mit welcher Temperatur Getränke angeboten werden sollen, gibt es keine Faustregel, kann es auch keine geben. Spirituosen, um nur einmal diese zu nehmen, unterscheiden sich in ihren Trinktemperaturen ganz erheblich. Daß ein Wodka eiskalt und ein guter Kognak mit Zimmertemperatur getrunken wird, ist bekannt. Bei Whisky wird's freilich schon problematisch: Kenner nehmen einen guten »Scotch« bei Zimmertemperatur, unverdünnt oder kaum verdünnt! Es ist übrigens kein so übles Gesellschaftsspiel, die richtige Temperatur selbst zu erschmecken. Man wird manche Überraschung dabei erleben.

Das Einschenken

Man gießt nicht »über die Hand«, mit dem Daumen nach oben, ein. Die Flasche wird stets so gehalten, daß sie auf dem Daumen ruht und der Handrücken der Brust zugekehrt ist. Das leidige Tropfen vermeidet man durch ein kurzes Drehen der Flasche nach rechts.

Man übertreibt auch nicht beim Einschenken. Das zu volle Glas ist keineswegs ein Zeichen von gastfreundlicher Großzügigkeit, sondern verrät den Nichtkenner. Zwei Drittel, höchstens drei Viertel genügen beim Wein, der ja im Glas auch seine Blume entfalten soll.

Nachschenken ist und bleibt Sache der Gastgeber. Man bedient sich zwar am kalten Büffet selbst, nicht aber bei Flaschen. Es werden nur leere Gläser nachgefüllt (auch wenn es uns im Fernseh-»Frühschoppen« sonntags manchmal anders vorgeführt wird). Wer nichts mehr trinken will, sagt ganz einfach »Danke«.

Eine alleinstehende Frau als Gastgeberin kann einen Herrn bitten, das Entkorken und Einschenken zu übernehmen. Aber es gibt ja auch Menschen, die so etwas lieber selber machen, um sicherzugehen, daß es auch klappt. Beim Entkorken zumindest sollte der Mann zur Stelle sein.

Bedenken Sie beim Anbieten von Alkohol vor allem das eine: Nicht alles durcheinander! Das ist die wichtigste Regel für den Gastgeber, der den Abend unter Kontrolle behalten will. Sie zahlt sich auch für den Gast aus. Also: Möglichst bei einer Sorte bleiben! Nicht das aus dem Eisschrank holen, was gerade kalt ist!

Wie nimmt oder trinkt man ...

Irish Coffee? Das Getränk wird nicht umgerührt. Bei vorsichtigem Trinken läuft die belebende Mischung aus Kaffee und Whisky durch die Sahneschicht.

Kullerpfirsich? Der reife, ungeschälte Pfirsich (vorher gut abreiben!) wird mit einer Gabel bis zum Kern mehrmals angestochen. Der Pfirsich wird mit Sekt in einem Pfirsichpokal serviert und nach dem Trinken mit einer Kuchengabel zerkleinert.

Nikolaschka? Die Zitronenscheibe mit Zucker und Kaffee wird zusammengeklappt und ausgebissen. Hinterher wird der Weinbrand getrunken.

Prärie-Auster? Das Eigelb bleibt unberührt, so wirkt die kräftige Mischung aus Weinbrand, Worcestersoße, Öl und Paprika am besten gegen die Folgen einer alkoholisierten Nacht. (Der Trick: Das Ei muß kalt sein!)

Wein aus der »bola«? Die dickbauchige Lederflasche mit Landwein wird nie an den Mund gesetzt. Der dünne Strahl muß in den Mund spritzen. Und dazu gehört Übung.

Gläser

(siehe auch unter: Bier, Cocktails, Schnaps und Likör, Sekt, Tischdecken, Wein)

Mit Gläsern läßt sich ein Kult treiben. Wer Zeit und Lust hat, kann aus dem Umgang mit Glas eine kleine Wissenschaft machen, er wird, besonders auf Reisen, immer Neues und Originelles finden – vom Alten ganz abgesehen (und dann kann es teuer werden!).

Allerdings: Wer Gläser nur zum Trinken haben will, ohne sich an ausgefallenen Formen sonderlich zu ergötzen, der wird vor allem auf die Standfestigkeit achten. Allzu dünnes Glas wird er sich nicht kaufen. Dünnwandiges Glas geht beim Abwaschen schnell entzwei, und dünne Stiele brechen leicht. Gläser können elegant sein, sollen aber auch etwas aushalten.

Die vielen verschiedenen Glasformen haben nichts mit Snobismus zu tun. Biergläser müssen nun einmal größer sein als Likörgläser; der Kognakschwenker erwärmt sich in der Hand und läßt das Bukett zur Geltung kommen. Im Grunde genommen lassen sich alle Gläser auf zwei Formen zurückführen: Kelch- oder Stielgläser und Bechergläser. Das sind die Grundformen, die immer wiederkehren.

Bier-, Wein- und Schnapsgläser: damit fängt jeder an, der Alkohol in seinem Hause duldet. Die Bechergläser sind für Bier, Saft und Milch; die Weingläser für alle Weine; das kurze Schnapsglas (Stamperl) für alle harten Getränke. Wenn Sie jetzt noch ein hohes und schmaleres Glas für Longdrinks kaufen, haben Sie schon den Anfang einer Hausbar.

Jeder Biertrinker, der einmal durch Deutschlands Lande fuhr, weiß, daß das Bier überall anders schmeckt – und überall in andere Gläser läuft: in eine Dortmunder »Tulpe«; in den »Keferloher«, einen bayrischen Steingutkrug; in das schmale, sehr hohe Weizenbierglas; in die »Stange«, wenn es Altbier ist; in den Pils-Kelch; in einen Pokal, wenn es »Berliner Weiße mit Schuß« gibt. Man kann nicht nur Bierdeckel, man kann auch Biergläser sammeln – bis hin zu jenem Glas, das aussieht wie ein Riesen-Kognakschwenker; man schluckt daraus das »stärkste Bier der Welt«, es kommt aus Kulmbach.

Besonders empfindlich reagieren passionierte Weintrinker auf die Qualität und die Form des Glases. Zu einem edlen Wein gehört ein edles Glas, sagen sie. Da sie den Wein auch mit dem

Auge genießen, kommt nur ein farbloses Glas in Frage. Weißweine trinken sie aus hochstieligen Gläsern, aus Rheinwein- oder Moselrömern, deren Form an Äpfel oder Tulpen erinnert; diese Gläser konzentrieren – wichtig für die Nase! – das Bukett. Rotweingläser sind niedriger und dafür bauchiger, sie haben kürzere Stiele. Frankenweine werden aus dem Schoppenrömer getrunken. Landweine kommen in Fußbechern, kleinen Gläsern ohne Stiel, auf den Tisch.

Ob Schnaps, Likör, Whisky, Sekt oder Kognak: Die Formen der Gläser variieren wie ihre Größe, und der modische Erfindungsgeist der Designer tut ein übriges, und nicht immer erfreuliches, dazu. Mit Gläsern läßt sich in der Tat ein Kult treiben. Hoffentlich haben Ihre Gäste Sinn dafür!

So serviert man Getränke

Getränk / Glas	Temperatur
Aperitif:	stark gekühlt
pur im Südweinglas; Bittere im Cocktailglas; »on the rocks« im kurzen Tumbler; mit Soda im hohen Tumbler	
Aquavit:	eiskalt
Spezialgläser (Malteser), eisgekühlte Schnapsgläser	
Bier, hell:	zwischen 7° und 9°
Bier, dunkel:	zwischen 10° und 12°
Bierglas, Bierkrug, Tulpe für Pilsener, hohes Glas für Weißbier, Schalenglas für Berliner Weiße	
Bowle:	gut gekühlt
niedrige Henkelgläser	

Getränk / Glas	Temperatur
Getreideschnäpse (wie Genever, Gin, Korn, Steinhäger, Wacholder): Schnapsgläser	eisgekühlt
Grog: Jenaer Glas mit Henkel Stielglas mit Löffel	heiß
Liköre: Likörgläser, -schalen, -schwenker Fruchtliköre auch im kurzen Tumbler	Zimmertemperatur (nicht aus dem Eisschrank!); Schwenker mit Eis ausschwenken
Madeira, trocken: Südweinglas	Zimmertemperatur
Obstschnäpse (wie Himbeergeist, Williamsbirne, Barack, Calvados): Schnapsstumpen oder Schalen, Originalgläser (Barack)	gekühlt bis Zimmertemperatur, auf keinen Fall eisgekühlt!
Pernod: Pernodglas	mit kaltem Wasser
Rotwein: Rotweinglas	Zimmertemperatur (Landwein auch gekühlt)
Rosé: Weinglas	gekühlt
Sekt, Champagner: Sektkelche, Sektschalen	gekühlt 7° bis 9°

Getränk / Glas	Temperatur
Sherry, süß: Sherry, trocken: Südweinglas Südweinglas	Zimmertemperatur gut gekühlt
Underberg: Stiel- oder Schnapsgläschen	Zimmertemperatur
Vermouth, trocken: Südweinglas	gekühlt
Weinbrände (Cognac, Brandys): Cognacschwenker (bei guten Marken), Stielgläser	Zimmertemperatur (bei guten Marken), sonst auch kühler
Weißwein: hochstielige Gläser, Römer	10° bis 12°, reife Weine auch wärmer, spritzige leicht gekühlt
Whisky: Whiskyglas, kurzer Tumbler, hoher Tumbler	Zimmertemperatur; auf Eis (»on the rocks«); mit Soda auf Eis
Wodka: Schnapsstumpen, Stielglas	eiskalt

Umgang mit Gläsern

Man stößt nur mit gefüllten Gläsern an.

Mit Schnapsgläsern, Kognakschwenkern, Likör- und Biergläsern wird nicht angestoßen

Beim Anstoßen mit Wein und Sekt sollen die Gläser klingen, deshalb hält man das Glas am Stiel

Bei der Unterhaltung kann man das Glas am Kelch halten; die Hand ist dabei unverkrampfter

Weingläser sollen nicht zu voll eingeschenkt werden. Etwa zwei Drittel ist das richtige Maß. Die Blume des Weines kann sich sonst nicht richtig entwickeln

Nachgeschenkt wird erst, wenn das Glas leer ist (jedenfalls in Deutschland)

Ein leeres Glas wird abgekühlt, indem man einige Stückchen Eis im Glas kreisen läßt. Das Eis bleibt aber nicht im Glas

Beim Punsch wird vor dem Eingießen ein Löffel ins Glas gestellt, damit es nicht zerspringt

Geeiste Gläser sehen bei harten Schnäpsen (Aquavit, Malteser) besonders zünftig aus. Man taucht sie in Wasser und stellt sie in das Eisfach

Nur robuste Gläser gehören in die Geschirrspülmaschine

Feine, dünnwandige Gläser müssen auch beim Abtrocknen mit Vorsicht und, wie alle Gläser, mit nicht fusselnden Leinentüchern behandelt werden.

Gläser werden mit der Öffnung nach unten aufbewahrt, dann stauben sie nicht ein

Biergläser müssen besonders sorgfältig gespült werden. Schon Spuren von Spülmitteln und von Fett lassen die Schaumkrone zusammenbrechen

Glückwünsche

»Gratuliere!«. Wie oft hat man es im Leben schon ganz spontan gesagt, auch bei bescheideneren Anlässen: Wenn der Chef sich endlich zu einer Gehaltserhöhung für den Kollegen durchgerungen hat; wenn einem Freund der Gipsverband abgenommen worden ist, oder die Prüfungsängste überstanden sind. Wann immer einem Menschen Gutes widerfährt, wenn ihm ein Stein vom Herzen fällt, darf man ihm gratulieren.

Der Griff zum Telefon

Das geschieht heute oft am Telefon. Manchmal erweisen sich gerade solche Gratulationen aus aktuellem Anlaß als willkommene Gelegenheit, einen schon leicht brüchig gewordenen Draht von Mensch zu Mensch wieder zu festigen.

Auch der Glückwunsch zum Geburtstag kann heute unter

Erwachsenen am Telefon aufgesagt werden. Die Tatsache, daß man überhaupt daran denkt (wer denkt schon an alle Geburtstage?), zählt heute mehr als die Form der Übermittlung.

Ältere Familienmitglieder mit ausgeprägtem Familiensinn und gut geführtem Kalender pflegen es mit den Geburtstagen noch genau zu nehmen: sie gratulieren auf jeden Fall, und meist auch noch schriftlich. Ihnen zu danken und auch ihren Geburtstag nicht zu vergessen, sollte eine selbstverständliche Pflichtübung sein – man mag über Familienbande denken, wie man will. Wir werden auch einmal alt, wer weiß, wie uns dann ums Herz ist . . .

Briefe und Besuche

Bei einem normalen Geburtstag genügt also der Griff zum Hörer; doch das Telefon ist kein Allround-Apparat. Zum 65., 70., 75. Geburtstag, zur Verlobung und Hochzeit, anläßlich einer Geburt und eines Jubiläums muß man sich schon zu einigen Glückwunschzeilen bequemen – handgeschrieben, versteht sich. Sie werden meistens zusammen mit einem Blumenstrauß oder einem anderen Geschenk geschickt.

Es sei denn, man macht selbst einen Besuch (bei entsprechender Einladung). Kirche und Standesamt sind übrigens nicht der rechte Ort für Glückwünsche, hier werden auch keine Blumen überreicht. Die Gratulation findet nach der Trauung bei Beginn der eigentlichen Hochzeitsfeier statt. Blumen und Geschenke werden am Tage vor der Hochzeit oder am Hochzeitstag in die auf der Anzeige genannte Wohnung geschickt oder in das Hotel (Restaurant), in dem die Feier stattfindet.

Das Schmucktelegramm

Als vierte Möglichkeit der Gratulation neben Brief, Besuch oder Anruf bleibt das Telegramm, vor allem in seiner speziellen Form als Schmucktelegramm. Leider ist das Telegraphieren mittlerweile ein teurer Spaß geworden, manch einer hat schon sein Formular am Schalter zurückgenommen, wenn der Beamte ihm den Preis nannte. Das ist schade. Denn das Telegramm ist wie geschaffen für all diejenigen, denen es schwerfällt, ihre herzlich gemeinten Glückwünsche in ausführlichere Worte zu kleiden (zur Hochzeit genügt ja beispielsweise: »Unsere aufrichtigsten Wünsche für eine glückliche Zukunft«).

Für alle denkbaren und etliche an den Haaren herbeigezogenen Gelegenheiten hat sich die mehr als rührige Postkartenindustrie Sprüche einfallen lassen, zum Geburtstag und zur Genesung, zum Abschied und zur Versöhnung. Das Gratulieren ist dadurch bequemer, jedoch nicht immer geistreicher oder taktvoller geworden. Mit manchen dieser Karten muß man vorsichtig sein.

Die große Kartenflut bricht alljährlich zu Weihnachten über uns herein. Niemand kann Sie hindern, Freunden und Bekannten und Geschäftsfreunden ein frohes Weihnachtsfest und ein gutes neues Jahr zu wünschen – wie man es sich an den Festtagen und Anfang des Jahres auch auf der Straße oder am Telefon wünscht, wenn man miteinander spricht. Aber erwarten Sie bitte nicht, daß sich jemand verpflichtet fühlt, gleiches mit gleichem zu vergelten. Solche Karten muß man nicht beantworten. Besser als die Karten scheinen uns ein paar Telefonanrufe um den Jahresbeginn herum. Sprechen wirkt persönlicher als der automatische Austausch von Karten.

Mehr und mehr setzt sich auch in der Wirtschaft die Auffassung durch, daß dieser Kartenversand an alle, die in der Kartei erfaßt sind, selbst bei den Empfängern eher auf Unwillen stößt als auf Freude und Verständnis. Rausgeworfenes Geld, hört man immer öfter. Also streicht man diese Repräsentationskosten und läßt das eingesparte Geld denen zukommen, denen keiner eine Weihnachtskarte schreibt: Alten, Armen, Verlassenen, Vergessenen, Waisenkindern. Und das ist ja wohl auch eher im Sinne der christlichen Weihnachtsbotschaft.

Griechenland

(siehe auch unter: Auslandsreisen)

In puncto Moral ist die Bevölkerung, in der Mehrzahl Griechisch-Orthodoxe, recht konservativ – was sich auch in der Reaktion des Gastwirtes zeigen kann, wenn er die Pässe von Unverheirateten sieht. Die intakte Familie, die Großfamilie mit ihren vielen Verwandten und dem Freundeskreis, spielen im Leben der Griechen die beherrschende Rolle.

Dabei sind die Griechen überaus gesellige und freigebige Menschen, für den »Fremden« und den »Gast« gibt es nur ein gemeinsames Wort: Xenos. Ihre Freigebigkeit wollen sie dem Gast auch zeigen, sie laden den Touristen gern ein: zu einem Glas Wein oder zu einer Erfrischung. Ablehnen darf man solche Aufmerksamkeiten dem Fremden gegenüber nicht – also gibt man selbst auch eine Lage aus.

Griechen sind zwar geschickte und alles andere als untätige Kaufleute – haben aber Zeit, viel Zeit. Verspätung wird als selbstverständlich hingenommen. Eher dürfte es die Kleidung sein, auf die man Wert legt, vor allem in Athen: Die griechische Hauptstadt hält auf Eleganz. Wie sich Griechen im gesellschaftlichen »savoir vivre« überhaupt eher französischen Angewohnheiten angleichen.

In den großen Hotels und den meisten Restaurants findet man die Gerichte der internationalen französischen Küche. In kleineren Restaurants, in Tavernen und Psistaries (ländlichen Gaststätten), wo es schmackhafte Spezialitäten gibt, geht der Gast selbst in die Küche und wählt Fisch oder Fleisch aus. Ein vereinfachtes Verfahren, wenn man sich sprachlich nicht verständigen kann. Während der heißen Sommermonate sind besonders die kalten Gerichte empfehlenswert.

Das Nationalgetränk dieses robusten Volkes ist Retsina, ein stark geharzter Wein, an dessen Geschmack sich die Besucher erst gewöhnen müssen (wenn's gar nicht geht, greift man auf die ungeharzten Weine zurück, die es in großer Auswahl gibt). »Ouzo«, der ebenso starke wie berühmte Aperitif, wird mit Wasser verdünnt. In der warmen Luft sind die Weine nicht ungefährlich. Und Griechen mögen keine Betrunkenen!

Großbritannien
(siehe auch unter: Auslandsreisen)

Schottland spielt mit seiner Fußball-Nationalmannschaft gegen England, und auch Wales läßt sich das nicht nehmen; die Iren sind ein Thema für sich. Woraus sich unschwer ersehen läßt, daß die Insel zwischen Atlantik und Nordsee so manche Eigenarten hat.

Schotten sind Schotten, Iren Iren. Engländer wohnen im südlichen Teil der Hauptinsel, Waliser im westlichen. Was über allem schwebt – personifiziert in der Königin – nennt sich United Kingdom of Great Britain and Northern Ireland, abgekürzt U. K. Die Bewohner heißen Briten (nicht Engländer).

Auch in Großbritannien ist nicht mehr alles so, wie es einmal war. Die »Pubs« dürfen länger öffnen, unser bürokratisches (und, zugegeben, praktisches) Dezimalsystem macht den verrückten Maßen und Münzen den Garaus – Merry Old England, dem Bollwerk der Tradition, geht es an die Mauern.

Was bleibt ist der Londoner Nebel, ist die Passion für das Wetten und für den Sport, mag er Fußball heißen oder Kricket, Pferderennen oder Hunderennen, vor allem aber die englische Sonntagsruhe. Die meisten Restaurants sind geschlossen, die Museen vormittags der Gottesdienste wegen. Totale Ruhe, der Tourist hat sich damit abzufinden.

»Jeder Brite ist der Anfang einer Schlange«, spottete einmal ein Franzose. Am Bus, am Schalter, am Taxistand: die stillschweigende, selbstauferlegte Disziplin hat auf erhebliche Teile der Welt abgefärbt (bloß nicht auf Deutschland). Ausländer müssen sich an diese britische Gewohnheit schon halten.

Auch an die Tatsache, daß Briten auf uns ein wenig zugeknöpft wirken. Daß sie auf Händeschütteln und Handkuß verzichten können, Privates nicht wissen wollen und auch nicht von sich geben. Daß sie Pünktlichkeit über alles schätzen. Daß man sehr höflich – und links – Auto fährt und mit lässigen Handbewegungen seine Absichten signalisiert.

Über Politik reden die Briten mit Ausländern nicht so gern. Übertreibung liegt ihnen nicht, viel eher das Understatement, die Untertreibung, verbunden mit einem trockenen, skurrilen Humor. Sie können schweigend über vieles hinwegsehen, was anderswo schon Anstoß erregt. Sie mögen den Sonderling und lieben Tiere über alles (was man unbedingt beherzigen sollte).

An der englischen Tafel erscheint man korrekt gekleidet. Man nimmt nichts selbst, es wird gereicht. Der Umgang mit dem Besteck soll Sie nicht irritieren, er ist ein wenig anders als bei uns (das Fleisch wird vorher auf dem Teller geschnitten, dann nur noch die Gabel benutzt, während die Linke auf dem Oberschenkel liegt). Ein Teller mit gekreuztem Besteck wird höchstwahrscheinlich abgeräumt. Kein Engländer erwartet von den Gästen, daß sie die einheimische Küche loben.

»A cup of tea«, die Tasse Tee, ist das Lebenselexier der Briten, die, im Gegensatz zu den Franzosen jenseits des Kanals, zu den ausgeprägten Frühstücksmenschen zählen. Breakfast ist gewissermaßen die Hauptmahlzeit, wichtiger als lunch (Mittagessen) und dinner (Abendessen).

Haltung

Schlechte Zeiten für alle, die Haltung predigen. Für die Mediziner vor allem, die die Hände über dem Kopf zusammenschlagen: sie sehen ja die irreparablen Haltungsschäden, die durch übertriebene Schlaksigkeit und falsch verstandene Lässigkeit entstehen. Beeindruckt das Jugendliche, die, mit hängenden Schultern und eingedrücktem Brustkasten, auch im Sommer so aussehen, als ob sie immer frieren? Offenbar nicht.

Sicher kann man ihnen nicht klarmachen, daß man sich gelockert und entspannt fühlen kann, ohne in sich zusammenzusinken, ja, daß längeres Stehen dann viel leichter fällt. Wahrscheinlich verstehen sie nicht, wie unendlich wohltuend tiefes Durchatmen, Atmen überhaupt, für den ganzen Körper sein kann – und für den Kopf auch. Und wie bequem man beim Essen ohne jede Kraftanstrengung mit dem Besteck hantieren kann, wenn man beim Sitzen nur den richtigen Schwerpunkt gefunden hat und die Arme fast spielerisch frei zu bewegen vermag. Nein, Haltung ist offensichtlich nicht besonders »in«.

Wenn Modeschöpfer, rastlos auf der Suche nach Neuem, auf die originelle Idee verfallen, daß Männerhosen knalleng am Unterkörper anzuliegen haben, entfällt auch dieses leidige Anstandsproblem. Aus Platzmangel. Und wird erst wieder aktuell, wenn die Hosen faltig um den Körper schlenkern. So kann, tatsächlich, modische Spielerei die Haltung eines jeden Menschen beeinflussen.

Männer, die ihre Hände im Hosenfutter vergraben, sinken in sich zusammen, krümmen sich zum Fragezeichen, keine glückliche Figur. Das könnte immerhin auf Gelöstheit und Entspannung deuten, würden die Hosentaschen nicht oft auch dazu herhalten müssen, Unsicherheiten zu überspielen (wo lasse ich bloß die Hände?). Bei Stehparties und im Gespräch sieht es, zugegeben, besser aus, die Hand – wennschon Tasche – in die Jackettasche zu schieben. Höflicher dem Partner gegenüber ist es bestimmt. Auch auf dem Rednerpult, wo die Versuchung, Sicherheit zu demonstrieren, zunimmt.

Wie sehr nämlich die Hände in den Hosentaschen bei uns in Deutschland immer noch als demonstrative Flapsigkeit verstanden werden, bewies seinerzeit der nationale Aufschrei, als Bundespräsident Heuss bei einem England-Besuch von Studenten auf diese burschikose Art empfangen wurde. Wobei anzumerken ist, daß Engländer viel selbstverständlicher die Hand in die Hosentasche stecken als Deutsche.

Heiratsanzeige

Eine Frau, die sich dazu durchgerungen hat, eine Heirats-anzeige aufzugeben, vertraut das ihrer Umgebung nur sehr zögernd an. Ein Hauch von Peinlichkeit schwebt noch immer um diesen Entschluß – so als täte sie etwas Verbotenes, was sich für eine Dame nicht schickt.

Was ist eigentlich dabei? Wie groß ist denn die Chance einer berufstätigen Frau, zufällig und irgendwann den Mann, der zu ihr paßt, zu finden? Warum also nicht diese zielgerichtete Ak-tion, durch die sich ein großer Kreis derjenigen angesprochen fühlt, die als Partner wirklich in Frage kommen? Die Heirats-anzeige ist das Vernünftigste, was eine Frau tun kann. Da gibt es gar nichts zu belächeln.

Allerdings sollte man auf keinen Fall gewissermaßen ins Blaue hinein inserieren. Zeitungen und Zeitschriften haben ei-nen ziemlich genau definierten Leserkreis, und der hängt mit der politischen und weltanschaulichen Einstellung, mit Ten-denz und Niveau des Blattes zusammen. Die Entscheidung für ein bestimmtes Presseorgan kann schon einer gewissen Vor-entscheidung gleichkommen, kann in manchen Fällen Erfolg oder Mißerfolg bestimmen.

Wer einen Text zu entwerfen hat, tut sicher gut daran, erst einmal die Erzeugnisse von anderen männlichen und weibli-chen Heiratswilligen kritisch zu studieren. Was steht im Text? Alter, Religion, Charaktereigenschaften (nach Selbsteinschät-zung), Neigungen und Hobbies – soviel auf jeden Fall. Viel-leicht noch Vermögenshinweise und eine Andeutung darüber, wie der gesuchte Mann oder die erträumte Frau sein sollte. Offenheit, mit dem Eingeständnis eigener Fehler und Schwä-chen, ist das Geld eher wert als übertriebene Originalität.

Der erste schriftliche Kontakt muß nicht gleich himmelhoch jauchzend ausfallen. Mit Briefen ist es schließlich nicht getan, und die Tatsache, daß ein Mensch Wörter gewandt zu setzen weiß, besagt noch nicht allzuviel über ihn selbst. Also: mit freundlichen Wendungen auf ein Treffen dringen, nachdem kurz Persönliches und persönliche Verhältnisse (Alter, Größe, Statur, Neigungen, Beruf usw.) geschildert worden sind. Nur die Begegnung kann entscheiden.

Noch etwas: Vermeiden Sie, wo es nur geht, das komische »Abrakadabra« von Wörtern, die durch Abkürzungen bis zur Unkenntlichkeit verstümmelt sind.

Hochzeit

(siehe auch unter: Einladung, Geschenke, Glückwünsche, Heiratsanzeigen, Verlobung)

Große Ereignisse werfen bekanntlich ihre Schatten voraus. Auch auf den »schönsten Tag im Leben einer Frau« – so lautet ja die gängige Lesart – werden einige Schatten fallen, wenn Sie mit den nun einmal notwendigen Vorbereitungen für die Hochzeit nicht früh genug beginnen.

Mögen Ehen im siebenten Himmel geschlossen werden – die Hochzeit hier auf Erden ist nun einmal eine Organisationsfrage mit Papieren und Terminen, mit Bestellungen, Lieferungen, Dienstleistungen, mit vielen, vielen Menschen und nicht unbedeutenden Kosten. Lassen Sie sich, wenn es geht, Zeit, sobald Ihr Heiratsentschluß feststeht, sonst wird aus dem »schönsten Tag« unversehens und ungewollt eine Streßsituation mit allem Ärger und Nervenverschleiß. Es bleibt Ihnen nach dem Aufgebot ein halbes Jahr (dann verfallen die Papiere).

Die erste Frage, die es gemeinsam zu lösen gilt, ist die nach dem Umfang der Hochzeit. Soll es eine festlich-glanzvolle sein oder eine bescheidene ohne besonderen Aufwand oder eine Art Mittelding? Keiner sollte die Hochzeit über seine Verhältnisse feiern.

Unter den zukünftigen Ehepartnern können die Ansichten darüber weit auseinander gehen, auch die Elternpaare wollen sicher dazu gehört werden. Während viele junge Brautleute in der Bundesrepublik Hochzeitsfeierlichkeiten überhaupt für überflüssig, ja für unmodern halten, drängt es andere mit Macht zur »großen« Hochzeit mit Orgelklang und Brautschleier.

Da sind unter Umständen zwei, drei verschiedene Meinungen auf einen Nenner zu bringen – erste Einübung auf die Probleme des Miteinanderlebens. Man sollte aber eigentlich gerade diese Frage nicht zu einer vorehelichen Kraftprobe (Wir wollen mal sehen, wer hier die Hosen anhat) ausarten lassen.

Heiraten kostet Geld

Die standesamtliche, die staatliche Trauung ist Pflicht – die kirchliche freiwillig. Der Charakter der Hochzeit hängt weitgehend von der Entscheidung darüber ab, ob man sich mit dem nüchternen Akt auf dem Standesamt zu begnügen gedenkt oder ob man auch auf das festlichere, symbolträchtige Zeremoniell einer kirchlichen Trauung nicht verzichten möchte.

Das Bekenntnis zu der einen oder der anderen Form wird ganz wesentlich von der Erziehung mitbestimmt, vom Elternhaus, vom gesellschaftlichen Status der Eltern mitsamt seinem Zwang zur »standesgemäßen« Hochzeit, zur großen Show, die einfach erwartet wird (in ländlichen Gegenden ist es mancher seinem Ruf schuldig, ganze Ortschaften freizuhalten!).

Es gibt begüterte Kreise, die immer noch auf die überkommene Regel pochen, daß die Eltern der Braut die Hochzeit mit fast allem Drum und Dran auszurichten haben. Wenn es auf ein paar Hunderter mehr oder weniger nicht ankommt, kann man ja an diesem »betagten« Brauch getrost festhalten.

Es gibt da übrigens keine Regel, die für den Norden Deutschlands gleichermaßen verbindlich wäre wie für den Süden. In einzelnen Landschaften haben sich ganz bestimmte Traditionen zäh gehalten. So ist es häufig Sitte, daß die Hochzeitsgäste ihr Hochzeitsessen selbst bezahlen und etwa die gleiche Summe als Hochzeitsgeschenk dazugeben.

Bei »großen« Hochzeiten wird die Geldfrage gemeinhin keine entscheidende Rolle spielen; das kann so weit gehen, daß der Brautvater sogar die Ausstattung der Brautjungfern übernimmt!

Anders bei der Mehrheit – bei denen, die mit dem Hunderter rechnen müssen. Sie sollten sich zusammensetzen, die Kosten addieren und sich darüber in aller Ruhe verständigen, wie die zu erwartende Summe aufgeteilt werden kann. Halbe-halbe zwischen den Elternpaaren ist längst üblich. Wenn die Kinder schon berufstätig sind, werden sie auch ihr Scherflein zu den Kosten beitragen.

Vielleicht, und das wäre nicht das schlechteste, kommt man beim Rechnen gemeinsam zu der Überzeugung, daß das Geld vernünftiger angewendet werden kann als für die reichhaltige Beköstigung der Verwandtschaft oder für eine mehr oder minder rauschende Ballnacht. Auch Liebende sollten mit beiden Füßen auf der Erde bleiben!

Die standesamtliche Trauung geht der kirchlichen voraus. Zwischen beiden Ereignissen liegen oft nur Stunden. Der Zeitpunkt der Trauung wird heute kaum mehr unter symbolischen Gesichtspunkten (»Frühlingshochzeit«), meistens dagegen unter sehr praktischen und prosaischen festgelegt (bezugsfertige Wohnung, Steuervergünstigung für das Jahr). Geheiratet wird heute jedenfalls das ganze Jahr hindurch. Das schließt die Möglichkeit nicht aus, die kirchliche Trauung mit der Hochzeitsfeier ins Frühjahr oder in den Sommer zu verlegen.

Der leidige Papierkram

Jede vorgesehene Eheschließung beginnt, wie lästig, mit dem Papierkram, mit dem Zusammentragen der notwendigen Dokumente: Geburtsurkunde; Aufenthaltsbescheinigung der polizeilichen Meldebehörde, gültiger Personalausweis oder Reisepaß, Heiratsurkunde (im Fall einer früheren Heirat) und rechtsgültiges Scheidungsurteil; Sterbeurkunde (im Fall der Auflösung einer früheren Ehe durch Tod); Auseinandersetzungszeugnis des Vormundschaftsgerichts (falls Kinder aus früheren Ehen dasind); die notarielle Einwilligungserklärung der Eltern oder des Vormundes bei Minderjährigen; bei Ausländern das Ehefähigkeitszeugnis.

Nach der Beschaffung der Papiere wird auf dem Standesamt der genaue Termin der Trauung festgelegt. Sie (die standesamtliche Trauung) muß spätestens ein halbes Jahr nach dem Aufgebot stattfinden, älter dürfen die Papiere nicht sein. Einige Wochen vor der Hochzeit sucht man, bei kirchlicher Trauung, gemeinsam den Pfarrer auf.

Wenn der Termin feststeht, vergeht die Zeit noch schneller. Jetzt heißt es Listen anlegen, Zettel als Gedächtnisstütze benutzen, die erledigten Punkte auf der Checkliste abhaken. Die Hochzeit erfordert Planung und Überlegung.

Die Gäste und die Anzeigen

Die Zahl der einzuladenden Gäste dürfte, ungefähr, in dem Augenblick zu übersehen sein, in dem die Entscheidung über den finanziell vertretbaren Rahmen der Hochzeitsfeier gefallen ist. Reicht die Wohnung oder das Haus? Oder welches Restaurant, welches Hotel ist an diesem Tag frei? Oder fiel Ihnen irgendwann einmal bei einem Spaziergang ein ländlicher Gasthof auf, der sich als originelle Kulisse eignen würde?

Jetzt wird die Liste für die Hochzeitsanzeigen (Wer soll es wissen?) und für die Hochzeitseinladungen (Wer soll kommen?) geschrieben. Karten werden an alle verschickt, die von dem Ereignis erfahren sollen. Das kann ein recht großer Kreis sein. Dann läßt man sich Karten drucken. Kleinere Druckereien haben sich auf solche Aufträge spezialisiert und erledigen sie in drei, vier Tagen (größere Druckereien brauchen länger und sind teurer).

Die Form der Hochzeitsanzeige variiert je nach Temperament; sie kann konventionell-steif (»Meine Vermählung mit Fräulein X. Y. beehre ich mich anzuzeigen«), aber auch schlicht sein (»Als Vermählte grüßen«, »Wir heiraten«). Wenn der Kreis kleiner ist, kann man die Anzeigen auch selber machen, dann werden sie sicherlich lustiger, oder fertige Karten kaufen, in die nur Name und Anschrift eingesetzt werden.

Und das Datum nicht zu vergessen! Wenn die standesamtliche und die kirchliche Trauung auf verschiedene Tage gelegt sind, verschickt man sie meistens mit dem Datum der kirchlichen Trauung, sie ist ja immer das gefeierte Ereignis.

Der Zeitpunkt, die Meldung zu verschicken, wird verschieden gewählt. Für alle Betroffenen ist es das einfachste, wenn die Anzeige die Zeit der Trauung, die Kirche und die Adresse enthält, wo gefeiert wird (Wohnung oder Restaurant). In diesem Fall werden die Karten so rechtzeitig verschickt, daß alle Adressaten ihre Glückwünsche schicken oder an der kirchlichen Trauung teilnehmen können.

Manche Paare verschicken ihre Anzeige früher (»Wir werden heiraten«, »Ihre bevorstehende Hochzeit geben bekannt«, dann allerdings noch mit Mädchennamen) – oder erst nach der Hochzeit; man kann sogar eine Reproduktion der Heiratsurkunde drucken lassen und versenden.

Informiert werden viele – der Kreis der geladenen Gäste ist natürlich kleiner. An die Gästeliste muß man gerade bei der Hochzeit mit Behutsamkeit und Umsicht herangehen; wer hier übergangen wird, könnte ein Leben lang grollen.

Ganz nahe Verwandte wird man mündlich einladen, auch die besten Freunde und die Trauzeugen (die man ja fragen muß). Wenn die Gästezahl für die Hochzeitsfeier zu groß wird, kann man Freunde und Kollegen immer noch auf den Polterabend umdirigieren.

Die schriftliche Einladung (es gibt auch dafür vorgedruckte Karten) muß freilich frühzeitig, etwa drei bis vier Wochen vor der Hochzeit, zur Post gehen. Die Karte muß darüber Aufschluß geben, wann und wo man sich treffen wird. »U. A. w. g.«, um Antwort wird gebeten: davon hängt ja die Tischordnung ab. Zusagen werden auf der Gästeliste vermerkt, ebenso die Absagen, dafür rücken andere nach.

Zusätzlich zu den verschickten Hochzeitsanzeigen kann jeder, der es sich seinem Ruf und seiner Stellung schuldig zu sein glaubt, auch noch in der lokalen Tagespresse inserieren. Meistens erscheinen solche Anzeigen (deren Text nicht sonderlich variabel ist) am Tag der kirchlichen Trauung in der Zeitung.

Was soll man schenken?

Während Elternpaare mit dem Brautpaar über Kostenvoranschlägen und Menüempfehlungen brüten, zerbricht sich die Umgebung den Kopf, was sie schenken soll. Wer keine todsichere Überraschung in petto hat, sollte unbedingt mit den Eltern oder mit dem Paar selbst, auch mit Geschwistern oder guten Freunden über das Problem reden. So wird das heute allgemein gemacht, keiner findet etwas dabei – genausowenig wie Geldgeschenke als Verlegenheitslösung empfunden werden (im Gegenteil!).

Gerade bei der Gründung eines Hausstandes, auch das unterschätze man nicht, kann die hilfreich dargebotene Hand, können Freundschaftsdienste wie Transport oder Hilfestellung bei der Wohnungsrenovierung manchmal mehr wert sein als kostbare und aufwendige Geschenke.

Fachgeschäfte geben außerdem, nicht ganz uneigennützig, sogenannte »Hochzeitslisten« heraus, rote, blaue und grüne, in denen – jedenfalls in den roten, den umfangreichsten – vom Kochlöffel bis zur Waschmaschine alles zu finden ist, was einen Hausstand bereichern könnte.

Das Brautpaar besorgt sich die Liste, streicht an, was es braucht, notiert auch zusätzliche Farb- und Formwünsche und bringt die Liste ins Geschäft zurück. Wer immer sich mit einem Geschenk beteiligen will, wird an das Geschäft verwiesen. Das hört sich gewiß schrecklich phantasielos und unpersönlich an, hat sich aber in der Praxis als brauchbare Methode erwiesen, den Geldstrom, der bei einer Hochzeit nun mal fließt, in vernünftigen Bahnen zu kanalisieren – zum Wohle des Brautpaares und zur Freude der Schenkenden.

Eine Liste wie diese läßt sich natürlich auch zu Hause führen, von den Eltern oder Geschwistern. Zumindest ist damit eine Art Auskunftei geschaffen, die verhindern kann, daß kleine Beträge verkleckert werden, und dafür sorgt, daß durch Zusammenlegen auch größere Anschaffungen möglich sind.

Die fertige Aussteuer im alten Sinne – schrankweise Bettwäsche, Tischtücher, Handtücher – ist nicht mehr gefragt. Die Aussicht, jahrzehntelang in demselben haltbaren Linnen zu leben, schreckt junge Leute, die öfter mal was Neues sehen wollen. Das ändert freilich nichts an der Tatsache, daß jeder Haushalt eine Grundausstattung braucht – wie immer man sie nennen mag. Was die Eltern der Braut dazu beitragen, ist unter bestimmten Voraussetzungen (wenn kein »erhebliches« Vermögen vorhanden ist) steuerlich absetzbar. Also Quittungen sammeln!

Poltern am Polterabend

Der Spaß am Poltern hat hörbar nachgelassen – sicher nicht aus Mangel an Geschirr. Vielleicht hat es zuviel Ärger mit Hausbesitzern gegeben, die Schrammen auf dem Linoleum oder Kratzer an der Haustür monierten. Vielleicht auch hängt

uns der viele Krach überhaupt zum Halse 'raus. Wem dennoch Scherben ins Haus stehen, der sollte unbedingt für ein Brett oder eine Kiste sorgen, damit kein Schaden entsteht, der vermeidbar gewesen wäre.

Am Vorabend der Hochzeit, am Polterabend, mit alten Bekannten und Freunden, mit Schulfreundinnen und Kollegen ein fröhliches Fest zu feiern, bleibt natürlich, auch ohne lautes Scherbenscheppern, jedermann unbenommen. In manchen Gegenden kommen die Nachbarn ungefragt.

Vor Hochzeitszeitungen allerdings, die jäh gezückt und verlesen werden, kann nicht nachdrücklich genug gewarnt werden. Die Dichter und Denker, die solche Blätter gern produzieren, pflegen ihre Fähigkeit, zu amüsieren, meist grotesk zu überschätzen – und das gequälte Brautpaar sitzt mit zusammengebissenen Zähnen dabei und soll auch noch lächeln. Richtige Heiterkeit kommt in solchen Augenblicken selten auf . . .

Geschenke und Blumen werden am Polterabend mitgebracht und übergeben – oder den Brauteltern an diesem Tag, also vor der Hochzeit, ins Haus geschickt. Man stellt sie nicht irgendwo ab, man stellt sie aus – auf einem Tisch, hübsch arrangiert und allen sichtbar.

Auch Hochzeitsgäste, die anreisen, kommen zuweilen schon am Vorabend der Hochzeit an, man muß sich um sie kümmern. Auf jeden Fall hat man an Ort und Stelle Zimmer reservieren zu lassen. Die Übernachtung (möglicherweise sind es auch zwei) kann, muß aber nicht aus dem Hochzeitsfond bestritten werden. Besser, man drückt sich um solche vermeintlichen Peinlichkeiten nicht herum und sagt, vorher am Telefon: »Das Zimmer kostet 25,– Mark . . .« Es sei denn, man weiß, daß den Eingeladenen die Geldausgabe schwerfällt.

Die Kleidung am Hochzeitstag

Auf dem Standesamt trägt die Braut, was sie kleidet und was gerade in Mode ist: ein elegantes Kostüm oder Kleid (auch Hosenanzüge wurden schon gesehen). Der Mann ist, wenn er nicht gerade gesellschaftliche Konventionen zu sprengen gedenkt, auf den gedeckten Anzug angewiesen, und auch die Trauzeugen sind auf diesen Stil, dem feierlichen Anlaß angemessen, festgelegt.

Bei der kirchlichen Trauung sind, Vermögen vorausgesetzt, dem Aufwand keine Grenzen nach oben gesetzt. Oberstes Gebot: Die Brautleute putzen sich am festlichsten heraus – Mittelpunkt ist immer die Braut, die Braut in Weiß. Eine Brautjungfer, die die Braut übertrumpft, käme einer Katastrophe gleich.

Die Entscheidung für ein kurzes oder langes Brautkleid mit oder ohne Schleppe richtet sich nach dem Rahmen der Hochzeit. Und der ist ja durch Namen und Zahl der Gäste und durch die Wahl der Lokalität auch für die Gäste definiert. Der Hochzeitsgast, vor allem der weibliche, der seinen Koffer packt, wird sich schon ausreichend informiert haben. Eine Hochzeit großen Stils ist ein Anlaß, das festliche, auch das lange Kleid mal wieder aus dem Schrank zu holen. Die Männer passen sich, vom dunklen Anzug und vom jugendlichen Party-Dreß an aufwärts, der weiblichen Eleganz nach Kräften an oder versuchen jedenfalls, das festliche Bild nicht zu stören.

Die standesamtliche Trauung

Nun ist er da, der große Tag, um den sich seit Wochen schon alles dreht, der Wendepunkt des Lebens. Die standesamtliche Trauung findet meistens vormittags und in ganz kleinem Kreis statt. Brautpaar und Trauzeugen fahren, so ist es üblich, gemeinsam zum Standesamt; die Trauzeugen sind entweder aus dem Verwandten- oder dem Freundeskreis gewählt (meist letzteres); sie brauchen nur dabeizusein und zu unterschreiben (und sind anschließend selbstverständlich bei der kleinen Feier gerngesehene Gäste).

Der Bräutigam hat dafür gesorgt, daß die Braut einen Strauß oder ein kleines Bukett im Arm trägt. Die Prozedur ist amtlich-sachlich. Mit dem Jawort bekräftigen Braut und Bräutigam den Willen zur Ehe und sind nunmehr, der Standesbeamte sagt es, rechtmäßig verbundene Eheleute. Zum erstenmal, welch komisches Gefühl, schreibt die Braut den Namen des Mannes, der nun, Mann und Name, der ihre ist.

Das war's schon – für viele. Sie gehen anschließend mit den Trauzeugen, vielleicht auch mit Verwandten und Freunden zu einem Sektfrühstück in ein Restaurant oder heben daheim in der Wohnung das Glas.

Die kirchliche Trauung

Für die Gäste war das Standesamt nur das nüchterne Vorspiel zu dem eigentlich festlichen Akt. Schon während und nach der standesamtlichen Trauung versammeln sich die geladenen Gäste – meistens immer noch in der Wohnung der Brauteltern. Die Braut legt nun das Brautkleid an, Brautjungfern (falls es welche gibt) helfen bei Schmuck und Schleier. Gäste, Eltern und das Brautpaar fahren dann nacheinander in die Kirche. In manchen Gegenden fahren Braut und Bräutigam getrennt zur Kirche. Nach diesem Brauch sollte man sich erkundigen.

Das Brautpaar geht an der Spitze des Zuges, sowohl beim Betreten als auch beim Verlassen der Kirche. Hinter ihm folgen

beim Einzug Brautjungfern und Brautführer, dann die Brautmutter mit dem Vater des Bräutigams, die Mutter des Bräutigams mit dem Brautvater und anschließend die Verwandten
und Gäste. Bei dem evangelischen Zeremoniell steht und sitzt
die Braut rechts, beim katholischen links vom Bräutigam.

Nach der Trauung fahren Brautpaar, Verwandte und Gäste
entweder in die Wohnung oder in das Restaurant, wo die
Hochzeitsfeier stattfindet. Hier wird dem Paar gratuliert – erst
ihm, dann den Eltern. Je nach der Tageszeit schreitet man gleich
zum Hochzeitsessen oder stärkt sich an einem kleinen Imbiß.

Die Hochzeitsfeier

Man kann zu Hause feiern, im kleinen Kreis. Ein kaltes
Büffet wird selbst hergerichtet oder angeliefert, die Getränke
stehen kalt. Bei einer größeren Gästeschar wird man die Hochzeitstafel in einem Restaurant oder einem Hotel, am Ort oder
in landschaftlich schöner Umgebung, decken lassen. Das kostet
Geld, spart aber Nerven.

Ob zu Hause oder im Restaurant, ein Problem wird sich immer stellen: das der Tischordnung. Vor allem, wenn Ehrengäste
geladen sind, wenn der Pfarrer dabei ist (man lädt ihn besonders dann ein, wenn er das Brautpaar schon länger kennt).

Die Ehrenplätze an der Tafel stehen natürlich dem Brautpaar zu, es sitzt in der Mitte der Breitseite. In bürgerlichen
Kreisen werden die Eltern des Brautpaares dem Paar zur Seite
placiert, der Pfarrer sitzt dann der Braut gegenüber. Man kann
die Elternpaare (Mutter des Bräutigams, Vater der Braut;
Brautmutter, Vater des Bräutigams) auch auf beide Seiten der
Tafel setzen und den Pfarrer an die Seite der Brautmutter.

Das ausgiebige Hochzeitsmahl, das aus mehreren Gängen
besteht und sich über Stunden hinzieht, wird durch Tischreden
unterbrochen. Die erste Rede steht dem Geistlichen oder, an
seiner Stelle, dem würdigsten Hochzeitsgast zu. Seine Rede
klingt aus mit der Bitte an die Gäste, ihr Glas zu erheben und
auf das Wohl des Paares zu trinken. Die Väter des Brautpaares
ergreifen zwischen den folgenden Gängen das Wort. Der Bräutigam spricht nicht, das Brautpaar dankt nur.

Wer es als Gastgeber an nichts fehlen lassen will, hat auch
für Musik gesorgt. Der erste Tanz gehört dem Brautpaar nach
alter Sitte allein. Nacheinander muß der Bräutigam die Mütter,
die weiblichen Verwandten und Brautjungfern auffordern.

Vielleicht war bloß dieses gesellschaftliche Pflichtpensum

daran schuld, daß es mancher Bräutigam vorzog, sich schon gleich nach dem ersten Tanz samt Braut unauffällig zurückzuziehen (wie es in alten Anstandsbüchern gelehrt wird).

Solch heimliches Davonstehlen liegt, recht betrachtet, genau auf dem Niveau, auf das berüchtigte Hochzeitszeitungen ein Fest gelegentlich zu bringen drohen: die Zweideutigkeiten liegen auf der Zunge und werden geradezu herausgefordert. Heute, da sich die meisten Paare längst besser kennen, als es die Eltern wahrhaben wollen, sollten Braut und Bräutigam das ihnen zu Ehren gegebene Fest getrost mitfeiern. Bis zum Ende. In Anbetracht der älteren und alten Gäste wird ohnehin keine lange Nacht daraus.

Nach der Hochzeitsfeier

Der Begriff der »Flitterwochen«, die der Hochzeit zu folgen haben, hat im Zeitalter der berufstätigen Frau ebenso gelitten wie die einst in gewissen Kreisen unvermeidliche Hochzeitsreise, auf die sich das Paar Hals über Kopf, noch in der Nacht nach der Hochzeit, zu verfügen hatte. All das klingt nach Operette und wirkt heute schon ein bißchen angestaubt.

Nichts gegen die Reise, jedem sei sie gegönnt. Aber wäre es nicht angebracht, vor der Abreise reinen Tisch zu machen und all denen, die Glückwünsche, Blumen und Geschenke geschickt haben, ein paar freundliche Zeilen des Dankes zu widmen? Bedanken muß man sich auf jeden Fall.

P.S.

Man kann auch ganz still und heimlich heiraten. Mit zwei verschwiegenen Freunden als Trauzeugen, mit den Eltern bei einem kleinen Essen. Wir leben schließlich in einer pluralistischen Gesellschaft

Tips für die Hochzeit

Man muß nicht jeden Brauch, das »Schleiertanzen« beispielsweise, mitmachen, bloß weil er alt ist. Braut und Bräutigam können und sollen ihren Willen geltend machen.

Bei einer ländlichen Hochzeit erkundigt man sich vorher (beispielsweise über die Höhe des zu zahlenden Geldbetrages). Örtliche Bräuche spielen auf dem Lande eine große Rolle.

Die einzelnen Handlungen bei der kirchlichen Zeremonie werden vorher mit dem Pfarrer durchgesprochen.

Blumengrüße schickt man entweder vorher in das Haus der

Brauteltern oder am Tag der Hochzeit dorthin, wo die Hochzeitsfeier stattfindet.

Das meiste, was zur Hochzeit getragen wird, ist neu. Deshalb empfiehlt es sich, die Schuhe vorher einzulaufen. Und das Gehen mit der Schleppe zu üben.

Auch während der Hochzeitsfeier in der Kirche und im Restaurant kommen (zu Hause wahrscheinlich) Blumen, Telegramme, Geschenke an. Ist jemand daheim? Macht es der Nachbar?

Checkliste für die Hochzeit

Vorbereitungen

Aufgebot, Unterlagen, Termin festsetzen

Einigung der Familienangehörigen über den Umfang der Hochzeit und die Kostenverteilung

Gespräch mit dem Pfarrer, Brautexamen

Trauzeugen bestimmen, Brautjungfern, Brautführer

Liste für Geschenke anlegen (über Fachgeschäft oder in eigener Regie)

Liste für die Einladungen (Versand der Einladungen 3–4 Wochen vorher), Gäste am Polterabend, Gäste zur Hochzeitsfeier. Wer wohnt am Ort? Wer reist an? Unterbringung der Gäste?

Liste der Hochzeitsanzeigen

Mündliche Einladung der nächsten Verwandten, Trauzeugen, Brautjungfern, Brautführer usw.

Druck der Anzeigen

Garderobe: Brautkleid, Anzug; Abstimmung der Kleidung im Familien- und Gästekreis

Lokalität, Kosten- und Menüvorschläge von Restaurant oder Hotel (oder: Kaltes Büffet im Haus; Getränke, Tabakwaren, Gläser, Stühle, Geschirr usw.)

Saalausstattung, Kapelle

Blumenschmuck (Brautbukett, in der Kirche, am Auto, Bekränzung der Stühle, der Tafel usw.)

Musikwünsche in der Kirche

Anschließende Hochzeitsreise

Hochzeitsgeschenk (des Bräutigams für die Braut, der Braut für den Bräutigam)

Trauringe

Sitzordnung an der Tafel (Tischkarten, besondere Ehrengäste, Einladung des Pfarrers)

Fotograf
Anzeige in der Tageszeitung
Transport der Gäste (Taxis, eigene Wagen, Reihenfolge)
Friseur

Polterabend

Kaltes Büffet, ausreichend Getränke (auch alkoholfreie für
Autofahrer)

Am Hochzeitstag

Blumenstrauß für die Braut
Fahrt zum Standesamt – mit Trauzeugen
Standesamtliche Trauung
Sektfrühstück mit Trauzeugen
Empfang der Gäste zu Hause (kaltes Büffet)
Abfahrt zur Kirche (in manchen Gegenden Braut und
Bräutigam getrennt)
Versammlung im Vorraum der Kirche, Bildung des Hoch-
zeitszuges
Kirchliches Zeremoniell
Abfahrt zur Hochzeitsfeier (gemeinsam)
Gratulation durch die Gäste
Hochzeitstafel
Tischreden
Tanz und andere Darbietungen

Nach der Hochzeit

Verabschiedung der angereisten Gäste
Danksagungen (persönlich, durch Karten)
Rechnungen bezahlen, Trinkgelder
Hochzeitsreise

Was bei der Endabrechnung zusammenkommen kann

Standesamtsgebühren, Kosten für die Trauung
Hochzeitsanzeigen (Druck und Porto)
Einladungen
Zeitungsanzeige
Brautkleid und sonstige Garderobe
Polterabend (Getränke, kaltes Büffet)
Blumenschmuck: in der Kirche, am Wagen, Tafelschmuck,
Brautbukett
Musik: in der Kirche, bei der Hochzeitsfeier (Kapelle)
Läutegebühren für den Mesner
kaltes Büffet oder Menü pro Person
Sektfrühstück mit Trauzeugen pro Person

Getränke für die Gäste (alkoholische und alkoholfreie)
Tabakwaren
Fotograf
Taxi- und sonstige Transportkosten
Übernahme von Übernachtungskosten
Trinkgelder (Amtsgehilfe, Ober, Garderobe, Postbote, Taxifahrer usw.)
Danksagungen

Hochzeitsjubiläen

Der Hochzeitstag: manche Männer sollen in diesem Punkt sehr nachlässig sein, das mag psychologische Gründe haben. Von anderen wissen die Frauen zu rühmen, daß sie in keinem Jahr den Blumenstrauß oder das Essen zu zweit vergessen hätten. Und so sollte es ja bei einer intakten Ehe auch sein.

Das 25jährige ebenso wie das 50jährige Ehejubiläum, *die Silberne wie die Goldene Hochzeit,* wird hierzulande als ganztätiges Familienfest im Kreise der Kinder, Enkel und Verwandten begangen.

Die Silberhochzeit kann eine richtige ausgelassene Feier sein, ein Fest der Kinder vor allem. Man *kann* Silber tragen, die Frau im Haar (Kränzchen), der Mann im Knopfloch (Sträußchen). Bei einem größeren Freundes- und Bekanntenkreis setzt man eine Empfangszeit fest (am späten Nachmittag oder um die Mittagszeit) oder man lädt abends zu einem kalten Büffet ein. Verwandte und Gratulanten bringen oder schicken auf jeden Fall Blumen, auch Geschenke sind zur Silberhochzeit üblich. Manche Paare machen aber gerade anläßlich dieses Feiertags eine größere Reise; oft ist es die nachgeholte Hochzeitsreise.

Die Goldene Hochzeit, das 50jährige Jubiläum des Hochzeitstages, wird besinnlicher begangen, dem Alter der Jubilare entsprechend. In der Kirche wird jetzt das Ehegelöbnis in feierlicher Form wiederholt. Die Jubelbraut trägt ein vergoldetes Kränzchen, Glückwünsche werden ins Haus geschickt.

Das 60jährige Jubiläum, die Diamantene Hochzeit; das 65jährige, die Eiserne Hochzeit; das 70jährige, die Gnadenhochzeit: sie werden in aller Stille, im engsten Familienkreis, würdig gefeiert. Allerdings ist gerade bei solchen seltenen Jubiläen öffentliche Anteilnahme nicht auszuschließen. Getränke und Kleinigkeiten zur Bewirtung sollten bereit stehen.

Hotel

Wer in der Hochsaison reist, ist manchmal froh, überhaupt ein Bett zu bekommen, in das er sein müdes Haupt zur Ruhe legen kann. Gut geführte Hotels machen aber auch in diesen Jahreszeiten den Gast von sich aus auf mögliche Reklamationen (Lärm, Straßenseite) aufmerksam.

Außerhalb der Saison, bei freien Zimmern, kann der Gast seine Wünsche anmelden und notfalls auch um Umquartierung bitten. Je besser das Haus ist, desto schneller und bereitwilliger wird jeder Kritik die Spitze abgebogen.

Großes Gelärme ist dabei nicht angebracht. Der Ton macht auch hier, wie immer, die Musik. Man muß in Ruhe verhandeln und sachlich bleiben. Hoteliers und ihre Angestellten sind gewiefte Menschenkenner; passionierte Nörgler erkennen sie an der Nasenspitze. Es hat allerdings keinen Sinn, zu Hause an das Touristik-Unternehmen zu schreiben. Über Essen, Zimmer, Bedienung, muß man sich, wenn nötig, gleich beschweren.

In Ferienhotels und -pensionen werden Frühstück, Mittagessen und Abendbrot zu festgelegten Zeiten serviert. Man sollte sich an diese Zeiten halten – sonst riskiert man unfreundliche Gesichter oder gar Verweigerung.

Für die Mahlzeiten bekommt man einen festen Platz zugewiesen; auf den Servietten steht Name oder Zimmernummer. In kleineren Häusern grüßt man beim Eintreten in den Speiseraum, in großen Hotels grüßt man nicht (wie überhaupt das Leben in internationalen Hotels sehr viel distanzierter ist).

Wenn man im Sommer nicht am Swimming-pool speist (was zuweilen möglich ist), zieht man zu den Mahlzeiten leichte Kleidung über das Badezeug. Am Tag der Ankunft wird man sich sowieso erst einmal umsehen, wie man es im Hotel und am Orte in puncto Kleidung hält.

Nur Puritaner können es für eine geradezu wollüstige Ausschweifung halten, wenn sich Feriengäste in Hotels – Paare ebenso wie Einzelreisende, Frauen oder Männer – ihr Frühstück im Zimmer, am Bett servieren lassen (in manchen großen Hotels wird das Frühstück ohnehin nur auf dem Zimmer serviert, es gibt gar keine Frühstücksräume).

Frühstück auf dem Zimmer

Man telefoniert in solchem Falle mit der Zentrale, meldet, worauf man Appetit verspürt, und wartet im Bett auf das mehr oder minder opulente Mahl, das da kommen soll. Vorher muß man allerdings die Tür von innen aufschließen, damit der Kellner reinkann.

In kleineren Hotels und in Ferienpensionen, in denen man sich im Laufe des Tages des öfteren begegnet, wird man sich von Tag zu Tag freundlicher begrüßen, morgens, mittags, abends, nachts, wann immer man sich sieht. In großen Hotels verzichtet man darauf. Man vergibt sich nichts, wenn man den Fahrstuhl mit einem freundlichen Lächeln und Kopfnicken betritt.

Rücksicht nehmen!

Die Wonne, sich endlich als freier Mensch zu fühlen, läßt manche Urlauber über die Stränge schlagen. Keiner wird behaupten, daß Deutsche besonders laut sind – es gibt, international gesehen, nur laute Urlauber (darunter auch deutsche) und rücksichtsvollere Menschen (darunter auch deutsche).

Merkwürdig, daß viele Hotel- und Pensionsgäste in der Mittagszeit oder nachts völlig zu vergessen scheinen, daß andere die weite Reise gemacht haben, um die Ruhe zu genießen. Die Türen werden geschmettert, das Radio kreischt, im Mondschein kehren sie unter Absingen heimatlicher Lieder heim. Kurz, man macht all das, was man sich zu Hause wegen der Nachbarn nicht traut.

Entsprechend großzügig geht man auch mit dem Mobiliar des Hauses um. Kein Gedanke wird darauf verschwendet, daß auch die nächsten Gäste einen Teppich ohne Flecken, eine Tapete ohne Kosmetikspritzer, einen Tisch ohne die Brandkerbe einer Zigarette schätzen könnten.

Trinkgeld und Fundsachen

Die Hotelrechnung wird zum Schluß auf Heller und Pfennig bezahlt – also ohne irgendwelche Abrundungen. Hat der Portier sich besonders um Sie bemüht (Taxibestellung, Kartenbesorgung), erwartet er ein Trinkgeld, das dann allerdings nicht zu kleinlich sein darf. Auch die Gepäckträger bekommen bei der An- und Abfahrt ihr Trinkgeld sofort auf die Hand.

Immer wieder passiert es, daß ein Gast im Trubel der Abreise vergessen hat, den Zimmerschlüssel bei dem Portier abzugeben. In diesem Fall schickt man ihn zurück – gut verpackt, besser noch per Einschreiben.

Gute Hotels senden Ihnen vergessene Wertsachen und Kleidungsstücke bereits nach, bevor Sie den Verlust überhaupt entdeckt haben. Wenn Sie etwas vermissen: sofort an das Hotel oder die Pension schreiben. Und wenn Sie Ihre Manschettenknöpfe oder die Kontaktlinse wiederbekommen haben, vergessen Sie auch nicht, einen kleinen Finderlohn zu schicken – das Zimmermädchen möchte sich genauso freuen wie Sie.

Hummer

Feinere Lokale, man merkt es am Preis, ersparen dem Gast Kraft und Einsatz: Sie servieren den Hummer an- und zugerichtet. Er kommt zumindest halbiert auf den Tisch – die Scheren werden auf Wunsch vom Koch oder vom Ober ebenfalls geknackt (Gegenleistung des Gastes: ein angemessenes, nicht zu kleines Trinkgeld).

Beim Hummeressen wird, wie bei Krebsen und Krabben, die Hand zu Hilfe genommen. Außerdem werden als Werkzeug lange, zweizinkige Hummergabeln und eine Hummerschere benutzt. (Zum Aufbrechen eignen sich als Ersatz auch Hammer und Zange.)

Die linke Hand hält das Hummerstück, die rechte mit der Gabel löst das Fleisch. Größere Fleischstücke werden mit dem Fischbesteck zerlegt. Das meiste Fleisch ist, wie bei allen Krustentieren, am Schwanz. Ring für Ring wird der Panzer aufgebrochen. Scheren und Beine werden ausgesaugt, wenn die Hummergabel nichts mehr zutage schafft. Das Ende der Hummergabel sieht wie ein Löffel aus; damit wird die rote Hummerbutter aus der Brustschale gekratzt – für Kenner etwas ungewöhnlich Delikates.

Hummerfleisch mit Mayonnaise liegt schwer im Magen. Also sollten Sie es Ihren Gästen nicht zu sehr später Abendstunde vorsetzen. Crab Meat und Kamtschatka-Krabben sind billiger als echter Hummer. Allerdings haben diese Tiere Chitinfasern im Fleisch (wie der Apfel ein Apfelgehäuse). An diesen Stützen merkt jeder Kenner, ob er Hummer oder Crab Meat vor sich hat – es sei denn, man entfernt sie vorher.

Irland

(siehe auch unter: Auslandsreisen)

Iren, sprichwörtliche Dickköpfe, haben in ihrem erbitterten Kampf gegen die Briten eine traditionelle Deutschfreundlichkeit entwickelt; im letzten Krieg brachten sie das Kunststück fertig, neutral zu bleiben.

Die 2,8 Millionen Iren, die im Freistaat Irland, etwa so groß wie Bayern, wohnen (der unruhige Norden der »grünen Insel« gehört zu Großbritannien), sind strenggläubige, fromme Katholiken. Sie sprechen Englisch.

Als Pferdezüchter und Biertrinker (Guiness und Stout, beides dunkle Starkbiere) genießen sie verständlichen Ruhm. In Irland darf man getrost einen über den Durst trinken, in den Pubs wird gesungen und gelacht. Der Whisky, der sich mit »e« schreibt, wird pur oder mit Quellwasser getrunken.

Iren haben Zeit – zu einem Trunk, für ein Gespräch. Der Fremde kommt als Gast ins Land, nicht als Tourist. Nepp gibt es nicht, und auch nicht das Schild »Betreten verboten«. Das Pferd des wieder zu Ehren gekommenen Zigeunerwagens darf ausgespannt werden, wo immer Sie gerade sind.

Iren schätzen ein herzhaftes Steak, sie gelten als das besternährte Volk der Welt. Schinken, Spiegeleier, Schweinswürstchen, Pflaumenkompott, Corn-flakes, Toast, Butter, Konfitüre: was immer das Herz begehrt, das Steak eingeschlossen, kommt schon morgens auf den Tisch. Frühstückstische sind hier stabil gebaut.

Italien

(siehe auch unter: Auslandsreisen)

Italien ist und bleibt, trotz aller Streiks und Überraschungen, das beliebteste Reiseziel deutscher Touristen – und kommt damit nach Österreich. Der traditionelle Drang nach Süden, der Sonne entgegen, konfrontiert alljährlich Millionen Bundesdeutsche mit den Einheimischen, die an den Zugereisten gemeinhin zwei schwerwiegende Fehler entdecken: Deutsche, so sagen Italiener, sind kleinlich und rechthaberisch.

In der Pose des »Herrenmenschen« schafft man sich in Italien (mit seinen 53 Millionen Einwohnern) keine Freunde. Auch nicht durch Schimpferei. Mit Auftrumpfen und Aufbrausen erreicht man das Gegenteil und fordert bloß passiven Widerstand heraus. Barscher Tonfall wird jenseits der Alpen nur ungern gehört. Lächeln und freundlich sein, das schätzen Italiener. Wie mache ich, wie hinterlasse ich einen guten Eindruck, diese Überlegung beschäftigt sie.

Von Titeln wird rege Gebrauch gemacht: dottore (Doktor bis Beamter oder Journalist), professore (Fahrlehrer bis Professor), maestro (Lehrer bis Komponist) unterstreichen die Wertschätzung (und überbrücken die Augenblicke, in denen der Name nicht geläufig ist).

Auf Eleganz und Formen wird Wert gelegt. Kurze Hosen in der Stadt (oder gottbehüte in der Kirche) erregen Befremden. Schon in der Bar am Strand zieht man sich etwas über. Strandkleidung ist für den Strand da, basta. Es verstößt auch gegen das Formgefühl, wenn Touristen die Füße in öffentlichen Brunnen baden. Solchen Lapsus gesteht man allenfalls kleinen Kindern zu.

Die dürfen nämlich alles. Kinder werden in diesem kinderfreundlichen Land als Persönlichkeiten behandelt, die auf Verständnis und Nachsicht hoffen dürfen. Die Kleinen, oder die kleinen Tyrannen, wie man will, bestimmen den Lebensrhythmus der Familien und den Lärmpegel von Straßen und Stränden. Wehe dem, der dagegen rebelliert!

Wer Italiener freundlich stimmen will, braucht sich nur den Kindern freundlich zu erweisen – ein Lächeln für den Anfang genügt. Geschenke für die Sprößlinge werden bei einer Einladung immer gern gesehen. Schenken überhaupt spielt eine wichtige Rolle im Leben, im Beruf, bei den Beziehungen.

Italiener sind recht gastfreundlich, sie speisen gern zu Hause in Gesellschaft, das Verhältnis zu Freunden und zur Nachbarschaft ist intakt und entsprechend lebhaft. Der (selbstverständliche) Blumenstrauß bei einer Einladung wird in der durchsichtigen Verpackung überreicht.

Das Gespräch plätschert an der Oberfläche dahin; keinem Gastgeber würde es im Traum einfallen, seine privaten Probleme zu offenbaren, und Probleme haben sie ja alle. Aber Italiener sind Meister im »arrangiarsi«, in der Kunst, sich durchzuwursteln. Irgendwie werden sie mit den wirtschaftlichen Schwierigkeiten ihres Landes und mit ihren familiären Problemen schon fertig. Andererseits sparen Italiener im Gespräch nicht mit Ratschlägen und Empfehlungen – und die können bei Behörden wichtig sein. Oder bei der Wahl der Lokale.

172

In der Trattoria ißt man billiger als im Ristorante. Spaghetti und andere Teigwaren gelten als eine Art Vorspeise. Salat wird oft vom Gast selbst zubereitet. Bei Fischen und »Früchten des Meeres« geht die Rechnung schnell in die Höhe. Außerdem wird fast immer ein Betrag für »pane e coperto«, für Brot und Gedeck ausgewiesen (was dem französischen »couvert« entspricht). Brot gibt es dafür in unbegrenzter Menge umsonst. Das Trinkgeld sollte 10-15 Prozent des Preises betragen. Der anschließende Kaffee wird meist in der »Bar« genommen, die unserem Café entspricht. Im Stehen ist es billiger.

Trinkgelder werden, besonders von Touristen, überall erwartet. Taxifahrer runden selbst die Summe auf oder geben nur das zurück, was ihrer Meinung nach angemessen ist, daran muß man sich ohne Zeterei gewöhnen. Bei Schwarz-Taxis empfiehlt es sich unbedingt, vorher den Preis zu vereinbaren – eine der seltenen Gelegenheiten, nach Kräften zu feilschen. Die meisten Preise sind (von offenen Märkten abgesehen) festgelegt.

Allerorten ist spürbar, wie sich die fußball- und motorsportbegeisterten Italiener, die schnell, aber eben auch reaktionsschnell fahren, dem übrigen Europa angleichen. Die Unabhängigkeit der Jugend wächst und mit ihr die Ratlosigkeit der Eltern. Das Papagalli-Problem reduziert sich in dem Maße, in dem Italiens Jugend selbst zueinander findet.

Alleinstehenden Touristinnen steht selbstverständlich jedes Restaurant offen. Über Annäherungsversuche auf der Straße sollten sie sich ohne jedes Wort der Diskussion hinwegsetzen; jeder Versuch einer ablehnenden Erklärung ist schon zuviel! Vor öffentlichen Bussen sollten sie sich hüten . . .

Das Nord-Süd-Gefälle (keine italienische Eigenheit, hier aber besonders kraß ausgeprägt) äußert sich nicht nur in zunehmender Hitze und Armut, sondern auch in der wachsenden Intaktheit von Familie, Religion und damit auch von scheinbar überholten Moralbegriffen.

Jener Richter in Ragusa auf Sizilien allerdings, der noch 1972 Touristinnen wegen Tragens von Hot pants oder »Entblößung des linken Oberschenkels« zu Geldstrafen verurteilte, wird selbst von der italienischen Öffentlichkeit als das empfunden, was er heute wahrhaftig ist: als Kuriosum. Mit dem man freilich rechnen muß.

Jubiläen

(siehe auch unter: Hochzeitsjubiläen)

Langjährige Zugehörigkeit und damit Treue zu ein und demselben Betrieb kann, muß aber nicht immer ein Verdienst und eine Leistung sein. Bodenständigkeit ist in einer mobilen Gesellschaft selten geworden, und die Einstellung zur anhänglichen Pflichterfüllung dem Arbeitgeber gegenüber hat sich in dem Maße gewandelt als die Arbeit (mit ihrem Arbeitsethos) zum nüchtern betrachteten, auswechselbaren Job wurde – ein Wandel, der ja durchaus dem System unserer Leistungsgesellschaft entspricht.

Bei Firmen ohne ausgeprägte Tradition und unter jüngeren Mitarbeitern ist heute schon das 10jährige Jubiläum ein Anlaß, rückschauend innezuhalten. Anlaß zum Feiern ist aber meistens erst das 25jährige Jubiläum. Mögliche Steigerungen: das 40jährige und das ganz seltene 50jährige.

Personalabteilung und Betriebsrat wachen darüber, daß kein Jubiläum in der Firma übersehen wird. Schließlich gibt es vom 25jährigen an meistens eine steuerfreie Prämie, von Urkunde und Anstecknadel ganz abgesehen.

Wie die Jubiläen begangen werden, das hängt von den einzelnen Firmen und ihrem Betriebsklima ab; auch ihre Größe spielt eine Rolle. In manchen bedeutenden Industrieunternehmen werden alle Jubilare eines Jahres in einer gemeinsamen Feier in größerem Rahmen geehrt. Erfahrung hat nämlich gezeigt, daß der Betriebsablauf doch gehörig gestört werden kann, wenn jedes Jubiläum einzeln begangen wird (was sich kleinere Firmen, wo Jubiläen seltener sind, durchaus erlauben können). In jeder Firma bildet sich mit der Zeit eine Art Stil heraus, wie und wann, in welchem Umfang und welchem Kreis Jubiläen begangen werden.

Am Tage des Jubiläums steht selbstverständlich der Jubilar im Mittelpunkt. Seine Vorgesetzten im Werk oder im Büro kommen zu ihm an den Arbeitsplatz (er hat ja außerdem arbeitsfrei). Die Kollegen haben für ein Geschenk zusammengelegt (hoffentlich ist der Jubilar beliebt); die Höhe des Betrages sollte dabei jedem einzelnen selbst überlassen sein, interner Terror, das verhaßte »Muß«, ist unbedingt zu vermeiden.

Mit einer kleinen Feier wird der Jubilar geehrt. Vorgesetzter und Betriebsrat würdigen in Ansprachen Wirken und Person des Jubilars (was ja nicht unbedingt zu einer allseits still belächelten Lobhudelei geraten muß). Dann gibt es Sekt oder Bier, eine kalte Platte oder eine Brotzeit. Betriebsräte glauben übrigens feststellen zu können, daß Spaß und Anteilnahme an derlei internen kleinen Festlichkeiten in unserer Überflußgesellschaft spürbar nachgelassen haben.

Jubilare in leitender Stellung geben selbst einen Empfang. Solche Empfänge finden meist zwischen 11 und 13 Uhr statt.

Jugoslawien

(siehe auch unter: Auslandsreisen)

Jugo heißt Süd, Jugoslawien also Südslawien. Die Geschichte der 20 Millionen Slowenen, Serben, Kroaten, Mazedonier, Montenegriner und Bosnier, die sich nach dem Zweiten Weltkrieg in einem Staat zusammenfanden, der etwas größer ist als die Bundesrepublik, bleibt für den Touristen kompliziert und unübersichtlich. Schwer, für diesen Vielvölkerstaat verbindliche Formeln zu finden – um so leichter freilich, in eines der vielen Fettnäpfchen zu treten. Klippen gibt es genug. Aus dieser Problematik sollte sich jeder Tourist heraushalten.

Allerdings wissen Jugoslawen solche naheliegenden Schwierigkeiten mit spontaner Herzlichkeit zu überspielen. Von deutschen Touristen wird nichts weiter als Taktgefühl erwartet, vor allem im Hinblick auf den letzten Krieg. Die Hilfsbereitschaft ist groß – man wird nie vergeblich um Hilfe bitten. Wer Jugoslawen näher kennenlernt, spürt auch die herzliche Gastfreundschaft, zu der sie fähig sind und die schon ins Griechisch-Orientalische weist.

Auch ihre Küche ist ja eine Mischung aus Orient und Okzident. Sie liebt das Scharfe und Gewürzte, mit Lamm und Hammel als bevorzugten Fleischsorten. Die Mehlspeisen im Norden erinnern an die Österreicher, der Kaffee nach türkischer Art – und die Moscheen im Süden – an die lange Anwesenheit der Türken. 13 Prozent der Bevölkerung sind mohammedanisch.

Auf Märkten kann gehandelt werden, in Hotels und Geschäften nicht. Da das Serbokroatische schwer erlernbar und ebenso schwer zu sprechen ist, bleibt oft nur die Zeichensprache. Allerdings wird deutsch und italienisch von älteren Jugoslawen verstanden, vor allem in Slowenien und an der Küste.

Kaffee

Heiß *muß* er sein, stark *soll* er sein – dieser Wunsch verbindet Franzosen und Deutsche, Italiener und Österreicher. Kaffee ist in Deutschland, so ein Umfrageergebnis, der heiße Favorit unter den Getränken. Von morgens bis Mitternacht.

Kaffee wird nicht geschlürft, Kaffee wird lautlos, schluckweise getrunken. Der kleine Löffel wird nur kurz benutzt und dann auf die Untertasse zurückgelegt.

Jeder passionierte Kaffeetrinker findet mit der Zeit zu seiner bevorzugten Zubereitungsart einschließlich der kleinen Raffinessen, der Prise Salz oder der Spur Kakao. Bei Gästen sollte man fragen, vorsichtshalber, vielleicht ist ihnen koffeinfreier lieber. Außerdem stehen Süßstofftabletten und ein Kännchen Wasser zum Verdünnen bereit.

Ein gutes Essen soll mit einem Mokka schließen, heißt es. Natürlich tut es eine gute Tassee Kaffee auch. Mokka nach türkischer Art wird in einem kleinen Kupfertöpfchen mit langem Stiel zubereitet: Zucker, Wasser und Kaffee (es muß schon eine teure Sorte sein) werden zusammen aufgekocht, dreimal hintereinander. Mokka verlangt nach einem Täßchen, denn die Portion ist klein. Mokka wird auf einem Tablett serviert, dazu Schnaps oder Likör. Das Täßchen samt Untertasse wird in der Hand gehalten.

Kaltes Büffet

»Bei der heißen Schlacht am kalten Büffet, da zählt der Mann noch als Mann«, höhnte ein deutscher Liedersänger in einem vielgespielten Song – und er hat recht damit, leider.

Die Urangst des Menschen, zu kurz zu kommen und nicht genug zu kriegen, bricht am vollen Tisch und vor gefüllten Schüsseln neuerlich und zuweilen so elementar hervor, daß angesichts von Hummer und Languste, von Kalbsbrust und getrüffelter Wildpastete selbst Leute der sogenannten guten Gesellschaft ihre sogenannte Kinderstube vergessen. Sich am kalten Büffet die besten Happen zu ergattern, gilt offenbar als Erfolgserlebnis besonderer Art. Es kostet ja nichts.

Wenn das Büffet »eröffnet« wird – meistens wird der Hausherr oder der Gastgeber ein einladendes Wort sagen –

setzt der Ansturm ein. Hoffentlich gehören Sie nicht zu denen, die in einem solchen Augenblick ihren Gesprächspartner auf der Stelle stehenlassen, auf dem Absatz kehrtmachen und zu den Tellern eilen!

Gedrängel an dem weißbedeckten Tisch ist hinderlich für alle, und die Geduld des Schlangestehens dem Appetit nur förderlich. Es nutzt nichts, man muß sich schon in die Reihe stellen – rechts sind nämlich die Teller gestapelt, und die Speisen sind von rechts nach links aufgebaut.

Wenn Sie ein paar Freunde bei sich zu Gast haben, kann sich der Aufwand auf ein paar Salate, auf Kleinigkeiten aus der Büchse oder auf Käse beschränken. Der Begriff »Kaltes Büffet« ist erheblich dehnbar – bis zum opulenten Gastmahl mit Vorspeisen, Salaten, Braten, Käse, Obst, Süßspeisen – bis zur Schlemmerschlacht.

Man legt sich selbstverständlich, während man langsam an dem Tisch entlanggeht, nur das auf den Teller, was zusammenpaßt; dafür holt man sich zwei-, drei-, viermal nach. Am linken Ende des Tisches gibt es das Besteck, Servietten und Getränke.

Kaltes Büffet heißt: Selbstbedienung. Der Frau oder Freundin vorab einen gefüllten Teller anzudienen, ist ein Akt männlicher Aufmerksamkeit. Wenn die Auswahl reichlich und besonders appetitlich ist, sollte sich allerdings jeder selbst an die Tafel bemühen. Ein aufmerksamer Gastgeber wird ältere und gebrechliche Gäste nach Möglichkeit der Mühe des Anstehens entheben und dafür sorgen, daß sie ihren Teller bekommen.

Gegessen wird zwanglos im Stehen oder im Sitzen. Aber auch im Stehen braucht der Mensch ein wenig Platz. Jeder sollte wenigstens ein Plätzchen zum Abstellen des Glases finden – es gibt ja kaum eine dümmere Situation, als sich, mit beiden Händen Glas und Teller jonglierend, in ein Gespräch verwickelt zu sehen. Dann ist weder an Essen noch an Trinken zu denken.

Das gebrauchte Geschirr und die benutzten Servietten sollte man nicht irgendwo im Raum abstellen – das trägt zur Ästhetik nicht gerade bei. Am besten ist wohl, man bringt sie zur Tafel zurück.

Wer das kalte Büffet selbst anrichtet, hat – kein Zweifel – Arbeit damit. (Er erspart sich freilich die Qual mit der festzulegenden Tischordnung bei einem Essen.) Müheloser, allerdings auch teurer, ist es, eine Stadtküche oder ein Feinkostgeschäft

damit zu beauftragen, die auf Wunsch auch Geschirr und Bestecke mitbringen und fachkundiges Personal stellen. Die Entscheidung für die eine oder andere Lösung wird vom Anlaß und
der Bedeutung der Einladung abhängen – und, natürlich, vom
Geldbeutel.

Kaviar

»Es muß nicht immer Kaviar sein«: mit diesem zugkräfti-
gen Titel tröstete einst ein ungemein erfolgreicher Romanautor
alle Normalverbraucher hienieden. In der Tat: Der Genuß von
Kaviar gehört für jeden, wenn er nicht gerade Millionär ist, zu
den seltenen Augenblicken, die gewissermaßen in Zeitlupe
ausgekostet sein wollen. Ein Hauch von Luxus weht uns an.

Hier das kleine Kaviar-Abc. Echter Kaviar ist Rogen vom
Stör und kommt aus Rußland. Die teuerste Sorte heißt Be-
luga-Kaviar (Beluga ist eine Stör-Art, auf deutsch heißt sie
Hausen). Es gibt dunkelgrauen Kaviar und (billigeren) roten
Keta-Kaviar. »Malossol« bedeutet mild gesalzen. Deutscher
Kavier stammt vom Seehasen.

Der Kaviar wird vorsichtig (damit auch ja kein Körnchen
platzt) aus der Verpackung in eine kleine gekühlte Schale gefüllt, die in einer großen Schale mit Eis serviert wird. Kaviar
kann mit dem Löffel gegessen werden; wer Sinn für Steigerungen hat, nimm einen Hornlöffel. Auch das richtige Kaviarmesser hat eine stumpfe Hornklinge.

Man kann sich den Kaviar natürlich auch vorsichtig mit dem
Kaviarmesser auf das mit Butter bestrichene, warme Toastbrot
streichen – und zwar dick. Er wird dann noch mit Zitrone be-
träufelt, das Brot wird aus der Hand gegessen.

Kenner sagen allerdings, daß Stör-Kaviar ohne Zitrone,
also ganz unverfälscht, am besten schmeckt. Andere glauben,
darauf nicht verzichten zu können.

Kaviar mit Pellkartoffeln hört sich nach Witz an, ist aber
keiner. Die Kartoffel wird zusammen mit kalter Sahne und kaltem Kaviar ausgelöffelt. Wenn Ihnen das allzu snobistisch vorkommt, halten Sie sich an das Bismarck-Wort: »Wenn Hering
so teuer wie Kaviar wäre, würde tout le monde Hering speisen.« Der Kanzler aß eben gern Heringssalat . . .

Kindergesellschaft

Vorfreude ist bekanntlich die schönste Freude, und den Spaß, die Einladungen zur Kindergesellschaft (meistens wird es ja ein Geburtstag sein) selbst zu schreiben und zu bemalen, sollte sich keine Mutter und kein Kind entgehen lassen.

Es versteht sich, daß die eingeladenen Freundinnen und Freunde möglichst einer gemeinsamen Altersklasse angehören, die gleiche Interessen hat (Vorschulalter, 6–9 Jahre, 9–12 Jahre). In der Wohnung beschränkt sich die Zahl auf sechs bis acht Kinder; im Sommer können, ein Stückchen Garten vorausgesetzt, auch mehr Kinder ihren Spaß haben.

Zum Geburtstag gibt es Geschenke. Also muß jeder etwas mitbringen. Bei Kleineren, die noch keinen geschärften Sinn für Geld haben, besorgt die Mutter das Geschenk und achtet darauf, daß es nicht unangemessen teuer ist. Ältere, die mit eigenem Taschengeld leben, werden schon selbst die Grenzen erkennen, die nicht überschritten werden dürfen. Keine Angeberei mit Geschenken!

Im Mittelpunkt einer Kindergesellschaft – normale Zeit: nachmittags ab 15 Uhr – stehen die Spiele. Die Mutter des gastgebenden Kindes hat sich natürlich schon vorher darüber Gedanken gemacht, sie hat ja auch den – möglichst bunten – Tisch mit kleinen Überraschungen gedeckt.

Wem trotz intensiver Versuche, sich an die Spiele der eigenen Jugend zu erinnern, nichts Rechtes einfallen will, der spricht am besten mit der Kindergärtnerin oder kauft sich eines der kleinen Bücher mit Ratschlägen für spannende Unterhaltung, vom Sackhüpfen und Kartoffelrennen bis zum Wörterbilden. Sind Preise zu gewinnen, beispielsweise beim Zeichnen mit Filzschreibern, dann sollte es mit ein klein wenig Regie gelingen, daß alle Kinder mit einer Trophäe nach Hause ziehen.

Auch die hübsch zurechtgemachte Tafel gehört zum festen Bestandteil einer zünftigen Kindergesellschaft. Leichter Sandkuchen, Hefe- oder Obstkuchen eignet sich besser als schwere Torte und Schlagsahne. Belegte Brote oder Brötchen finden allerdings oft größeren Zuspruch als Kuchen. Außerdem kommen kühle Milchmischgetränke, Kakao, Milch oder Milchkaffee auf den Tisch. Bei Sprudelgetränken und größeren Eismengen kann ein Kindermagen schon mal revoltieren.

Rücksichtnahme auf die Kleidung ist ein alter Hut – gerade bei Kindern. Bloß nicht »feinmachen«, sondern leicht Waschbares anziehen! Becher sind bei einer Kindergesellschaft besser als Gläser, farbige Papiertücher auf dem Tisch einladender als empfindliche Decken. Flecken sind nicht zu vermeiden, und es darf auch mal etwas kaputtgehen ...

Abends, zu verabredeter Zeit, werden die Kinder abgeholt. Erfahrungsgemäß eine Gelegenheit für die Eltern, sich bei einem Gläschen kennenzulernen oder miteinander zu reden.

Kirchen und Gotteshäuser

Besucher, vor allem Touristen, sehen in den sakralen Bauwerken oft nur noch die Kunstschätze, denen sie sich interessiert, filmend und parlierend wie jedem anderen Sight-seeing-Objekt nähern – ohne daran zu denken, daß Kirchen und Tempel für Gläubige Stätten der inneren Sammlung sind. Zurückhaltung im Auftreten und in der Lautstärke sind deshalb unbedingt angebracht, jede übertriebene Neugier fehl am Platze.

In Ländern mit ausgeprägter Religiosität und Frömmigkeit wird beim Kirchenbesuch auf Kleidung Wert gelegt, die der Würde des Gotteshauses angemessen ist. Das gilt besonders für Touristen und bedeutet: Verzicht auf allzu Sommerlich-Luftiges, auf Shorts und Schulterfreies, nicht hingegen auf die Kopfbedeckung bei Frauen (Kopftuch).

In evangelischen und katholischen Kirchen entblößen Männer den Kopf, in der Synagoge wird er bedeckt, so verlangt es die Thora von Männern und Frauen. Vor dem Betreten von islamischen Moscheen und fernöstlichen Tempeln werden die Schuhe ausgezogen.

Kleidung und Mode

Der »Hosenkrieg von Kiel« ging Ende 1972 durch die Presse. Eine Sekretärin war fristlos entlassen worden, weil sie, entgegen einer Anweisung der Geschäftsleitung, im Büro Hosen getragen hatte. Sie gewann vor dem Arbeitsgericht.

Büros: kein Laufsteg der Mode

Seitdem ist der Hosenanzug im Büro aktenkundig. Und einmal mehr war erwiesen, daß Büroetagen keineswegs mit einem Laufsteg der Mode verwechselt werden dürfen. Die Kombination aus Rock und Bluse, das praktische, weil knitterfreie Jerseykleid: sie gelten nach wie vor als die typische Bürokleidung für Frauen, die viel im Sitzen arbeiten.

Modische Gewagtheit? »Je mehr ein Mädchen kann, desto kürzer darf der Rock sein«, meinte die Firmenleitung eines führenden Fernsehherstellers unmißverständlich. Längst weiß man ja, daß es zwischen den einzelnen Branchen eine Art Mode-Gefälle gibt. Von der chemischen Industrie heißt es, daß sie den Errungenschaften der letzten Saisons am aufgeschlossensten gegenüberstehe – was niemand wundern wird, sie will schließlich ihre Chemiefasern verkaufen.

Die Automobilindustrie gibt sich verhalten modisch, und die Banken legen Wert auf Seriosität. »Sie sehen entzückend aus«, wurde einer Mitarbeiterin in »heißen Höschen« bedeutet, »aber denken Sie an die Kunden, die uns ihr Geld anvertrauen«. Banken hängen am Althergebrachten. Wer in ein Unternehmen als neuer Mitarbeiter eintritt, sollte sich mit einem Seitenblick über die modischen Gepflogenheiten orientieren.

Zwar gibt es keine regelrechten Bekleidungsvorschriften in der deutschen Wirtschaft. Desto spürbarer ist aber das Diktat der zumeist auf korrekte, unauffällige, »ordentliche« Kleidung erpichten Vorgesetzten. Die Krawatte zum Anzug ist fast überall erwünscht, wenn nicht gar ungeschriebenes Gesetz (Sie wissen ja, die Kundschaft!). Wer vorwärtskommen will, hält sich an solche Regeln. Bloß nicht unangenehm auffallen! Oder?

Immer richtig angezogen

Von dem sanften Druck am Arbeitsplatz abgesehen, haben sich Menschen noch nie so frei und bunt, so lustig, luftig und leicht kleiden können wie wir heute, Frauen wie Männer. Frauen werden mit dieser Vielfalt des Angebots freilich eher fertig als Männer (die sich deshalb ihre Sachen auch gern von Frauen kaufen lassen).

Frauen wissen, was sie brauchen und was ihnen steht. Sie haben (meist) einen Blick dafür, ob sie ein Kleidertyp oder ein Hosentyp sind. Wissen, wie sie Röcke oder Hosen mit Pullovern zu immer neuen Ensembles zusammenstellen können. Und demonstrieren, was sich mit dem »Kleinen Schwarzen« alles machen läßt, mal mit Schmuck und mal mit Schal, mal mit Gürtel oder Bolero. Daß ein Kleiderschrank voll ist, besagt noch nicht viel. Mehr wert ist der halbgefüllte, in dem nur Sachen hängen, die farbig zueinander passen. Das heißt allerdings: mit Bedacht kaufen – und nicht irgendeiner modischen Laune folgen!

Von soviel Farbe animiert, befreit sich auch der Mann allmählich von der Uniform des grauen Einreihers. Kleidung wird als Statussymbol entdeckt, hat (laut Umfrage bei deutschen Männern) inzwischen den höchsten Sozialprestigewert. Mit der Farbigkeit von Anzug und Beiwerk läßt sich zwar jede Stimmung von Dur bis Moll erreichen – doch vorsichtig: Farben sind gefährlich und können sich beißen. Wer heute zur Krawatte greift, sollte lieber einmal mehr in den Spiegel schauen. Die Herren vom Fernsehen haben schließlich, im Gegensatz zu uns, ihre modischen Berater . . .

Freiheit in der Kleidung, zumindest Lockerung der einst recht starren Kleiderordnung, bedeutet noch längst nicht, daß man im Sportjackett zum Opernball gehen kann oder im Abendkleid auf den Rennplatz. Auch daran, daß Riemensandalen nicht zum korrekten Anzug mit Krawatte passen, hat sich bis heute nichts geändert. Die Art der zu wählenden Kleidung – legerer Freizeit-Dreß, korrekte Tageskleidung, stilvolle Abendgarderobe – hängt immer vom Ort und von der Tageszeit und der Gelegenheit ab.

Einen Anzug, der ungefähr dem jeweiligen Zeitgeschmack entspricht, braucht der Mann auf jeden Fall: für den Beruf und zum Ausgehen, für Besuche und den Spaziergang. Mit zwei Anzügen kann er sogar schon differenzieren: den helleren für den Tag und Sommer, den dunkleren für den Abend, für die winterliche Jahreszeit, für betrüblichere (Beerdigung) und offiziellere Anlässe (Jubiläum). Wenn er außerdem noch ein Sportjackett und dazu zwei Hosen besitzt, ist er, zumindest äußerlich, allen Lebenslagen gewachsen.

Auch für das Theater, selbst für eine Einladung mit Hinweis auf den »Dunklen Anzug«, kann notfalls ein Anzug in gedeckter Farbe genügen. Wer gesellschaftliche Verpflichtungen hat, wird allerdings auf die Dauer um den Smoking nicht herumkommen, denn er gehört nun einmal zum Abendkleid. Und eine ästhetische Regel, die immer noch in Kraft ist, besagt, daß Mann und Frau sich ihrer Kleidung aufeinander abstimmen müssen. Das gilt nicht nur für den Abend. Doch die Vorstellung, daß ein Mann im grauen Büroanzug neben seiner Frau im Abendkleid einherschreitet, tut jedem weh, der ein bißchen Stilgefühl hat.

Zum Smoking paßt natürlich nicht bloß ein Abendkleid. Ein eleganter Hosenanzug aus Samt oder Seide ist heute genauso korrekt. Wenn es bei einer Einladung Probleme mit der Kleidung geben sollte, irgendwelche Unsicherheiten, dann ruft man einfach beim Gastgeber an. Eine Party im Garten, um ein Beispiel zu nennen, kann elegant, kann aber auch leger sein. Beides, Hosenanzug und Blue jeans, kann stimmen. Deshalb: lieber anrufen.

Denn in der freien Zeit, vor allem über das Wochenende, bevorzugt man heute die bequemere Kleidung, ohne Krawatte, mit offenem Kragen oder Pullover. Auch wenn man Besuche macht. Das Wort vom »Sonntagsstaat« ist zwar noch nicht ausgestorben, und ältere Menschen tragen ihn beim Kirchgang und beim Gang ins Wahllokal. Doch der Jugend geht es gegen den Strich, »sich feinzumachen«. Was keineswegs bedeuten muß, daß man sich nicht attraktiv anzuziehen und herauszuputzen versteht.

Kleidung als Protest

Die langen Haare der Beatles und der Minirock der Mary Quant sind der sichtbarste Ausdruck der Jugendrevolte der 60er Jahre geblieben. Von keinem Jugendlichen kann man erwarten, daß er gegen den Strom schwimmt und sich gegen Modetendenzen stellt, schon gar nicht gegen solche, die streckenweise mit dem Zeitgeist identisch scheinen. Das würde schon einer in sich gefestigten Persönlichkeit, die ohne das Gruppenerlebnis auskommen kann, schwerfallen. Jugendlichen ist das einfach unmöglich – was Eltern bei einigem Verständnis einsehen müßten.

Vorschlag zur Güte: Laßt die Kinder doch herumlaufen, wie sie wollen und wie es ihnen Spaß macht! Die Provokation in engen Jeans (»Da flippen die Leute so schön aus«), der Versuch sich in der Kleidung auszudrücken und darzustellen – diese ganze modische Protesthaltung wäre doch nur halb so »dufte« und interessant, wenn sich nicht Eltern und Erwachsene bis zur Weißglut darüber erregten und auch noch die Nachbarn und »Leute« als Kronzeugen anführten! Vergessen wir nicht: die Jahre der Jugend sind ohnehin kurz genug ...

Knoblauch

Knofel, ein Liliengewächs übrigens, ist nicht mehr verfemt in Deutschlands Küchen, seit es in jedem Städtchen einen Balkan-Grill gibt. Je internationaler unsere Eßgewohnheiten werden, desto mehr schwindet der tiefsitzende deutsche Abscheu vor Knoblauch. Die Knoblauchzehen, denen auch Heilwirkung nachgesagt wird, fehlen in keiner guten Küche, und jeder Koch weiß, daß bestimmte Speisen nach – zartem – Knoblauchgeschmack geradezu verlangen.

Wer Knoblauch gegessen hat, riecht leider danach. In einer Runde, die gemeinsam geschmaust hat, spürt das keiner – nur jemand, der unversehens hineingerät. Umgekehrt sollte niemand, der eingeladen ist, vorher ausgiebig Knoblauchgewürztes zu sich nehmen – soviel Rücksichtnahme auf andere Gäste darf ein Gastgeber in unseren Breitengraden erwarten.

Milderung des Geruchs bewirken, wie man seit Urzeiten weiß, Milch, rohe Petersilie oder Gewürznelken. Mancher Gourmet schwört auf das Zerkauen von Kaffeebohnen. Wacholderbeeren – auch sie werden empfohlen – hat ja nicht jeder gleich zur Hand. Eher schon einen Wodka.

Körperpflege und Kosmetik

Etwa 30 Prozent aller erwachsenen Bundesbürger putzen sich morgens selten oder nie die Zähne. Diese Feststellung könnte uns ziemlich gleichgültig sein, wenn besagte 30 Prozent still und zurückgezogen als Einsiedler in ihrer Höhle lebten.

Aber das tun sie ja nicht. Wir sitzen und stehen nebeneinander, dicht bei dicht, in den Zügen, im Warenhaus, im Büro. Hygiene und Sauberkeit sind nun einmal keine Privatsache, die jeder mit sich selbst abmachen kann. Wir geben uns die Hand, wir sprechen miteinander.

Und spätestens in diesem Augenblick merkt man, ob der andere zu jenen 30 Prozent gehört, die sich nicht die Zähne putzen. Manch einer, nicht jeder versteht den versteckten Hinweis seines Gegenüber: »Nehmen Sie ein Vivil?«

Aber das ist ja schon das Äußerste, was wir uns als gegenseitige Kritik zumuten. Manchmal wäre mehr Ehrlichkeit durchaus angebracht, und Freunde oder Freundinnen sollten solch offenes Wort im Gespräch nicht scheuen, auch wenn es im Augenblick peinlich scheint. Der Mensch merkt ja nichts oder jedenfalls wenig von seinem Geruch. Man muß es ihm beibringen, schonend, gewiß. Mitesser, nicht ganz saubere Ohren oder Haarschuppen sollten kein Tabu mehr sein in einer Zeit, in der auf der Leinwand Dinge geschehen, die unsere Großeltern kaum zu träumen wagten.

Unsere zivilisierten Nasen reagieren auf intensiven Körper- und Schweißgeruch – naserümpfend. Den Gebrauch von Sprays oder Deodorants empfehlen, vor allem gegen Achselnässe, heißt deswegen noch längst nicht einem neurotischen Reinlichkeitstick verfallen. Andererseits sollte die erfreuliche Tatsache, daß man den Wohlgeruch im Spraydöschen bequem bei sich tragen kann, nicht dazu verführen, Duftwolken um sich zu versprühen, wo immer man gerade sitzt oder steht, im Bahnabteil oder an der Schreibmaschine. Wer glaubt, Spray benützen zu müssen, geht auf die Toilette.

Billiger als der übermäßige Konsum von Antitranspirant, Fuß- und Beinlotion oder gar Raucherzahnpasta kommt freilich eine halbwegs gesunde Lebensführung. Der Körper braucht nicht nur schnellen Wäschewechsel, sondern Luft, Bewegung und richtige Ernährung. Die Haut muß atmen können und richtig durchblutet sein. Die Dusche morgens und abends, die kalte vor allem, kann Wunder wirken. Man duscht dreimal, abwechselnd eine Minute heiß, zehn Sekunden kalt.

Der Kampf um längere Haare

Das Interesse der Mitmenschen an sauberen Ohren, gereinigten Fingernägeln und intakten Zähnen schrumpft freilich zu einem Nichts zusammen, mißt man es an dem zornigen Engagement, zu dem sie sich versteigen, wenn es um längere Haare bei der männlichen Jugend geht.

Was sich wegen lumpiger fünf, zehn, soll sein fünfzehn Zentimeter zusätzlicher Haarlänge an Tragödien abgespielt hat, Mord, Selbstmord, Entlassung, erinnert an die finstersten Zeiten der Hexenverfolgung. Die aufgeplusterte Haartracht wurde zum Symbol der jugendlichen Rebellion gegen den herkömmlichen bürgerlichen Lebensstil schlechthin. Und so hat es die Generation der Eltern auch aufgefaßt.

Natürlich, ungepflegtes, fettiges langes Haar sieht einfach unappetitlich aus und ruft zwangsläufig Vorstellungen von Ungeziefer hervor. Deshalb sollten alle Jungen, die in der Reinlichkeitsverweigerung nicht eine besondere Pointe ihres Protestes sehen, darauf achten, das das Haar gewaschen wird, wenn es not tut. Die Eltern ihrerseits dürfen darüber nachdenken, wie es kommt, daß sie die Haartracht bei Fußballhelden, Rennfahrern und Filmidolen ohne weiteres akzeptieren.

Schminke als Konfliktstoff

Wie bei den Söhnen das Haar, wird bei den Töchtern die Schminke zum Konfliktstoff. Denn Väter, besonders sie, haben aus sehr durchsichtigen Gründen (Ich kenne die Männer!) etwas dagegen, daß sich ihre vierzehn- oder fünfzehnjährigen Töchter hingebungsvoll mit Lippenrot und »Transparent-Teint« beschäftigen. Dann gibt's Krach und Tränen.

Keine Macht der Welt, schon gar nicht die Eltern, werden Mädchen in diesem Alter davon abhalten können, in die Schminktöpfe zu greifen, wie es in ihrer Clique oder Klasse gerade »in« ist. Töchter, die zu Hause ihre Ruhe haben wollen, schminken sich erst irgendwo unterwegs und kommen abgeschminkt wieder heim. In der Hoffnung, daß sich die Eltern irgendwann daran gewöhnen, daß sich ihr Kind erwachsen fühlt.

Make-up ist für die Jugend selbstverständlich, ohne jeden Anflug von Sünde und Unmoral. Deshalb lautstarke Generationskonflikte auszufechten, wäre Zeit- und Kraftvergeudung. Ein Rat an die Väter: Töchter brauchen das Schmink-Vergnügen als Selbstbestätigung und für das Gruppenerlebnis.

Vielleicht werden nicht nur die Eltern, sondern auch die Töchter mit der Zeit klüger. Und beginnen zu begreifen, daß sie, die sich doch sonst so kritisch geben, mit ihrer allzu willigen Pinselei der Werbung ganz schön aufsitzen. Vielleicht fangen sie dann an, sich ernsthaft zu informieren. Und stellen am eigenen Leibe fest, was statt dessen Ernährung und Lebensführung für ihre Haut bedeuten.

Kosmetik – nicht nur für Frauen

Das Make-up gehört zur Frau von heute, abends in der Oper oder auf der Bowlingbahn genauso wie tagsüber im Büro, am Fließband oder im Saal der Nähmaschinen. Ob es immer dem Typ entspricht und gekonnt aufgetragen wird, ist eine andere Frage. Die (kostenlose) Beratung durch eine Fachkraft in einer guten Parfümerie kann sicher nichts schaden.

Die Gewöhnung an das Make-up hat allerdings dazu geführt, daß manche Frauen ihre Schminkkünste in Gesellschaft oder im Restaurant allzu ausdauernd und ungeniert vorführen. Wer Sinn für Komik hat, kommt dabei auf seine Kosten – andere Frauen, vor allem ältere, können darüber nicht lachen. Haare kämmt man, das Make-up erneuert man auf der Toilette. Der kurze Blick in den Spiegel nach dem Abtupfen der Lippen an der Serviette, der schnelle Strich mit dem Lippenstift ist natürlich öffentlich erlaubt.

Auch mit Parfüm wird gesündigt. Frauen, die in einer betäubenden Duftwolke durch Büros schweben, ernten nur Gelächter. Nicht so aufdringlich! Der erfrischende Duft eines Eau de Cologne genügt tagsüber vollkommen, und auch vom Lieblingsparfüm tupft man abends nur je einen Tropfen auf Schläfe und Hals, in die Armbeuge und die Kniekehle. Das genügt.

Für die Haar-, Gesichts- und Handpflege veranschlagt eine berufstätige Frau etwa eine Stunde pro Woche. Die Pflege der Hände, die so oft den Blicken anderer Menschen ausgesetzt sind, ist besonders wichtig. Die Nägel dürfen nicht zu lang sein. Allzu ausgefallenen Nagellack (besonders dunklen) überlasse man lieber der Jugend, die damit ihre Scherzchen treibt.

Männer sind mittlerweile ebenfalls zu einem beachtlichen Faktor in der Kalkulation der Kosmetikindustrie geworden. Warum auch nicht? Frauen erfreuen sich schließlich auch am Anblick eines gepflegten Mannes. Allerdings muß auch der Mann sehr darauf achten, daß er nicht zu penetrant duftet.

Konfirmation, Kommunion

In die Osterzeit fällt ein wichtiges Ereignis im Leben eines jungen Christen: die Konfirmation in der evangelischen, die Erstkommunion in der katholischen Kirche – Anlaß für die in vielen Unterrichtsstunden vorbereiteten Jungen und Mädchen, sich festlich, weiß die Mädchen und dunkel, vor allem dunkelblau, die Jungen, zu kleiden. Sie sind erwachsene Christen.

Kommunion und Konfirmation sind ausgesprochene Familienfeste und Familientreffen. Man kann sie aufwendig mit Essen, Kaffee und Abendessen begehen – oder bescheidener, christlicher. Nachbarn und Gäste bringen Frühlingsblumen ins Haus. Die Geschenke, die zu Hause nach dem Gang in die Kirche überreicht werden, sind dem Alter angepaßt, ein kleines Schmuckstück, Bücher und Schallplatten, irgend etwas Hübsches für die Zimmereinrichtung.

Krabben, Scampi

Frische Nordsee-Krabben werden an der Küste nach dem Fang, schon gekocht, mit oder ohne Schale verkauft. Diese Krabben ißt man mit den Fingern – ein Zeitvertreib wie genußvolles Nußknacken.

Man faßt das Tier oben und unten an und dreht zwei Gelenkringe gegeneinander, bis die Verbindungen brechen. Dann läßt sich das Fleisch leicht und ohne große Mühe aus der Schale ziehen.

Krabben, Shrimps (englisch), Crevetten (französisch) werden in Restaurants meistens als Cocktail, also als Vorspeise

serviert und mit einem kleinen Löffel oder einer Cocktail-
gabel gegessen.

Auch Scampi (Einzahl: Scampo) werden wie Krabben aus
der Schale befreit. Man nimmt die Krebsschwänze an beiden
Enden (Füße nach oben!), knackt sie an und dreht sie auseinander, um an das Fleisch zu kommen.

Krankenbesuch

Krankenbesuche – wer machte sie mit Freuden? Kein
Mensch läßt sich gern so drastisch an die eigene Hinfälligkeit
erinnern. Natürlich erfordert diese halbe Stunde am Kranken-
bett ein erhöhtes Maß an Selbstkontrolle – was Takt ist, dieses
scheinbar undefinierbare Etwas, was Takt sein kann, ließe sich
vielleicht an Beispielen aus der Sphäre des Krankenhauses am
sinnfälligsten erörtern. Denn dort kommt es wirklich auf Fingerspitzengefühl, Aufmerksamkeit, Einfühlungsvermögen, auf
praktizierte Menschlichkeit an.

Krankenbesuche macht man bei Verwandten, guten
Freunden oder engeren Arbeitskollegen. Krankenbesuche
macht man, wenn sich der Kranke schon auf dem Wege der
Besserung befindet (die traurige Ausnahme: Schwerkranke
und Unheilbare) und wenn er Besucher zu sehen wünscht – was
keineswegs immer ausgemacht ist.

Auf jeden Fall sollte man sich vorher nach dem Zustand des
Kranken und nach der Besuchszeit erkundigen. Kranke wissen
es zu schätzen, wenn sich die Besucher vorher absprechen und
nacheinander erscheinen. Das Krankenzimmer ist auch nicht
der rechte Ort für laute Wiedersehensbekundungen.

Allzulange dürfen Besuche nicht ausgedehnt werden, auch
wenn der Kranke dem zu widersprechen versucht: Eine halbe
Stunde, so die Regel, genügt.

Jeder Kranke braucht Ruhe, und Besuche belasten. Man
geht deshalb behutsam vor: öffnet und schließt die Tür leise,
redet mit dem Kranken normal (eher gedämpft als zu laut) und
bereitet eventuell auch Kinder darauf vor. Für heitere Ge-
schichten zur sogenannten Ablenkung sind Kranke manchmal
weniger empfänglich als erwartet: Lachen kann Kranken
nämlich auch sehr wehtun.

Geschenke für den Kranken

Was der Kranke zu sich nehmen darf, erfährt man entweder von den nächsten Verwandten oder von der zuständigen Schwester (auf dem Flur oder im Stationszimmer). Eine Flasche Wein, Sekt, Bier (falls erlaubt) oder Säfte werden im Krankenhaus lieber gesehen als Blumen, die den Schwestern zusätzliche Arbeit machen. Stark duftende Blumen und Topfpflanzen sind ohnehin verpönt.

So sehr der Besuch als Zuspruch, als Aufmunterung, als Zeichen der Anteilnahme geschätzt werden mag: oft genug empfiehlt sich eher ein Gruß, den man in das Krankenhaus schickt, ein – dem Inhalt und dem Gewicht nach – leichtes Buch, ein Stapel Zeitschriften oder ein Beschäftigungsspiel. Ein Gang oder eine Erledigung sind für den Kranken oft noch wichtiger als Geschenke und Grüße – auch danach erkundige man sich!

Nicht nur Besucher sollten übrigens Rücksicht nehmen, wenn sie ein Krankenzimmer betreten. Auch die Kranken müssen sich auf ihre Leidensgenossen in dem Zimmer einstellen und überdies die Schwestern nicht durch Belanglosigkeiten strapazieren. Aber wer leidet schon still und geduldig?

Krebse

Beim Krebsessen gilt seit jeher die Regel: Jeder Trick ist erlaubt, um an das leckere Fleisch heranzukommen.

Der Aufzug der Krebsesser paßt sich den Schwierigkeiten bei der »Fleischgewinnung« an: Die Serviette im Halsausschnitt oder im Hemdkragen, sogar das im Genick geknotete Küchenhandtuch ist erlaubt – und geräuschvolles Essen, sonst an der mitteleuropäischen Tafel verpönt, ist dabei gar nicht zu vermeiden. Das Auslutschen der Scherenspitzen und der Scherenglieder verbindet zu gemeinsamem Schmatzen – sonst ist es kein richtiges und zünftiges Krebsessen. Das Tischtuch wird zusätzlich durch Sets unter den Tellern geschützt.

Pro Person rechnet man sechs bis zehn Krebse. Wer zum ersten Male Krebse ißt, muß sich vom – hoffentlich erfahrenen – Tischnachbarn in dieser Kunst unterweisen lassen. Grundsätzlich: Krebse werden mit der Hand gegessen.

Mit der Suppenkelle oder mit den Fingern fischt man einen Krebs aus der Schüssel. Das meiste schmackhafte Fleisch ist –

wie bei allen Krustentieren, bei Hummer, Languste, Garnele, Scampo, Krabbe – im Krebsschwanz.

Deshalb wird zuerst der Schwanz vorsichtig aus dem Brustpanzer herausgedreht: Die Linke hält dabei den Panzer fest, drei Finger der Rechten fassen gleich hinter dem Panzer den Schwanz und drehen ihn mit leichtem Zug heraus. Mit dem Krebsmesser, einem stumpfen Messer mit einem Loch in der Schneide, brechen Sie dann die harten Zacken der Krebsschwanzschale am Rand ab; das Fleisch liegt frei und wird mit der Gabel gegessen.

Im Krebsschwanz liegt der Darm, erkennbar als dunkler Strich. Er wird herausgezogen. Meist ist das aber eine übertriebene Vorsicht: Die Tiere werden vor dem Versand in reinem Wasser gehalten, so daß der etwas bittere Geschmack zum Glück fast ganz weggeht.

Auch in den Scheren sitzt schönes Fleisch. Man bricht die harte Schale mit dem Krebsmesser auf und zieht das Fleisch mit der Gabel heraus. Wenn Ihnen das Krebsessen jetzt Spaß macht, gehen Sie auch noch über die Beinchen der Tiere her. Hier nutzt die Gabel gar nichts mehr: also wird das Fleisch regelrecht ausgelutscht.

Für die Krebsreste werden Suppenteller auf den Tisch gestellt, für das Essen flache Teller. Servietten werden dringend gebraucht, auch Fingerschalen sind hier nützlich.

Zu den Krebsen gibt es Weißbrot und Butter, getrunken wird meistens Weißwein. Skandinavier genehmigen sich pro Zange einen Aquavit – bei mindestens sechs Krebsen setzt das allerdings einiges Stehvermögen voraus.

Kulturelle Veranstaltungen

Im Kino nimmt heute keiner mehr daran Anstoß, daß sich die Reihen erst während des Vorprogramms langsam füllen. Wer schon sitzt, steht auf. Wer sich durch die Reihe schiebt (bei einem Paar der Mann voran), wendet den Aufgestandenen das Gesicht, nicht den Rücken zu und sagt leise »danke«. Wer seiner Karte entnimmt, daß er in der Mitte sitzt, erweist sich als höflicher Mensch, wenn er pünktlich ist.

Im Theater muß man beim Erlöschen des Lichtes seinen Platz gefunden haben. Wer später, nach Beginn der Vorstellung erscheint, muß stehend warten, bis der Akt zu Ende ist. Erst dann darf er darum bitten, daß ihm das Publikum Platz macht.

Wer erkältet ist oder sogar unter Hustenreiz leidet, sollte sich sehr genau überlegen, ob er nicht lieber verzichtet und zu Hause bleibt. Anhaltendes Husten und Niesen ist für alle eine Qual – nicht zuletzt für die Schauspieler. Auch laute Zwischenbemerkungen, ständiges Reden untereinander und Papiergeraschel stören die Umsitzenden, beim Faust-Monolog natürlich mehr als bei einer ausgelassenen Boulevard-Komödie. Manchmal hilft ein Wort des Unmuts.

Garderobe für das Theater

Wenn nicht gerade eine festliche Premiere auf dem Programm steht, ein Anlaß also, um den dunklen Anzug oder gar den Smoking aus dem Schrank zu holen, bleibt es dem Theater- und Opernbesucher selbst überlassen, welche Garderobe er wählt. Für viele Menschen, es müssen nicht unbedingt ältere, konservative sein, gehört das Ritual des Umkleidens schon zur Einstimmung auf den abendlichen Kunstgenuß. Kunst nähert man sich in geziemender Gewandung, sagen sie, und die ist nun einmal feierlicher als die Alltagskleidung. Mit einem Wort: Man macht sich fein.

Junge Menschen, einige jedenfalls, nehmen es damit nicht mehr so genau. Ihnen geht es um die Sache und nicht um den äußerlichen Rahmen wohlanständiger Bürger. Sie machen sich nichts aus weihevoller Kunsttempel-Atmosphäre, sie wollen gute Aufführungen sehen. Und so steht in der Pause beim Kauf die Nerzjacke neben dem Rollkragenpullover. Ein Grund zur Aufregung? Umfragen besagen: ja.

Begeisterung und Ablehnung

Mit Beifall soll man nicht geizen, wenn die Aufführung es verdient. Im Opernhaus wird nach der Bravour-Arie des Stars Applaus erwartet, und auch im Theater bleibt spontaner Beifall auf offener Szene nicht aus. Wer allerdings im Konzertsaal nach dem ersten Satz einer Symphonie glücklich in die Hände klatscht, wird nur vorwurfsvolle Blicke ernten. Zwischen den Sätzen wird nicht geklatscht. Auch nach sakralen Musikaufführungen enthält man sich jeder Beifallsäußerung.

Handfeste Theater- und Opernskandale gehören heute zu den Seltenheiten. Das schließt aber ehrliche Unmutsäußerungen keineswegs aus. Das Zischen und die Buhrufe werden, wie zuweilen die Zahl der Vorhänge, von den Chronisten des Theaters in ihren Kritiken der Nachwelt überliefert. Wobei Kenner beim Zischen und Buhen (Pfeifen gehört auf den Fußballplatz) sehr genau zwischen der Leistung des Ensembles, des Autors und des Regisseurs zu unterscheiden wissen.

Spielen und Mitmachen

Kunstausstellungen stehen heute nicht mehr unbedingt unter dem Diktat des »Nicht berühren«! Im Gegenteil: Begehen, bedienen, betasten der »Objekte« wird vom Künstler erwartet, und der Besucher sieht sich zum Spielen und Mitmachen aufgefordert. Eine Einstellung, an die sich viele Ausstellungsbesucher nur zögernd gewöhnen können. Eine gewisse Scheu bleibt. Sie ist gegenüber Bildern und Plastiken auch durchaus angebracht. Da bleibt es weiterhin beim »Nicht berühren«!

Kunstauktionen sind keineswegs geschlossene Veranstaltungen für ein zahlungskräftiges, elegant gekleidetes Publikum. Der Besuch steht jedermann frei, der Zeit hat – und das nötige Geld, um das Ersteigerte zu bezahlen. Wichtigste Regel: sich in der Hitze des Bietgefechtes nicht hinreißen zu lassen! Den Überblick behalten! Um seinen Geschmack zu verfeinern, um Kennerschaft zu erwerben, sind die Stunden der Vorbesichtigung, bei der man die Auktionsobjekte aus der Nähe betrachten kann, natürlich geeigneter.

Lärm und Lärmverhütung

»Moderne Musik ist die individuelle Waffe, mit der Jugendliche ihre Eltern bekämpfen«, schrieb ein Gesellschaftskritiker. Der Jugend macht Lärm nichts aus, im Gegenteil: Lärm macht Laune, motorisierter Lärm und musikalischer Lärm, je lauter, desto schöner.

Das jugendliche Lebenselixier wird jedoch zur Qual der alten Tage. Vom Leben gestreßte Menschen reagieren, was zu verstehen ist, auf Lärmbelästigung geradezu hysterisch. Und schon ist der Krach da. Zusätzlicher Krach.

Kinder schreien, Hunde bellen, Menschen husten, all das ist natürlich, dagegen ist nichts zu machen und nichts zu sagen. Denkt man. Doch selbst lärmende Kinder, ausgerechnet sie, können Eltern mit dem Gesetz in Konflikt bringen. Nicht alle Richter sind so verständig wie jener in Berlin, der in einem einschlägigen Prozeß fragte: »Wie wollen Sie bei Kindern entscheiden, was notwendiger Lärm ist und was nicht?«

Lärm wird international verschieden bewertet. In Italien, einem kinderfreundlichen Land mit temperamentvollen Bewohnern und ausgeprägter Lärmkulisse, wäre ein Prozeß um Kinderlärm gar nicht denkbar. Aber in Deutschland. Denn die deutsche Gesellschaft ist, in weiten Kreisen jedenfalls, kinderfeindlich. Und deshalb müssen Eltern allzu laut lärmender Kinder mit Anzeigen und mit Geldstrafen und Ordnungsverfügungen rechnen.

Dabei gibt es so viele andere Lärmquellen und Lärmursachen, die erst einmal beseitigt werden müßten, wenn wir wirklich ernsthaft gegen diese Geißel der Menschheit angehen wollen, die immer häufiger zu Gesundheitsschäden, zu Herz- und Kreislaufstörungen, Neurosen und Schlaflosigkeit führt. Daß man sich an Lärm »gewöhnen« kann, wie mancherorts zu lesen steht, ist wissenschaftlich längst als falsch erwiesen.

In hochzivilisierten Ländern wie dem unseren leiden bis zu fünfzig Prozent der Menschen an Lärmdystonie (eine Dystonie ist ein anomaler Spannungszustand, ein Befinden zwischen Gesundheit und Krankheit). Wissenschaftler sind davon überzeugt, daß die »vegetativen Reizwirkungen« und die »psychologischen Belästigungen« des Lärms unsere Gesundheit schädigen. Die »Schmerzschwelle« liegt zwischen 90 und 120 Phon; wird sie über längere Zeit erreicht oder überschritten, können Gehörschäden auftreten.

Lärmquellen

Eine der Hauptquellen des Großstadtlärms ist das Auto. Ein Automobilclub hat deshalb seinen Mitgliedern gesagt, wie sie die strapazierten Nerven ihrer Mitbürger schonen können – indem sie nämlich:

lautes Türenknallen, besonders nachts, vermeiden
an Ampeln nicht mehr als nötig mit dem Gaspedal spielen
schnelle Kurven ohne Reifenquietschen nehmen
mit Gefühl anfahren, ohne daß die Räder durchdrehen
den Motor nicht unnötig »hochjubeln«
in der Stadt statt des zweiten den dritten Gang wählen
darauf achten, daß die Auspuffanlage in Ordnung ist

Zum Auto kommt der Rasenmäher – diese Tortur, die besonders die als still gerühmten Vororte und Suburbs heimsucht. Immerhin baut die Industrie inzwischen schnurrende, leise Modelle. Wer also auf ein freundliches Verhältnis zu seinen Nachbarn Wert legt, sollte bei der Neuanschaffung nicht sparen und in puncto Lärmverhütung mit gutem Beispiel vorangehen.

Außerdem: es gibt eine Mittagsruhe zwischen 12 und 14 Uhr, die einzuhalten die Rücksichtnahme gegenüber Mitmenschen, besonders älteren, die einen Mittagsschlaf brauchen, gebietet. Viele Gemeinden haben Verordnungen über die »zeitliche Beschränkung ruhestörender Haus- und Gartenarbeiten, geräuschvoller Vergnügungen und über die Benutzung von Tonübertragungs- und Tonwiedergabegeräten« erlassen. Der Nachbar kann also schlimmstenfalls Anzeige erstatten.

Paragraphen, um dem Lärm beizukommen, gibt es übrigens im Bundes- und Landesrecht, in allgemeinen Strafvorschriften und in ganz gezielt auf den Lärmschutz und auf Lärmquellen ausgerichteten Vorschriften genug. Durch Landesverordnung wird beispielsweise die Lärmerzeugung von Booten auf bayrischen Gewässern begrenzt.

Kampf gegen den Lärm

Jeder produziert einmal Lärm in der Wohnung oder im Garten, und jeder hat Nachbarn, die darunter leiden müssen. Jedem fällt mal die Tür krachend ins Schloß, oder das Radio dröhnt aus dem offenen Fenster. Wenn es laut zugeht, muß das gutnachbarschaftliche Verhältnis hoffentlich seine Bewährungsprobe bestehen.

Wer eine Gesellschaft geben will oder zum Gartenfest ein-

geladen hat, tut gut daran, seine Umgebung vorher zu informieren. Musik, laute Musik bei offenem Fenster, hört man in
stiller Nacht kilometerweit, in Neubauwohnungen mit ihren
dünnen Wänden ist für die Mitbewohner in solchen Nächten an
Schlaf nicht zu denken. Informieren muß man auf jeden Fall,
und zugleich um Verständnis bitten – sonst klopft plötzlich die
Polizei an die Tür.

Solange sich nicht der Gedanke durchsetzt, daß wir uns alle
gegenseitig krank machen, wenn wir nicht aktiv, in den eigenen
vier Wänden, im eigenen Garten, mit dem eigenen Auto gegen
den Lärm angehen – solange ist gegen Hifi-Anlagen, Radios,
Fernsehgeräte, Motorräder, Rasenmäher und Autos nichts zu
machen. Zumal die meisten Menschen den Sinn für Stille ohnehin schon fast verloren zu haben scheinen.

Es gibt allerdings noch Kämpfer. In einem Münchner Vor-
ort hat vor Jahren ein Mann viel Beifall und öffentliche Anerkennung gefunden, der mit einer selbstgebastelten Schleuder
Knödel gegen tieffliegende Hubschrauber mit ihren knattern-
den Rotoren verschoß: Ausdruck einer ohnmächtigen Wut.

Frage: Sind wir dem Lärm wirklich ausgeliefert?

Tips für den Lärmschutz

Ein Teppich kann Wunder wirken: Schrittgeräusche werden ganz erheblich gedämpft.

Schalten Sie Fernseh- und Rundfunkgeräte, Plattenspieler
und Tonbandgeräte auf Zimmerlautstärke.

Instrumentalmusik, vor allem zu zweit und zu dritt, läßt sich
am besten im ausgebauten Keller einstudieren.

Führen Sie lärmende Arbeiten im Haus und im Garten
nicht in den Mittags- und Abendstunden aus, wenn sich Ihre
Nachbarn ausruhen wollen. Beachten Sie die Haus- und die
Gemeindeordnung!

Scheuen Sie sich nicht, für ein geräuscharmes Produkt, beim
Rasenmäher zum Beispiel, etwas mehr Geld anzulegen. Sie und
Ihre Umgebung haben den Nutzen davon.

Verlangen Sie beim Kauf einer Wohnung oder eines Hauses
die Einhaltung der schalltechnischen Normen.

Bringen Sie Ihren Kindern beizeiten durch gutes Beispiel
Rücksichtnahme auf andere bei!

Es gibt in vielen Großstädten inzwischen Beratungsstellen
für Lärmbekämpfung!

Leihen

Pumpen, borgen, leihen: für den Normalverbraucher, für die Hausfrau bezeichnen diese Wörter ein und denselben Vorgang. Ich pumpe mir Geld. Ich borge mir etwas Zucker. Ich leihe mir eine Schallplatte. So sieht es der Laie.

Nicht der Jurist. Für ihn stellt sich die Sache anders dar. Leihen ist im bürgerlichen Recht die unentgeltliche Überlassung des Gebrauchs einer Sache. Ein Fahrrad, ein Rasenmäher, eine Saftpresse wird ausgeliehen – unentgeltlich zum Gebrauch, dieselbe Sache wird zurückgegeben. Folgerichtig ist geborgtes Geld keine Leihe, sondern ein Darlehen.

Doch denken wir nicht gleich an den Richter. Nichts spricht gegen, alles für die bereitwillige und spontane Hilfe, die wir dem Nachbarn, dem Freund, dem Bekannten und auch dem Unbekannten zukommen lassen, wenn er sie braucht.

Jeder kann ganz schnell und unerwartet in eine knifflige Situation kommen (und wenn es nur das vergessene Portemonnaie ist!), in der er auf das Wohlwollen, auf die freundliche Geste der anderen angewiesen ist. Ohne ein Mindestmaß an gegenseitigem Vertrauen (was nicht gleich Vertrauensseligkeit ist!) können wir nicht existieren. Erhalten wir uns diese Vertrauensbasis! Vertrauen gegen Vertrauen!

Geliehenes rechtzeitig zurückgeben

Leider macht jeder im Leben einmal die mißliche Erfahrung, daß das Ausleihen schnell geht, das Zurückgeben aber seine Zeit braucht. Solche »Schußligkeit« scheint ein sehr menschlicher Zug zu sein. Da bleibt nichts übrig, als in aller Freundlichkeit zu erinnern, kein Grund, deshalb an der Menschheit zu verzweifeln. Ein bißchen Schußligkeit hat wohl jeder in sich. Es ist vielleicht besser, sich von einer Kleinigkeit gleich zu trennen, indem man sie freundlich lächelnd zum Geschenk macht, als ihr wochenlang, vielleicht noch zum Gespött der anderen, hinterherzulaufen.

Es gibt allerdings Menschen, die das Leihen zum Prinzip machen. »Pumpgenies« haben immer eine Ausrede, wenn sie etwas borgen wollen. Es hapere am Gedächtnis, behaupten sie gern achselzuckend. Gegen wiederholtes Ansinnen (oft wiederholtes!) gibt es Mittel, man muß nur den Mut haben, in aller Offenheit und Freundlichkeit darüber zu reden.

Mancher Mensch braucht eben Ratschläge wie beispielsweise den Hinweis auf das Notizbuch, in dem alles eingetragen wird, was im Haushalt fehlt, oder auf den simplen Notizzettel als Gedächtnisstütze für den Sammeleinkauf am Wochenende. Und er darf sich nicht wundern, wenn ihm nach solch deutlichem Wink mit dem Zaunpfahl von den Nachbarn die leidige Borgerei ein für allemal verweigert wird.

Darf man nie »nein« sagen?

Bücherliebhaber stellen fast ärgerlich diese Frage immer wieder. Die Antwort: Ein passionierter Büchersammler, dem etwas an der Schonung und Erhaltung seines Eigentums liegt, darf ganz entschlossen nein sagen, mit oder ohne Angabe von Gründen. Das bedeutet ja keineswegs, daß er seine Schätze vor aller Augen verbergen muß. Er kann sie zeigen, er soll sie zeigen. Aber er muß seine Bücher nicht aus dem Hause geben, wenn sie ihm mehr bedeuten als Wandschmuck.

Wer es wirklich nicht fertigbringt, nein zu sagen (sicher ein Mangel an Rückgrat!), sollte wenigstens ein Büchlein darüber führen, und das vor den Augen des Ausleihenden. Der muß wissen, daß er Geborgtes nicht verschludern darf. Pfleglicher Umgang darf außerdem erwartet werden: der Schutzumschlag wird gegen eine Buchhülle vertauscht.

Was für private Bücher gilt, sollte eigentlich auch für geliehene oder benutzte Bücher öffentlicher Bibliotheken gelten. Sollte . . . Doch die bis zum Fetischismus getriebene Überschätzung des Eigentums verträgt sich hierzulande ja durchaus mit der rüden Behandlung all dessen, was öffentliche Gelder kostet – ob das Bücher der Stadtbücherei sind, Telefonbücher, Telefonzellen oder S-Bahn-Wagen. Immer unter dem Motto: Mir gehört es ja nicht . . .

Mahnen

(siehe auch unter: Beschwer(d)en)

Eine schriftliche Mahnung wird fällig, wenn Sie mit den mündlich oder telefonisch geäußerten Bitten, einer Verpflichtung nachzukommen, keinen Erfolg hatten.

Fassen Sie sich bei diesem Brief kurz. Unterdrücken Sie unbedingt jeden Ärger, mag er auch noch so berechtigt sein. Legen Sie, wenn es um Geld geht, eine Zahlkarte bei (eine Mahnung verlangt selbstverständlich einen geschlossenen Briefumschlag). Und vergessen Sie nicht, von Ihrem Brief einen Durchschlag zu machen.

Die nächste Mahnung schicken Sie – im Ton weiterhin sachlich, aber mit Frist – per Einschreiben. Tut sich dann immer noch nichts, müssen Sie wohl oder übel den Weg zum Amtsgericht antreten, das einen Zahlungsbefehl (jetzt »Mahnbescheid« genannt) an den säumigen Schuldner erläßt.

Militär

»Der Soldat läßt sich in Fragen der Höflichkeit und des Anstandes von niemandem übertreffen«, heißt es ziemlich selbstherrlich in der Schrift »Stil und Formen«, die das Bundesministerium für Verteidigung herausgab.

Und: »Die Frau, die im militärischen Bereich arbeitet, hat doppelten Anspruch auf faires und ritterliches Verhalten der Soldaten. Es darf kein Unterschied gemacht werden zwischen älteren und jüngeren, hübschen und weniger hübschen weiblichen Angestellten, weder bei der Arbeitsverteilung noch im persönlichen Umgang und in der beruflichen Förderung. Im Dienst zählen nur Zuverlässigkeit und Leistung.« Goldene Worte . . .

Soldaten sind »Staatsdiener«, sind »Bürger in Uniform«. Die Sonderstellung der Armee als Staat im Staate gehört der Vergangenheit an. Und so trinkt der Kommandeur bei festlicheren Gelegenheiten im Kasino den ersten Schluck auf »unser deutsches Volk und unser Staatsoberhaupt, den Herrn Bundespräsidenten«, bevor man zu den Modetänzen der Saison übergeht – wie in jedem anderen Klub auch.

Beruhigend ist die Tatsache, daß auch Soldaten Kinderwagen schieben und Pakete tragen dürfen. Was den Zivilisten irritieren könnte, ist die Frage nach dem Dienstgrad, wenn er »Militärs« unter seinen Gästen weiß.

Kein Problem. Niemand, der außerhalb der Kaserne lebt, braucht sich Stern oder Lorbeer zu merken. Soldaten, Unteroffiziere und Offiziere werden von Menschen in Zivil, Frauen und Männern, wie »ganz normale Menschen« angesprochen: mit »Herr« und Nachnamen.

Mißgeschicke

(siehe auch unter: Essen)

Kleine Mißgeschicke können jedem passieren, »Pannen« gibt es überall. Was wäre die Welt ohne die Ausrutscher und Patzer? Freut sich nicht die ganze Nation, wenn dem Fernsehansager ein richtig schöner Versprecher (»Aufpitschmuttel«) gelungen ist? Zutiefst im Innern verspürt der Mensch eine Abneigung gegen kalte Perfektion. Unvollkommenheit ist menschlich, Nachsicht eine weise Tugend.

Nichts ist unreparierbar. Ein guter Gastgeber wird alles tun, um einen Pechvogel (wenn wir ihn schon mal so nennen wollen) sein Pech vergessen zu lassen. »Ich bin ein Mensch. Nichts Menschliches ist mir fremd«, sagte ein Philosoph des Altertums. An diesem weisen, verständigen Wort wird man einen Gastgeber, wird man Menschen überhaupt messen müssen. Wer viel erlebt hat, das haben ältere Menschen jüngeren oft voraus, kann über vieles lächeln . . .

Wer hat nicht selbst schon einmal einen roten Kopf bekommen und unverständliche Entschuldigungen gestammelt? Die Augenzeugen einer »Panne« gehen darüber hinweg und zur Tagesordnung über. Abwiegeln, nicht auslachen. Denn das wäre nun wirklich schlechtes Benehmen. Es hat auch keinen Zweck, daß der Nachbar aus dem Anekdotenschatz der eigenen Erfahrung ähnliche Schwänke zum besten gibt. Ablenken!

Wem irgendwann einmal ein Mißgeschick, gleich welcher Art, widerfährt, der darf sich, nach seiner artig und eher beiläufig angebrachten Entschuldigung, mit jener Allerweltsweisheit trösten, die einst ein berühmter Leinwandstar singend seinem Publikum verkündete:

Davon geht die Welt nicht unter ...

Wenn eine Vase umgeworfen wird: Bei größerem Malheur (die echte Vase oder der Brandfleck im Perser) sind Entschuldigung und Blumenstrauß nur ein Trostpflästerchen. Man muß zusätzlich in die Tasche greifen und den entstandenen Schaden wiedergutmachen. Wohl dem, der richtig versichert ist!

Wenn ein Gast »underdressed«, im falschen Anzug erscheint: Er kann sich, unter Angabe der Gründe, entschuldigen – kein Gast und kein Gastgeber wird im Laufe des Abends ein Wort über den Anzug verlieren. Man kann nach Hause gehen und auf die Gesellschaft verzichten oder nach Hause eilen und sich umziehen (das kommt auf die Entfernung an).

Wenn Gäste sich in die Haare geraten: Das geschieht ja leicht, besonders nach etlichen Gläschen. Der Gastgeber muß die »Kampfhähne« natürlich trennen, am besten unter Assistenz seiner Frau. Ablenken (»Wie wär's jetzt mit einem Kaffee?«) ist die geschickteste Methode.

Wenn der Schluckauf nicht aufhört: Der kitzelnde Hustenreiz im Theater, der Schluckauf an der Tafel! Menschlich-allzumenschliches, das sich zum Alptraum auswachsen kann. In beiden Fällen muß man aufstehen und hinausgehen. Beim Schluckauf empfiehlt der Hausarzt flaches Liegen und möglichst tiefes Durchatmen.

Wenn ein Gast sich betrinkt: Vielleicht steht er gerade unter besonderem Druck, das geht jedem einmal so. Der Gastgeber kann nichts weiter tun als ihn auf einer Couch lagern, bis er wieder nüchterner ist. Freunde oder Kollegen sollten einen Betrunkenen jedenfalls nicht allein seines Weges ziehen lassen. Am besten ist, ihn nach Hause zu bringen.

Wenn ein Fest oder ein Abend in die Binsen gegangen ist: Passieren kann das immer, kein Grund zur Depression. Aus Fehlern kann man lernen. Waren die falschen Leute eingeladen? Oder waren die falschen Jahrgänge gemischt? Zu viele Menschen auf engem Raum? Gab es zu viel Fachsimpelei? Aus Erfahrung wird man klug. Beim nächstenmal klappt es dann dafür um so besser.

Was beim Essen passieren kann ...

Gegen Pannen und Unglücksfälle hilft nur eines: nicht hochspielen und aufbauschen, sondern drüber hinwegsehen, als sei es die selbstverständlichste Sache der Welt. Kein wort- und gestenreicher Aufstand – Schwamm drüber! Eine Entschuldigung läßt sich unter vier Augen nach Tisch anbringen.

Der Gast, der zu spät kommt: Eine Viertelstunde nach der in der Einladung genannten Zeit beginnt das Essen, gewartet wird dann nicht mehr. Der Zuspätkommende entschuldigt sich bei der Hausfrau, die ihm vielleicht auch die Tür öffnet, nimmt Platz und bekommt den Gang, der gerade serviert wird.

Das Haar in der Suppe: Man legt es unauffällig auf den Tellerrand und verliert kein Wort darüber. Auch nicht dem Nachbarn gegenüber.

Die Made im Salat oder Kompott: Siehe oben. Bloß kein Aufsehen, dann wird es nämlich für die Gastgeber peinlich.

Der Fleck auf der Kleidung: Wenn es möglich ist, wird er mit der Serviette beseitigt – und zwar ohne Anteilnahme der Umsitzenden. Bei größeren Schäden so unauffällig wie möglich in die Küche oder auf die Toilette gehen und mit heißem Wasser nachhelfen.

Die Kartoffel auf dem Tisch: Man nimmt die Gabel oder die Finger und legt sie auf den Teller zurück – um sie dann aufzuessen.

Das umgekippte Glas: Kein Theater! Ruhe bewahren! Eine aufmerksame Hausfrau wird den Vorfall schon bemerkt haben und Gegenmaßnahmen ergreifen: Eine Serviette wird zwischen Tisch und Tischtuch gelegt. Keep smiling . . .

Der »Rülpser«: Wenn er sich (bei schwerem Essen und Trinken) gar nicht vermeiden läßt, hält man die Hand mit der Serviette vor den geschlossenen Mund. Wenn man gerade im Gespräch war, schickt man gedämpft ein Wort hinterher, das sich wie »Tschuldigung« anhört.

Was auf der Erde liegt: Tritt sich fest, heißt es. Das ist gewiß richtig, zeugt allerdings auch von Gleichgültigkeit: »Nach mir die Sintflut . . .« Was während des Essens unter den Tisch gefallen ist, bleibt liegen und wird erst beim Abräumen der Tafel entfernt. So weit, so gut. Bei einem Stück Brot kann ja auch nichts passieren. Wenn es ein Stück Fleisch ist, das der Anziehungskraft der Erde gehorchte, sollte man die Hausfrau darauf aufmerksam machen. Nach einem Cocktailhäppchen, das einem entglitten ist, sollte man sich diskret selbst bücken und es auf einen benutzten Teller legen.

Und wenn es das Messer ist? Im Lokal ist die Sache einfach: man winkt dem Ober und läßt sich ein neues Messer bringen. Und in einer privaten Gesellschaft? Wenn es in erreichbarer Nähe liegt, bückt man sich und säubert es an der Serviette. Wenn nicht, muß man die Hausfrau wohl oder übel um ein neues bitten.

Das Korkstückchen im Glas: Entweder läßt man es im Glas und trinkt ein bißchen vorsichtiger – oder man nimmt einen kleinen Löffel, ein Stück Brotrinde oder auch den kleinen Finger. Aber möglichst unauffällig.

Der Fleck auf dem Tischtuch: Tischtücher sind dazu da, den Tisch zu schützen. Wo mit Appetit gegessen wird, bleiben Flecken nicht aus. In anderen Ländern ist man darin viel unbekümmerter. Hierzulande hat das unbefleckte Tischtuch allerdings den Rang einer Fahne.

Die verschluckte Gräte: Man geht hinaus auf die Toilette. Der Gastgeber kümmert sich um seinen Gast. Sorgt für ein Stück Brot (oft das beste Mittel). Oder ruft schlimmstenfalls den Arzt.

Der »Toilettenfehler«: Er wird erst peinlich, wenn man allzu laut und allzu humorvoll darauf aufmerksam macht. Ansonsten tut man freilich jedem Nichtsahnenden einen Gefallen, wenn man ihn beiseite nimmt und ihm, beispielsweise, sagt: »Sie haben vergessen, Ihren Reißverschluß zuzumachen.«

Muscheln

Muscheln werden gedünstet, etwa 15 bis 20 Minuten lang, bis alle Schalen aufgesprungen sind. Wenn sich eine Muschel nicht geöffnet hat, legen Sie sie beiseite, sie ist dann vermutlich schlecht.

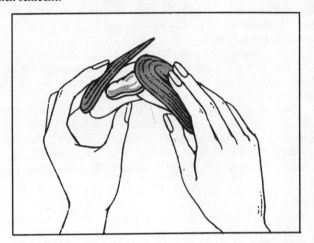

Muscheln werden in einer Terrine auf den Tisch gestellt. Mit der Kelle schöpft man sich ein paar heraus und legt sie sich auf den tiefen Teller.

Dann nimmt man zwei Muscheln rechts und links in die Hand und benutzt die Schale, die man in der rechten hält, wie eine kleine Zange, um das Fleisch aus der anderen Muschel herauszuzupfen. Man nimmt dann die leere Muschel in die rechte Hand und benutzt sie zum Essen: mit der Linken greift man sich eine Muschel nach der anderen.

Der schmackhafte Sud wird mit einer Muschelschale oder mit einem Löffel verspeist.

Nachbarschaft

Eine betagte Rußland-Umsiedlerin faßte ihre ersten Erfahrungen mit der konjunkturbeschäftigten Bundesrepublik in die Worte: »Was nützt es denn, wenn ich alles kaufen kann, und keiner redet mit mir . . .«

Die Güterschwemme steigt – und mit ihr nehmen auch Kontaktlosigkeit und Vereinsamung zu. Bewohner von Hochhäusern in Großstädten rühmen sich geradezu, trotz jahrelangen Wohnens nicht zu wissen, wer der Nachbar ist. Mieter sterben, und wochenlang merkt es keiner.

Die große Mehrheit der Deutschen hält bewußt auf Distanz und läßt es, wie eine Befragung ergab, mit einem »freundlichen Gruß« bewenden. Nur jeder fünfte Bundesbürger hat zu seinen Nachbarn sehr gute Beziehungen, besucht sie und hilft ihnen regelmäßig.

Jeder fünfte, das ist wenig. So wenig, daß sich eine Zeitung zu einer Leseraktion »Wo gibt's echte Nachbarn?« aufgerufen fühlte. »Solche, die da sind, wenn man sie braucht. Die einem über ein Problem hinweghelfen, wenn man bei ihnen anläutet und sie fragt. Die für einen einkaufen gehen, wenn man krank ist. Die auch einmal auf die Nachbarskinder aufpassen . . .«

Die, so könnte man die Liste fortsetzen, während der Ferien ein Tier in Pflege nehmen oder die Blumen gießen. Die einen alten Menschen aus dem Haus im Wagen mal mit in die Stadt, die andere Kinder morgens mit in den Kindergarten nehmen. Die Pakete aufbewahren und die Post ins Krankenhaus bringen. Denen man die Schlüssel anvertrauen und zu denen man einfach gehen kann, wenn einem die Bude auf den Kopf fällt.

Gute Nachbarn, die im dünnwändigen Neubau ihre Reparaturen nicht ausgerechnet in der Zeit der Mittagsruhe ausführen und die ihr Bad nicht zu nachtschlafender Zeit bereiten. Die ihre Nase nicht neugierig in die Angelegenheiten anderer Menschen stecken. Denen Mitmenschen nicht gleichgültig sind, ohne daß sie deswegen hinter der Tür stehen oder an der Wand mitlauschen. Berechtigte Frage: Wo gibt's echte Nachbarn?

Damit wir uns recht verstehen: keiner will die große, laute Verbrüderung. Nicht von Vertraulichkeit ist hier die Rede, sondern von Vertrauen. Von gegenseitigem Vertrauen, das eine Basis für Aussprache und Verständigung schafft, wenn es einmal zu Krach und Spannungen kommt. Wichtig ist nur, daß man noch miteinander reden kann.

Was sollen denn die Nachbarn denken!

Die Nachbarn – das sind leider nicht nur die hilfsbereiten Menschen von nebenan. Nachbarn summieren sich in großstädtischen Wohnmaschinen, in kleinstädtischen Siedlungen zu »den Leuten«, zu jener anonymen Masse Mensch um uns herum, mit der wir leben müssen: zu jener schweigenden Mehrheit hinter Fenstern, Türen und Gardinen, die zwar schweigend, aber spürbar Druck auf uns ausübt. Ein Glück, daß der Kühlschrank in der Küche und nicht vor dem Haus steht, so hat ein Amerikaner einmal geschrieben; sonst gäbe es, wie beim Auto, einen alljährlichen Modellwechsel.

Das Auto vor der Tür, das Reiseziel im Sommerurlaub dienen als Indizien des Wohlstands, an denen sich jedermann messen lassen muß. Schon verweisen die Flaschen im Müll auf verfeinerte Trinkgewohnheiten der Nachbarn. Wer für voll genommen werden will, muß mithalten, muß wie die anderen »repräsentieren«, ein Sklave der Wohlstandsgesellschaft.

»Die Nachbarn«, »die Leute«, diese ebenso ungreifbare wie unangreifbare Instanz, wildfremde Menschen befinden darüber, was wir zu konsumieren haben. Sie setzen uns die Ziele, die wir, koste es, was es wolle, erreichen müssen, wenn wir uns nicht deklassiert fühlen wollen.

Die Leute: das ist der Terror der anderen, das gesunde Volksempfinden, das so gern Anstoß nimmt und uns wissen läßt, was wir zu tun und was zu lassen haben. Kein Wunder, daß es verunsicherten Eltern den letzten Halt gibt, wenn sie mit ihrer Tochter nicht mehr fertig werden: Was sollen denn bloß die Leute denken . . .

Wir spüren diesen Druck »der Leute«, diese Lenkung von außen, diese vorfabrizierten Verhaltensmuster. Unser Verstand sagt uns zwar, daß keiner gezwungen ist, etwas zu kaufen, sich so und nicht anders zu kleiden oder diesen Wagen zu fahren und keinen kleineren. Aber, fügt er warnend hinzu: Die Gesellschaft stellt Regeln des Wohlverhaltens auf, an die sich jeder zu halten hat, der nicht als Sonderling, Exzentriker oder gar Asozialer bespöttelt und verfolgt werden will.

»Freiräume schaffen«, fordern Experten dagegen. Morgens zur Bahn laufen statt in den Wagen steigen, oder abends auf den gewohnten Krimi verzichten. Sich freimachen vom

Schema, von der ständigen Wiederholung – sollen doch die Nachbarn denken, was sie wollen. Das wäre schon ein erster Schritt hin zu jener Freiheit, die uns das Grundgesetz doch eigentlich garantiert.

Namenstag

Mögen auch Blumengeschäfte alles tun, um den alten katholischen Brauch über die Zeiten zu retten: der Wandel läßt sich nicht aufhalten. Der Namenstag – der kirchliche Festtag des Namensheiligen – war ja immer schon mehr auf den altbayrischen Teil des deutschen Südens beschränkt. Statt des Geburtstages wird hier der Namenstag mit Glückwünschen und Geschenken gefeiert – genau wie der Geburtstag. Doch dieser setzt sich langsam durch. Jeder kann und soll aber das feiern, was ihm lieb und teuer ist. Regeln gibt es nicht.

Norwegen
(siehe auch unter: Auslandsreisen)

Mit dem von Brüssel aus verwalteten Europa haben die 3,8 Millionen fast durchweg evangelischen Norweger nicht viel im Sinn, wie wir bei der EWG-Abstimmung erfahren mußten. Dieses alte Seefahrervolk, Monarchie noch heute, hat sich stets stärker nach England und zu den Weltmeeren hin orientiert; die Handelsflotte ist eine der größten der Welt.

Norweger gelten als tolerant, Frauen genießen Gleichberechtigung. Titel zählen hier nicht viel, was zählt, ist der Mensch. Wird er akzeptiert, kann er auch mit Einladungen rechnen, bei denen es sehr heiter und ungezwungen zugeht. Es kommt recht schnell zum Du.

Fisch ist natürlich die Hauptnahrung. Auf dem Frühstückstisch steht sowohl Fisch wie auch Marmelade – ein Frühstück zum Sattessen. Des Abendessen kommt ihm an Reichhaltigkeit gleich. Alkohol gibt es (mit Ausnahmen für Touristen) nur an Wochentagen von 15 bis 23 Uhr. Norwegen ist eben ein Land für – Kaffeetrinker.

Obst und Früchte

Obstessen? Die einfachste Sache der Welt, werden Sie sagen, seit Kindertagen vertraut. Hineinbeißen in den Apfel, daß es knackt, hineinbeißen in den Pfirsich, daß der Saft läuft. Frisches Obst will frischfreiweg genossen sein, aus der Tüte, am Stand (Schalen und Kerne sollte man allerdings nicht unbekümmert in der Landschaft oder auf dem Bürgersteig verstreuen).

Wenn Obst in Gesellschaft oder im Restaurant serviert wird, ist es allerdings aus mit dem saftig-urigen Direktgenuß. Dann gibt es ein Obstbesteck oder zumindest ein Obstmesser. Die Früchte werden gewissermaßen mit Samthandschuhen angefaßt, jede auf die ihr gemäße Art.

Äpfel und Birnen, Pfirsiche und Aprikosen werden – mit Messer und Gabel oder nur mit dem Messer – in kleine Stücke geschnitten, geviertelt oder geachtelt und dann genossen, mit Schale oder ohne, das kommt auf die Schale an.

Apfelsinen werden immer geschält (ohne daß man lange Spiralen aus der Schale zaubert); am besten sind vier oder sechs direkte Schnitte von Pol zu Pol der Kugel, dann läßt sich auch die dickste Schale leicht abziehen. Die weichen Mandarinen mit ihrer dünnen Schale werden nur mit der Hand abgepellt.

Weintrauben zupft man, Traube für Traube, von der vorher gewaschenen Staude. Pflaumen werden mit der Hand aufgebrochen und ihr Kern mit der Hand entfernt. Zu harte Schalen und Kerne (bei Kirschen) kann man in die vorgehaltene Hand expedieren und dann auf den Teller legen.

Grapefruit wird, bereits halbiert und gezuckert, mit dem Obstlöffel ausgenommen, Ananas in Scheiben mit der Gabel des Obstbestecks gegessen. Das Fruchtfleisch der Melone (mit Schinken auch eine delikate Vorspeise) ist zuweilen bereits in der Küche von der dicken Schale gelöst worden; mit Messer und Gabel wird es mundgerecht und bissenweise geschnitten (und der Schinken dazu gegessen).

Eine Banane wird mit der einen Hand festgehalten, während die andere das Messer führt und die Schale streifenweise entfernt. Wer glaubt, dabei ungeschickt auszusehen, nimmt halt die Hände, wenn er die Schale abzieht. Die Frucht wird dann mit Messer und Gabel des Obstbestecks verzehrt.

Kernobst in der Kompottschale wird mit einem Unterteller serviert, auf dem die Kerne abgelegt werden, die man aus dem

Mund auf den Löffel gleiten läßt. Beim Auslöffeln des Obstsaftes wird der Kompott-Teller mit der linken Hand angehoben.

Offene Worte

»Wollen Sie mich auf die Schippe nehmen, Herr General, oder ist das ein Befehl?« fragte ein Kanonier der Bundeswehr beim Manöver seinen Divisionskommandeur. Der General schenkte dem jungen Mann für diesen seinerzeit vielbelachten Satz ein Buch.

Woraus man unschwer ersieht, daß solche offenen Worte frisch von der Leber weg immer noch eher die Ausnahme sind – und nicht die Regel. Allzu viele Menschen empfinden es immer noch als schockierend, wenn einer offen und ehrlich sagt, was er denkt. Denn nach ihrer Vorstellung von »Gesellschaft« garantiert nur eine gehörige Portion Verstellung und Heuchelei unser ungetrübtes Zusammenleben. Fassadenkultur ...

Der Offenheit sind Grenzen gesetzt

Zugegeben, der Gedanke an eine Gesellschaft, in der die totale Aufrichtigkeit zur Pflicht erhoben wäre, kann ebenso schrecken wie der an das Chaos unter lauter Hemmungslosen. Eine Abendgesellschaft, bei der jeder dem anderen sagen dürfte, was er von ihm denkt und hält, endete wohl schnell in jener bösen Selbstzerfleischung, die wir aus »Wer hat Angst vor Virginia Woolf?« kennen. Rigorose Ehrlichkeit ist im Alltag nur mit Abstrichen zu ertragen.

Wem hätte nicht schon einmal angesichts eines Kollegen oder Bekannten ein spontanes »Sehen Sie aber schlecht aus!« auf der Zunge gelegen? Und wer hätte nicht gerade in solch einem irritierenden Augenblick empfunden, daß die Wahrheit und nichts als die Wahrheit wie eine Ohrfeige wirken kann? Takt, dieses schwer zu erlernende Einfühlungsvermögen, offenbart sich in diesen Momenten der Geistesgegenwart.

Nein, man muß sich nicht alles sagen, der Offenheit sind Grenzen gesetzt. Es führt gemeinhin nicht weiter, die Schwächen anderer Menschen aggressiv bloßzulegen oder hochmütig Bildungslücken zu konstatieren, mit einem Wort: »persönlich« zu werden.

Jeder soll erst einmal vor seiner eigenen Tür kehren und Selbstkritik üben. Wenn er das tut, wird er Veränderbarkeit an sich selbst und dann an anderen begreifen. Er wird sehen, daß nicht jedes kritische Wort in den Wind gesprochen ist und daß sich auch in größerem Rahmen manches verändern läßt.

Die alte Spruchweisheit der Untertanen, daß man ja doch nichts gegen »die da oben« machen könne, stimmt nicht mehr – viele Bürgerinitiativen haben das gezeigt. Man muß nicht alles stoisch und gottergeben hinnehmen, nur weil das schon Generationen so gehalten haben. Man muß in den Betrieben nicht so tun, als gäbe es keine Konflikte. Ein offenes Wort hat, bei richtiger Resonanz, schon manches Wunder bewirkt.

Kritischer Ton, lange als dissonant, ja »zersetzend« verschrien, gehört heute zum guten Ton, zumindest bei einem großen Teil der Jugend. Man sollte es sich freilich nicht zu leicht damit machen und munter drauflos kritisieren. Je fundierter und detaillierter eine Kritik vorgebracht wird, desto nützlicher kann sie sein. Aber das bedeutet auch Arbeit. *Alles* madig zu machen, ohne Unterschied, zeugt nicht gerade von Verstand und ist nur sehr jungen Menschen gestattet. Später werden sie ausgelacht.

Kritik ertragen lernen

Kritik an den Mann bringen heißt auch: Kritik ertragen lernen. Wer selbst gern kritisiert, muß sich daran gewöhnen, kritisiert zu werden. Das hinzunehmen, ist gar nicht so einfach. Wer sich nicht überschätzt, wer seine Stärken und besonders seine Schwächen kennt, wird auf kritische Worte allerdings weniger empfindlich reagieren als der, der sich in heilloser Selbstüberschätzung zu umwerfenden Taten berufen fühlt.

Prüfen wir uns also sehr genau, wie wir auf »offene Worte« reagieren! Ein Körnchen Wahrheit steckt ja meistens darin – Wahrheit, die uns weiterbringen kann. Und versuchen wir stets, in unserer Kritik den Stil, den Anstand zu wahren! Argumente verlieren nicht dadurch an Schärfe, daß sie leise vorgetragen werden, im Gegenteil.

Gutmütigkeit wird ausgenutzt, Höflichkeit als Schwäche gewertet. Die Anständigen haben es schwer im Leben. Sie müssen lernen, »nein« zu sagen. Sie müssen nicht mit Menschen, die zuviel Zeit haben, ihre Zeit vertrödeln – aus »Verbindlichkeit«, diesem schrecklichen Erbteil gutbürgerlicher Elternhäuser. Sie müssen sich nicht für andere abrackern in der stillen Hoffnung, irgendwer werde das Martyrium schon sehen. Man muß auch mal »nein« sagen können. Aus Selbsterhaltung. Jeder hat nur ein Leben, sein eigenes.

Die ewigen Ja-und-amen-Sager, die es allen recht machen wollen, die Nichtkämpfer, immer gefällig und immer verbindlich, die sich alles gefallen lassen: ihnen ist nicht zu helfen, wenn sie nicht begreifen, daß sie mal laut und vernehmlich »nein« sagen müssen. Man muß sich auf der Welt auch seiner Haut zu wehren wissen. Ein offenes Wort muß ja kein barsches Wort sein. Offenheit schließt Höflichkeit nicht aus. Auch tolerante Menschen haben ein Recht, sich zu wehren.

Man darf nicht alles mit sich machen lassen.

Offene Worte – zum Beispiel diese:

Liebe Kollegen, alle benutzen Teller, Tassen und Gläser, aber keiner will sie abwaschen. Wollen wir das nicht mal gemeinsam im Büro organisieren?

Freunde, jetzt kommt ihr aber wirklich genau im unpassendsten Augenblick. Können wir morgen telefonieren – vielleicht klappt es nächstes Wochenende?

Danke, ich hatte mir fest vorgenommen, heute nicht mehr zu rauchen – auch nicht bloß so aus Gefälligkeit.

Liebe Eltern, wir wollen Weihnachten nichts geschenkt haben, wir verschenken nämlich auch nichts. Was wir übrig haben, spenden wir für ein Kinderdorf.

Große Parties mit allem Chichi sind bei uns nicht drin. Ihr könnt gern zu einem Schnaps kommen – wir freuen uns! Aber wir sparen jetzt eisern für den Urlaub.

Bei Ihrer Konkurrenz ist der gleiche Joghurt sechs Pfennige billiger. Ich kaufe lieber da.

Leute, wir hatten bloß mit drei Tagen gerechnet, die ihr bei uns wohnt. Wir müssen mal wieder zu uns kommen. Schließlich müssen wir arbeiten – ihr nicht!

Die Aufgabe kann ich nicht auch noch übernehmen, ich habe mehr als genug zu tun. Brauchen wir nicht endlich eine zusätzliche Arbeitskraft?

Zwei Betten haben wir bei uns frei, die Großeltern können bei der Konfirmation hier schlafen. Alle anderen werden im Gasthof in der Nähe untergebracht.

Ich habe Ihnen schon ein paarmal Zitronen und Eier geborgt – können Sie sich nicht einen Zettel für Ihre Einkäufe machen? Das mache ich auch.

Öffentlichkeit

Wenn schon Soldaten, wie ausdrücklich genehmigt, auf der Straße den Arm um die Taille (Taille!) ihrer Freundin legen dürfen, wird einem Bürger in Zivil solch harmloses Zeichen der Zuneigung erst recht nicht verwehrt werden – auch nicht von einer Öffentlichkeit, die so gern Anstoß nimmt.

Das Anstoßnehmen allerdings hat spürbar nachgelassen, zumindest das laute. Nur säuerliche Sittenrichter halten noch irritiert inne, wenn sich ein Pärchen auf der Straße ganz ungeniert küßt, und denken streng: Zu unserer Zeit hätte es so etwas nicht gegeben.

Hand in Hand, Arm in Arm

Das Straßenbild hat sich verändert, es ist lockerer und lustiger geworden – von der Mode her, die viel mehr Farbe und Gags bringt, und von der Haltung her, die lässiger, freier, legerer geworden ist: betonter Schlendrian. Man geht – und läßt sich auch ein bißchen gehen. Ineinander verschränkt und verhakt, Hand in Hand, Arm in Arm. Die Jugend genießt eine gewisse Narrenfreiheit, sie sei ihr von Herzen gegönnt.

Natürlich liegt auch Protest in dieser Haltung – Protest gegen jenen »guten Ton«, der allzu griesgrämig jede Spontaneität verschüttete. Haben wir eigentlich solchen Überschuß an Zärtlichkeit, daß sie unterdrückt werden muß? Kann man sich an Verliebten nicht erfreuen? Lebenslust und Lebensfreude gehören auch auf die Straße – und das nicht nur zur Zeit des närrischen Treibens (wo sie meist ziemlich unglaubhaft wirkt).

Der Mann hält sich links

Die älteren Jahrgänge halten sich, besser so, weiterhin an jenen Sittenkodex, der ihnen längst in Fleisch und Blut übergegangen ist: Rechts gilt als »Ehrenseite«, und rechts ist da, wo die Frau geht; der Mann hält sich links, das war schließlich schon bei den alten Rittern so (und hängt mit Schwert und Degen zusammen). Zwei Männer nehmen eine Frau auf dem Bürgersteig in die Mitte (wenn genügend Platz da ist, um nebeneinander zu gehen), zwei Frauen den Mann, und die ältere Frau geht rechts auf der »Ehrenseite«. So streng sind hier die Bräuche, wenn es einer genau damit nimmt.

Freiheit hin, Emanzipation her: der Mann trägt den aufgespannten Regenschirm für sich und seine Frau (darauf achtend, daß die Spitzen der Stangen andere Passanten nicht belästigen) und nimmt ihr auch größere Gegenstände ab: »Wenn ein Mann einer Frau etwas trägt, ist das keine Rollenfrage«, sagte ein Professor zu einer engagierten Frauenrechtlerin. »Er trägt damit nur der unterschiedlichen Muskelkraft Rechnung.« Man muß die Emanzipation nicht übertreiben. Und dazu gehört auch, daß Männer und Jugendliche sich nichts vergeben, wenn sie Frauen, besonders älteren Frauen, ihren Platz in Bus oder Bahn anbieten.

Frauen, die auf der Straße rauchen – in Amerika eine Selbstverständlichkeit –, werden bei uns immer noch etwas scheel angesehen; der weiblichen Jugend macht es jedenfalls Spaß, damit zu zeigen, wie emanzipiert sie doch ist – jenen jungen Frauen vergleichbar, die auch auf der Straße ihre Schwangerschaft nicht unter Umstandsmoden verbergen. Lockenwickler im Supermarkt – auch sehr amerikanisch – würden hierzulande allerdings einen Aufstand hervorrufen. So weit geht eine deutsche Frau nun doch nicht!

Österreich

(siehe auch unter: Auslandsreisen)

Der Handkuß, Inbegriff österreichischen Charmes, hat sich bis heute, auch unter sozialistischem Vorzeichen, überall dort gehalten, wo einst die Flagge Habsburgs wehte – wie umgekehrt die österreichische Küche mit mancherlei schmackhaften Einflüssen aus Böhmen und Ungarn (Gulasch, »Powidltatschkerln«) immer noch an längst vergangene k. u. k. Herrlichkeit erinnert.

Willy Elmayer von Vestenbrugg, Knigge und Pappritz in einer Person, »Kavalier altösterreichischer Schule«, bestand alallerdings darauf, daß der österreichische Handkuß – anders als bei uns – sich nicht auf eine Andeutung beschränken dürfe: der Herr berührt mit den Lippen den Handrücken der Dame!

Bei unseren Nachbarn, den 7,4 Millionen von Wien aus regierten Österreichern, sieht halt manches anders aus. Wiener und Debречiner Würstchen oder besser Würstel werden selbst in den feinsten Lokalen mit der Hand gegessen. Das »Gnä' Frau« läßt sich auch die einfachere Bevölkerung, vor allem in Wien, nicht nehmen, und das »Küß die Hand« verfolgt den

Touristen, ob er es mag oder nicht. Ein bißchen »Schmäh« ist immer dabei.

Freude an Titeln

Österreicher tragen, liebenswürdig wie sie sind, gern dicker als nötig auf (die Bergbevölkerung ist darin sehr viel maßvoller). Je nach Trinkgelderwartung befördern Kellner, Portiers und Chauffeure ihre Gäste in die Höhen akademischer oder gar aristokratischer Weihen. Das darf man nicht ernst nehmen und auch nicht korrigieren. Der Ingenieur ist hier eben der »Herr Ingenieur«, Titel werden benutzt. Auch Frauen schmücken sich ungeniert mit den sichtbaren Erfolgen ihres Mannes. Und das in einem Land, in dem die Adelsprädikate seit 1918 offiziell abgeschafft sind! Kein Wunder, daß die Wiener Kabaretts manches zu bespötteln haben . . .

Das Kaffeehaus spielt in den Städten eine wichtige Rolle. Man liest hier Zeitungen, trifft sich, plaudert. Alles bei einer Tasse Kaffee. Wobei man wissen muß, daß es mancherlei feine Abstufungen von Kaffee gibt: den »Schwarzen« (starker schwarzer Kaffee in kleiner Schale); den »Kurzen« (der konzentrierte erste Guß aus der Espressomaschine); den »Einspänner« (Mokka mit Schlagsahne, im Glas serviert); den »Gespritzten« (Mokka mit einem Spritzer Rum) – und so fort, »Kapuziner«, »Brauner«, »Gestreckter«, »Melange« . . .

Österreich ist deutschsprachig, sagt man sich und fährt los. Spätestens beim Anblick einer richtigen österreichischen Speisenkarte wird der »Reichsdeutsche« begreifen, daß er Übersetzungshilfen braucht, wenn er nicht beim Wiener Schnitzel bleiben will. Und die sind in der Tat in den meisten Reiseführern zu finden.

Orden

Es gibt Menschen, die sich die Freiheit nehmen, Orden abzulehnen. Es gibt andere, die mit Kußhand ein Vermögen für das Stück Blech zahlen. So verschieden ist nun einmal die menschliche Natur.

Die Ablehnung nimmt keiner übel (wenn sie nicht gerade grob formuliert wird). Hamburger und Bremer in ihrer feinen Art haben ein stolzes, selbstbewußtes Prinzip daraus gemacht: Mitglieder der Regierung tragen keine Orden. So geht es auch.

Ein Land allerdings, das sich international nicht völlig isolieren will, braucht zum Austausch der üblichen Höflichkeiten Orden. Daß der Staat aber im Lande selbst alle irgendwie verdienten Bürger auszeichnet, »beleiht«, wie es heißt, verbietet sich schon von der Zahl her. Die Chance, von dem limitierten Ordenssegen etwas abzubekommen, gleicht etwa der, 4 oder 5 Richtige zu tippen.

Zufall ist am Werk. Wobei noch hinzukommt, daß es verschiedene Möglichkeiten gibt, an Orden zu kommen: er-dienern, er-dinieren, er-dienen und ver-dienen. Der Mann, der diese geistreiche Unterscheidung traf, mußte es schließlich wissen: er war einst angesehener Chef der Präsidialkanzlei des Deutschen Reiches.

Die Bundesrepublik Deutschland, die auch das Tragen der – gereinigten – Kriegsauszeichnungen wieder gestattet, hat 1951 einen Verdienstorden mit acht Ordensstufen gestiftet.

Die unteren vier Klassen dieser Auszeichnung »für Verdienste um das Gemeinwohl« gehören zum protokollarischen Alltag: die Verdienstmedaille; das Verdienstkreuz am Bande; das Verdienstkreuz Erster Klasse; das Große Verdienstkreuz (ein Halskreuz).

Wie trägt man Orden?

Nun werden Originalorden, internationaler Übung folgend, eigentlich nur zum Frack und zur Uniform getragen. Doch wer hat schon einen Frack? Und, wenn ja, wann zieht er ihn an? Nach dieser reichlich überholten Regel, die wohl auf die Honoratiorengesellschaft des 19. Jahrhunderts paßte, würde heutzutage kaum ein Orden sein Etui jemals verlassen.

Das hat den Bundespräsidenten zu Recht gestört. Wenn schon Orden vom Staate an verdiente Mitbürger verliehen werden, meinte er, müßten sie auch öffentlich, und zwar ohne Frack, getragen werden dürfen. So kamen die Ordensreferenten der Länder Ende 1972 überein, daß Originalorden auch auf dunkler und dezenter Kleidung gezeigt werden können.

Auf einem Handzettel, der der Verleihungsurkunde beiliegt, wird den Ordensempfängern jetzt mitgeteilt, daß beispielsweise Herren ihre Verdienstmedaille auf der linken oberen Brustseite ihres dunklen Anzuges zu placieren hätten. Den Damen wird eine Stelle empfohlen, die sich eine Handbreit unterhalb der linken Schulter befindet. Das Halskreuz kann unter dem Kragen des Oberhemdes befestigt werden. Allerdings sollte dann (so die Fachleute) ein Querbinder, also eine Fliege statt einer Krawatte, getragen werden.

Einige Bundesländer, vor allem Bayern, verleihen außerdem eigene Verdienstorden. Auch für sie gilt diese Regelung. So darf also der Bayerische Verdienstorden auch zum Smoking, zum dunklen Anzug und – zur Tracht getragen werden.

Jeder Beliehene bekommt zu dem Originalorden eine Ansteckminiatur. Wann er sie benutzt, bleibt dem Träger des Ordens überlassen.

Noch eine Warnung für Geltungsbedürftige: Jedes unberechtigte Tragen von Orden oder Ehrenzeichen wird bestraft.

Ostblock

(siehe auch unter: Auslandsreisen)

Immer wieder gibt es bei der Einreise Ärger, weil das Porträt im Paß nicht mehr mit der Wirklichkeit übereinstimmt: Das Haar ist zu lang geworden, der Bart gesprossen. Wer in die Ostblock-Staaten fährt, muß ein aktuelles, naturgetreues Foto im Paß haben.

Denn zumindest sie, die gestrengen und immer ein wenig mißtrauischen Beamten, schaffen, bei aller Verschiedenheit der Länder zwischen Ostsee und Schwarzem Meer, so etwas wie eine Gemeinsamkeit, zu der auch gehört, daß ausgedehnte Fotosafaris auf eigene Faust, vor allem innerhalb Rußlands, nicht anzuraten sind. Die Furcht vor Spionen grassiert, unausrottbar, noch immer. Auch vermeintliche Kavaliersdelikte wie illegale Geldgeschäfte (Umtausch nicht an der Grenze, sondern im Landesinnern) und Warengeschäfte werden hier wesentlich ernster genommen als anderswo.

Trinkgelder freilich, obwohl offiziell den Zeiten der kapitalistischen Vergangenheit zugerechnet, werden vor allem von Kellnern gern genommen; das sollte allerdings unauffällig geschehen. Bei touristischen Betreuern (die meist eine Fremdsprache sprechen) darf man auf diese Gepflogenheit verzichten. Den Gästen in Restaurants Tische anzuweisen, ist fast überall üblich; sie haben solange zu warten.

Andere Länder, andere Sitten: Russen finden nichts dabei, sich im Schlafanzug im Gang des Schlafwagens zu bewegen; Bulgaren schütteln mit dem Kopf, wenn sie etwas bejahen, und nicken, wenn sie etwas verneinen; Rumänen gebrauchen selbst in ländlichen Gegenden das »Küß die Hand«; und bei den Polen gibt es in vielen Lokalen Alkohol nur dann, wenn Essen bestellt wird . . .

Der Sprachwirrwarr – slawisch, romanisch, finnisch-ugrisch – erinnert jedenfalls nicht an einen geschlossenen Block, und auch die vielen Gläubigen, die Katholiken, Russisch-Orthodoxen, Griechisch-Orthodoxen, Moslems, vermitteln keineswegs ein Bild der Geschlossenheit. Information vor der Reise ist gerade in diesen Ländern besonders wichtig.

Alle Länder haben ihren Stolz, unsere Arroganz ist nicht gefragt. An die Geschichte vergangener Jahrzehnte – ob Schulter an Schulter oder Auge um Auge – rührt man nicht, Politik bleibt beim Gespräch aus dem Spiel. Friedliche Koexistenz muß erst einmal geübt werden.

Parken

»Volk ohne Parkraum« neigt zur Gemeingefährlichkeit. Erwachsene Menschen gehen, ihrer Sinne nicht mehr mächtig, mit Messer und Pistole aufeinander los, um eine Parklücke zu erobern. Krieg im Namen des Automobils.

Vernünftiges Parken, man sieht es jeden Tag von neuem, ist ein regelrechter Gradmesser für menschliche Rücksichtnahme. Sie fängt beim rechtzeitigen Abblinken und Bremsen an und endet, zuweilen jedenfalls, bei der maßvollen Diskussion mit der Politesse. Denken Sie daran: Ohne sie und ihre· Kolleginnen wäre in unseren engen Innenstädten die Hölle los!

Beim Parken denkt jeder an sich selbst zuerst. Dabei kann der nackte Egoismus eines einzelnen, der im Halteverbot steht, oder (genauso verboten) in der zweiten Spur parkt, den Verkehrsfluß ganzer Hauptstraßen durcheinanderbringen. Dabei kann ein falsch auf der Ecke geparkter Wagen innerhalb einer einzigen Stunde Hunderte von Passanten zwingen, einen Umweg zu machen.

Viel wäre ja schon dadurch erreicht, wenn der zur Verfügung stehende Parkraum richtig ausgenutzt werden würde. Damit andere auch Platz haben. In anderen Ländern ist man darin, der Not gehorchend, viel konsequenter – man denke bloß an Paris: Stoßstange an Stoßstange.

Natürlich sind Parkschäden nicht zu vermeiden. Es gehört sich, wenigstens eine Visitenkarte hinter den Scheibenwischer des angekratzten Wagens zu stecken (auch wenn es keine Zeugen für den Vorfall gibt), wenn schon die Zeit nicht reicht, einen Augenblick zu warten.

Der Trick, Frau oder Kinder in eine Parklücke zu dirigieren, bis der Wagen plus Fahrer zur Stelle ist, hat übrigens schon die Gerichte beschäftigt. Sie haben entschieden: Ein anderer Fahrer, der in diese Parklücke einfährt und den oder die Postensteher wegzudrängen versucht, kann wegen Nötigung, gegebenenfalls sogar wegen Körperverletzung belangt werden.

Auch Parken, vernünftiges Parken (einschließlich der Geduld, die manchmal dazu gehört) ist eine Frage der rücksichtsvollen Einstellung dem Mitmenschen gegenüber. Doch die Parkmoral, so die Polizei, wird schlechter. Allen Strafen zum Trotz. Zeit ist Geld.

Parties

(siehe auch unter: Cocktailpartie, Einladung, Kaltes Büffett, Spielen, Verabschiedung)

Viele feine bunte Parties: für ein paar bedauernswerte Geschöpfe erschöpft sich darin, wie man hört, der Lebensinhalt. Vielbeschäftigten Top-Managern verleiden gerade diese gesellschaftlichen Verpflichtungen zuweilen ihren Beruf. Für Journalisten, Diplomaten, Politiker, Lobbyisten, Kaufleute hingegen gehören Parties zur Dienstzeit, und manchmal ist es eine harte. Sie müssen »partyzipieren«.

Parties schaffen Kontakte zwischen Menschen, sind Amüsierbetrieb und Informationsbörse, Tanzparkett und Klatschbasis – sind Zeitvertreib und oft genug auch Zeitvergeudung. Das Wort »Party«, typischer Nachkriegsimport, steht inzwischen längst für Geselligkeit schlechthin, gehobene – und manchmal auch gesunkene.

Party ist heute alles: die kultivierte Konversation bei erlesenen Delikatessen genauso wie die sommerliche Sause in Blue jeans und Badezeug. Selbst die gemeinsame Teilnahme am Fernsehprogramm bei Kartoffelchips und Flaschenbier wird ja schon zur Party hochgejubelt.

Das Reizwort »Party« allein besagt also noch nicht viel, kann aber vielerlei signalisieren: Geburtstag oder Hochzeitstag, Abitur oder Examen, Kellerausbau oder Einweihung des Planschbeckens, Gäste von irgendwoher, die Versetzung des Vorgesetzten oder die eigene Beförderung – das Fest aus heiterem Himmel, aus Jux und Dollerei nicht zu vergessen. Ein Anlaß für eine Party läßt sich immer finden, und sei es bloß der, daß es mal keinen gibt. Man muß, bei so vielen denkbaren Möglichkeiten, den Eingeladenen mitteilen, was sie erwartet – und den lieben Nachbarn auch. Ein Wort über den Zaun, ein Zettel in den Briefkasten: »Bitte haben Sie Nachsicht, wenn es heute abend etwas lauter wird.«

Es gibt wahre Genies der Improvisation, die ein gelungenes Fest gleichsam aus dem Handgelenk schütteln können – beneidenswert. Jeder hat sicher einmal selbst erlebt, daß sich ein spontan »ausgebrochenes«, ganz und gar ungeplantes Fest zu einer riesigen Gaudi auswuchs. Spricht das gegen Planung? Heißt das, man sollte getrost alles dem Zufall überlassen, und der wird's schon richten, irgendwie?

Gewiß nicht. Eine Party mit vielen Gästen ist ohnehin kein Unternehmen, das präzis wie ein Uhrwerk abzuschnurren pflegt. Parties gleichen dem Lotteriespiel, sind immer mit Risiko belastet. Danach ist man schlauer. Die Getränke haben nicht gereicht. Oder es war zu eng. Oder die Gäste paßten nicht zueinander. Es hat aber andererseits keinen Sinn, sich detailliert auszumalen, was alles schiefgehen kann. Vielleicht ist die Ungewißheit – geht's gut, geht's nicht gut? – für den Gastgeber überhaupt das Erregendste. Und wenn nicht alles klappt – du lieber Himmel, wer will darüber schon rechten!

Organisation muß ja keineswegs der Feind jeder Gemütlichkeit sein. Solange sie nur Mittel zum löblichen Zweck ist, kann keiner etwas gegen die überlegte Planung haben. Wer zum erstenmal ein größeres Fest in den eigenen vier Wänden gibt, jeder muß schließlich mal anfangen, unterschätzt meistens Zeit, Mühe und Aufwand, die dazugehören.

Ohne eine Art Checkliste wird man bei einer größeren Gesellschaft nicht auskommen. Wenn zwei, Mann und Frau, im Teamwork an die Verwirklichung ihrer Party-Idee gehen, behalten sie durch Zettel und Block, durch Abhaken oder Streichen den besten Überblick über den Stand der Vorbereitungen.

Essen und Trinken

Man kann das Essen in den Mittelpunkt stellen: eine Gulasch-Party veranstalten, ein Kartoffelpuffer-Essen oder ein Spaghetti-Wettessen. Man kann Würstchen grillen und in aufgeschnittene Brötchen packen. Man kann genauso Buletten, Bier und Schmalzbrote als »tragfähiges Fundament« des Abends wählen. In solchen Fällen ist der Einkauf ziemlich problemlos, denn er ist zielgerichtet.

Komplizierter wird es beim kalten Buffet. Dann sind die Verlockungen groß, auch Ausgefalleneres zu bieten, und das geht bekanntlich ins Geld. Kaltes, aufgeschnittenes Fleisch, verschiedene Sorten von Salaten, Fisch und Eier sind ein Angebot, das die Möglichkeiten einer normalen Küche nicht übersteigt. Zurechtgemachte Brothappen tun's aber auch. Ein Gastgeber sollte nicht protzen, Motto: Wir haben es ja. Ein meterlanges kaltes Buffet mit Bedienung bedarf schon eines gewichtigen Anlasses. Man muß auch an den Abschluß denken: an Eis oder Obstsalat, Quarkspeise oder eine scharfe Suppe.

Die Getränke sollten – bis auf die Schnäpse, bis auf jungen

spritzigen Wein, der einen kurzen Eisschrank-Aufenthalt vertragen kann – nicht zu kalt, nicht unter 10°, sein. Bei größeren Festen mit entsprechenden Bier- und Weinflaschenmengen wird man auf die wassergefüllte Badewanne nicht verzichten können; auch der Balkon liefert in kühleren Monaten Wohltemperiertes.

Bei Bottle-Parties (jeder bringt etwas zu trinken mit) empfiehlt sich telefonische Absprache oder ein Hinweis auf der Einladung. Wenn jeder nach Gutdünken einkauft, besteht die Gefahr, daß zu vorgerückter Stunde alles durcheinander getrunken wird – und das hat sowohl für den Augenblick als auch am nächsten Tag sattsam bekannte Folgen. Erfrischungsgetränke, Fruchtsäfte, Mineralwasser gehen oft reißender weg als eingeplant, auch das muß man beim Einkauf berücksichtigen.

Mit Gläsern muß man bei einer Stimmungsparty keinen Luxus treiben. In kleiner Runde mögen sie eine Augenweide sein; bei Hochbetrieb sind billige Gläser aus dem Kaufhaus, um die niemand eine Träne weint, praktischer. Sie passen auch besser zum billigen Partygeschirr und zu Plastikbestecken.

Vorbereitung in der Wohnung

Man tut den Gästen, die ja zum Feiern gekommen sind, einen Gefallen, wenn man alles außer Reichweite räumt, was einigen Wert hat (wie echte Teppiche und alte Möbel) oder zu Bruch gehen könnte (wie Vasen oder Porzellan). Die Gastgeber ärgern sich (insgeheim natürlich!), wenn etwas passiert, und dem Gast ist es peinlich. Also weg damit – in den Keller, auf den Boden oder zum Nachbarn. Auch die zwei- und vierbeinigen Hausgefährten müssen wahrscheinlich für ein paar Stunden auf die Gegenwart von Herrchen und Frauchen verzichten.

Bei einer größeren Party wird sich Um- und Ausräumen nicht vermeiden lassen. Es muß eine Tanzfläche, es müssen bequeme Sitzgruppen geschaffen werden, letztere am besten aus bunt bezogenen Matratzen. Das kalte Buffet soll seinen Platz haben und die Hausbar schließlich auch. Das Licht darf nicht zu grell, die Heizung nicht zu heiß sein. Kerzen, sicher stimmungsvoll, vertragen sich schlecht mit dem Trubel von Tanzenden.

Wenn auf der Checkliste alles abgehakt ist, dürfen Sie kurz Luft holen – und die Gäste kommen. Nur bei einer Einladung zum Essen gehört es sich, pünktlich zu erscheinen. Bei einer Party kommt es auf eine viertel oder halbe Stunde nicht an. Für Gastgeber ist es sogar ganz angenehm, wenn der Empfang sich ein bißchen hinzieht. Sie wollen ja mit ihren Gästen wenigstens zu Beginn ein paar freundliche Worte wechseln. Herzlichkeit, wagen wir getrost dieses Wort, darf beim Empfang schon spürbar sein – wozu sonst der ganze Aufwand? Außerdem müssen Gäste, die sich nicht kennen, miteinander bekannt gemacht werden. Auf einem Tablett wird ein Begrüßungsschluck angeboten.

Unterhaltung der Gäste

Wollen die Gäste nur tanzen, sind Schwierigkeiten kaum zu befürchten. Die Arbeit der Gastgeber beschränkt sich darauf, für den Nachschub an Getränken zu sorgen, Tabakwaren oder einen Imbiß anzubieten, gelegentlich die Fenster zu öffnen und die Aschenbecher sauberzuhalten. Leere Flaschen und herrenlose Gläser kommen in die Küche. Für den Dienst am Tonbandgerät oder am Plattenspieler hat sich hoffentlich ein guter Freund gefunden. Um alles können sich die Gastgeber nicht kümmern. Ältere Kinder machen, nebenbei bemerkt, beim Service begeistert mit (kleinere werden wohl umquartiert).

Wer eine Party unter ein bestimmtes Motto stellt (ein Kostümfest zum Beispiel), sollte den Stil des Abends von der Einladung über die Dekoration der Wohnung bis zur Wahl der Getränke durchhalten. Die Einladungen werden selbst geschrieben und gezeichnet. Bei solchen Festen, auch beim privaten Fasching, braucht man einen Umkleideraum, eine »Garderobe« mit Spiegel für die Partybesucherinnen.

Aber es wird ja nicht nur getanzt bei Parties. Man könnte sich auch, beispielsweise, unterhalten. Viele Menschen scheinen freilich im Zeitalter des Fernsehens, das zur Passivität erzieht, das Gespräch schon fast verlernt zu haben – wenn man darunter etwas mehr versteht als bloß den Austausch von Erlebnissen mit dem Auto und von Schwänken aus der Kindererziehung.

Was macht man als Gastgeber mit Menschen, die erwarten, daß sie unterhalten werden, ohne selbst einen Beitrag zu leisten? Lassen wir die Dias lieber im Kasten. Auch der Urlaubsfilm muß schon recht kurz und sehr komisch sein, wenn Stimmung – und nicht gähnende Langeweile aufkommen soll.

Die eleganteste Art, träge Gäste zu beschäftigen, ist das gelungene Gesellschaftsspiel, soll es »Monopoly« oder »Mensch ärgere dich nicht« heißen. Ein Tischroulette sorgt, auch bei kleinen Einsätzen, für Spannung. Doch selbst der simple Wollfaden, der zu einem Muster geschlungen und vom Nachbarn mit den Händen »abgenommen« wird, hat in mancher Runde schon Wunder gewirkt. Je einfacher, desto besser!

Bei einer normalen Party wird nach Mitternacht der Kaffee (oder Mokka) gereicht. Ein Kostümfest kann natürlich länger dauern, vorausgesetzt, die Nachbarn meutern nicht. Ein Hinweis auf die nächtliche Stunde wird vielleicht auch fröhlich animierte Gäste zu einem gemäßigten Abgang veranlassen. Immer gelingt das allerdings nicht.

Der Dank für den Abend wird ein oder zwei Tage später abgestattet. Unter Freunden telefonisch, unter Bekannten wohl eher noch mit ein paar Zeilen und einem Blumenstrauß für die Gastgeberin.

Nach einem stürmischen Fest am nächsten Tag vorbeizuschauen (nicht zu früh, versteht sich!), um beim Aufräumen zu helfen, ist unter guten Freunden eine Selbstverständlichkeit. Kleine Nachfeiern, die sich beim Vertilgen der Reste ergeben, können sehr lustig sein. Manchmal werden sie schon bei der Verabschiedung in der Nacht verabredet.

Wir feiern draußen

Parties kann man, je nach Jahreszeit, mittags oder nachmittags oder abends ansetzen – wann immer die Gäste Zeit haben. Gartenfeste darf man, beim Zwischenhoch, ganz schnell, mit telefonischer Einladung arrangieren.

Wer im Garten mit Grill, Musik und Spielen zu feiern beabsichtigt, muß schon bei der Zahl der Eingeladenen von vornherein die schlimmste Möglichkeit mit einkalkulieren: daß das Fest ins Wasser fällt. Es sei denn, man versammelt sich unter Sonnenschirmen, um beim Rotwein dem milden Sommerregen zu lauschen, was auch nicht ohne Reiz ist . . .

Man kann, um häusliches Chaos zu vermeiden und den Rasen zu schonen, auch gleich ins Grüne hinausfahren – zur Grillparty mit Freunden und Familie, dem bevorzugten Wochenendspaß der Autofahrer. Der Spaß hört freilich auf, wenn ausgerechnet der Flaschenöffner zu Hause geblieben ist! Oder wenn das Fleisch nicht gar ist, weil der Brocken zu groß war. Beim Grillen kann schon mal etwas schiefgehen. Nehmen Sie das nicht so tragisch. Fühlen Sie sich in der Natur wie ein – Naturmensch!

Die Party am Flußufer oder am Waldrand gruppiert sich um

den Grillapparat, auf dem Fleisch oder Fisch brutzelt. Vorsicht ist freilich angebracht. Der Grillplatz soll niemals in der Nähe von dürrem Gras oder an Sträuchern angelegt werden. Aschenreste sind sorgfältig zu beseitigen. Und die Abfälle! Man kann eine kleine Grube ausheben, wenn man nicht an eine geräumige Tüte gedacht hat.

Partyvorbereitungen

Lesen Sie unbedingt die ausführliche Checkliste unter dem Stichwort »Einladungen«!

Legen Sie sich selbst eine Liste an – jedenfalls bei einer größeren Party!

Wenn Sie sich eine Hilfskraft engagieren wollen, sichern Sie sich diese zuerst – vor den Einladungen. Sie bekommen leichter dreißig hungrige und durstige Gäste ins Haus als eine geübte, dienstwillige Kraft!

Verteilen Sie die Vorbereitungen über mehrere Tage. Bloß nicht alles auf die letzte Sekunde verschieben!

Staffeln Sie die notwendigen Anschaffungen in mehrere Gruppen: Was brauchen wir unbedingt? Was wäre erwünscht? Was ist nur für einen Abend brauchbar?

Sind Gläser und Bestecke zu ergänzen – oder kaufen Sie Plastikgeschirr, Plastikbestecke und billige Gläser?

Soll die Party unter einem besonderen Motto stehen? Sollen Speisen und Getränke auf dieses Thema abgestimmt sein? Wollen Sie sich beim Essen an etwas Ausgefalleneres wagen? Genügt ein Kochbuch – oder empfiehlt sich der Besuch von Spezialgeschäften?

Können Freunde etwas mitbringen? (Platten, Bänder, Spezialgeschirr usw.)?

Die Küchen- und Zimmersäuberung nicht vergessen!

Alles, was frisch sein muß, notfalls vorher bestellen: Fleisch, Weißbrot, Graubrot, Brötchen, Stangeneis.

Was nicht unbedingt frisch sein muß, ein oder zwei Tage vor der Party holen, zubereiten und unter Klarsichtfolie in den Eisschrank stellen.

Am Vormittag der Party: Bierfaß aufstellen; Getränke kühlen; Soßen anrichten; Grill herrichten (Braten ölen und in Folie wickeln, ebenso Bananen, Äpfel, Tomaten, Kartoffeln).

Am Nachmittag vor der Party: Wohnung »umbauen« und Beleuchtung herrichten, Sitzgruppen aufstellen, Tisch für das kalte Büffet, Brote oder Brothappen herrichten (sie werden schnell unansehnlich, vor allem im Sommer); Salate anrichten; Geschirr und Gläser bereitstellen.

Checkliste durchgehen: nichts vergessen?

Die letzte halbe Stunde, wenn möglich, hinlegen und tief durchatmen. Und dann: viel Spaß!

Phrasen

Wie läßt der französische Komiker Tati in seinem Film »Mon oncle« eine Dame sagen, die einen scheußlich pseudomodernen, fast unmöblierten, in greller Helligkeit erstrahlenden Wohnraum betritt? Die Dame sagt begeistert » . . . und so gemütlich hier!«

Das angelernte Vokabular, die hundertmal abgeschnurrte Phrase triumphiert, drängt sich über die Lippen selbst noch angesichts des Erstaunlichen oder gar Erschreckenden. Das Klischee ist immer griffbereit – abgedroschene Wörter und Wendungen, hinter denen nichts steht. Kein Gefühl, keine Anteilnahme, keine Ehrlichkeit. Sie sind abrufbereit und werden mechanisch dahingesagt.

Viele Phrasen werden noch aus dem 19. Jahrhundert mitgeschleppt, Ballast entschwundener Tage. Gegen diese Phrasen hilft nur eines: Sich bewußt machen, wie abgegriffen und nichtssagend solche Wörter sind, wie unbedacht und automatisch sie dahingesagt werden!

Urteilen Sie selbst:

»Ich freue mich, Sie kennenzulernen.«
»Ganz meinerseits.«
»Mahlzeit!«
»Angenehmes Wochenende!«
»Sehr angenehm!«
»Sehr erfreut!«
»Greifen Sie doch zu . . .«
»Lassen Sie sich doch nicht nötigen . . .«
»Das wäre aber nicht nötig gewesen.«
»Ich möchte nicht länger stören . . .«
»Darf ich mich revanchieren?«
»Gehen Sie voraus . . . ich bin hier zu Hause.«
»Ja, ja, so ist das . . .«

»Was sollen die Leute denken!«
»Gestatten?«
»Keine Ursache . . .«
»War nett, Sie zu sehen . . .«
»So jung kommen wir nicht mehr zusammen . . .«
»Machen Sie doch keine Umstände . . .«
»Ich halte Ihnen die Daumen!«
»Genau.«

Portugal

(siehe auch unter: Auslandsreisen)

Ganz so einheitlich und geschlossen, wie die Iberische Halbinsel – Spanien und Portugal – auf der Landkarte erscheint, ist sie nun auch wieder nicht. Die Portugiesen, dieses kühne Seefahrer- und Entdeckervolk, haben später, als sie den Weltmachtstatus nicht halten konnten (ein nicht unbeträchtliches Kolonialreich erinnert an die große Zeit), bei England Schutz gesucht und grollen den Spaniern, die einmal im Lande waren, noch heute, wenn auch verhalten. Man hüte sich deshalb davor, Portugiesen mit spanischen Vokabeln zu traktieren.

Denn Portugiesen selbst sind höflich, sehr höflich. Die Wendung »com licença«, »Verzeihung« oder »'Tschuldigung«, benutzt man bei jeder Gelegenheit. Auch Titel spielen bei der Anrede eine große Rolle. Und man sagt nach einer Bitte »se faz favor« (wenn es gefällig ist) – was die portugiesischen Verwandten im fernen Brasilien (das ja Portugiesisch spricht) freilich gern als altmodisch belächeln.

Ja, ein bißchen altmodisch sind die Portugiesen schon, für modische Gewagtheiten haben sie keinen Sinn (was der Besucher bei seiner Kleidung beachten sollte). Extravaganzen erregen Kopfschütteln. Trotzdem hat sich natürlich der Bikini an den Touristenstränden durchgesetzt.

Die Familie ist noch unangetastet in diesem sauberen, armen katholischen Land (mit einer kleinen reichen Oberschicht), der Mann das Haupt und der Chef, dessen Herrschaftsanspruch bisher kaum in Frage gestellt wird, auch von den Kindern nicht. In manchem schien die Zeit hier stillzustehen. Die Männer gehen in ihr Stammcafé, und von der Familie wird der Tourist nicht viel sehen.

Abends nach 8 Uhr wird die Hauptmahlzeit eingenommen.

Die Nationalspeise der 9,5 Millionen Portugiesen ist der Kabeljau (gesprochen bakaljau), der in dutzenderlei Arten zubereitet wird. Als Aperitif oder Dessertwein bestellt man natürlich einen Porto. Wo gibt es schließlich ein anderes Land, dessen Name schon an Wein, an prächtigen Wein, erinnert?

Portugiesen stehen den Spaniern weder in ihrem Mangel an Zeitgefühl noch in ihrem Stolz nach. Sie sind freilich friedlicher und liebenswürdiger als die temperamentvoll aufbrausenden Spanier. Ein Hauch von Resignation ist nicht nur in den »Fado«-Gesängen spürbar, die zum Pflichtprogramm der Touristen gehören. »Saudade« nennt der Portugiese diese Schwermut.

Allerdings: auf Kritik – Kritik am Fußball, am Stierkampf (der nicht tödlich endet), am Land oder an der Politik – reagieren auch Portugiesen allergisch. Stolz wie Spanier ...

Pünktlichkeit

Sie sei die Höflichkeit der Könige, sagt ein schönes Wort. Kunststück, kann einer entgegnen, wenn mir der Weg durch Herolde oder durch Blaulicht freigemacht wird, kann ich auch pünktlich sein – aber nicht im Stau auf der Autobahn. In der Tat: heute pünktlich zur Stelle zu sein, ist zuweilen schwer, manchmal einfach unmöglich.

Trotzdem: Unpünktlichkeit ist und bleibt ein unfreundlicher Akt gegen die Pünktlichen. Wiederholte Unpünktlichkeit deutet auf fehlende Zeiteinteilung. Vernünftige Zeiteinteilung aber läßt sich bei einigem Willen antrainieren.

Aber selbst bei allem guten Willen gelingt es keinem, immer und überall rechtzeitig zu erscheinen. Meist übersieht man schon vorher, daß ein festgesetzter Termin auf keinen Fall zu schaffen ist. Also telefoniert man, wenn es irgendwie geht. Wartende kann man im Restaurant, im Hotel aus- und aufrufen lassen. Auf Flugplätzen kann man es versuchen. Und man sollte es auch tun. Die Nerven, die dazu gehören, um in aller Gemütsruhe zu warten, haben heute nur noch wenige Menschen.

Verkehrsbedingte Unpünktlichkeit wird schnell entschuldigt. Jeder weiß, wie es ist, wenn man keine Parklücke findet. Deshalb sollte man in Hauptverkehrszeiten möglichst keine

Verabredungen treffen. Oder am besten gleich bei der Verabredung fünfzehn oder dreißig Minuten gegenseitige Toleranzzeit mit einkalkulieren.

Bei der Einladung zum Essen im privaten Kreis wird nicht länger als fünfzehn Minuten auf einen fehlenden Gast gewartet. Erscheint er endlich, entschuldigt er sich. Bei Parties ohne Essen wird auf Pünktlichkeit kein Wert gelegt; eine halbe Stunde Verspätung ist gang und gäbe.

Besonders störend sind Unpünktliche im Theater und im Konzert (im Kino hat man sich an sie gewöhnt). Wenn man in solchen Fällen nicht bis zum Akt- oder Satzschluß wartet, geht man langsam durch die – hoffentlich richtige – Reihe. Man wendet sich dabei den Aufgestandenen zu. Sie dürfen ein leises »danke« erwarten.

Unpünktlichkeit, gezielte Unpünktlichkeit gehörte einst zum Repertoire weiblicher Koketterie. Heute kann ein Mann verlangen, daß eine Frau kein Prinzip aus dieser überholten und dümmlichen Marotte macht. Nur Pop-Stars muten ihren Fans stundenlanges Warten zu, traurig, daß sich die meisten das gefallen lassen.

Frühzeitig an Ort und Stelle zu sein, um ganz sicherzugehen, ist keine üble Angewohnheit. Bei Einladungen sollte man sich freilich an die ausdrücklich angegebene Zeit halten. Sonst stört man die Gastgeber, wenn er noch beim Binden der Schleife ist und sie sich gerade die Perücke überstülpen will.

Akademisches Viertel
heißt der – auch in den gesellschaftlichen Bereich übertragene – Brauch, Vorlesungen oder Veranstaltungen eine Viertelstunde später als angekündigt zu beginnen.

    c. t., »plus Zeit«, also später
    s. t., »ohne Zeit«, also pünktlich

Rauchen

Zwei Hände hat der Mensch – mit denen er oft genug nichts anzufangen weiß. Die in manchen Augenblicken sehr lästig sein können. Man merkt es an dem verlegenen Reiben der Handflächen, mit dem viele Menschen geschlossene Räume betreten: Hände wollen beschäftigt sein. Wollen irgend etwas tun, eine Funktion haben. Nichtrauchern bleibt die Flucht in die Hosentasche, die dann eher einer Hand-Tasche gleicht.

Raucher haben es besser, denn Raucher, Männer wie Frauen, haben die Zigarette. Sie gibt zumindest einer Hand Sinn und Arbeit, hilft Nervosität und Unsicherheit überspielen, suggeriert Selbstvertrauen. Gäbe es die Zigarette nicht, sie müßte – dringend! – erfunden werden.

So ist das Rauchen Lebenshilfe – und Laster, Lust und Leidenschaft zugleich. Der sehr demokratische Genuß, der arm und reich verbindet, ist zudem relativ problemlos – wenn man Kleinigkeiten beachtet.

Wer gibt Feuer?

Der Mann reicht der Frau Feuer, der Jüngere dem Älteren – Feuer geben als Akt der Höflichkeit. Deshalb bietet auch der Gastgeber dem Gast Feuer an. Die Feuerquelle wird so gehalten, daß der oder die damit Beehrte sich nicht zu verrenken oder weit nach vorn zu beugen braucht. Die Frau, die dem Mann Feuer gibt, wird heute noch so verstanden, daß sie Zeichen der Emanzipation setzen will. Die normale Situation ist die, daß sie dem Mann Streichhölzer oder Feuerzeug reicht, damit er sie, andere und sich selbst damit bedient. Der Jüngere nimmt dem Älteren das Streichholz ab, nachdem dieser sich seine Zigarette angezündet hat (aber das ist schon eine feinere Spielart des »guten Tons«).

Wer Feuer anbietet, nimmt sich erst danach selbst eine Zigarette; raucht er schon, nimmt er die Zigarette auf jeden Fall beim Anbieten aus dem Mund. Man spricht auch nicht mit der Zigarette im Mund (was bei Belmondo ja sehr männlich aussehen mag). Ein Gastgeber empfängt seine Gäste nicht mit brennender Zigarre oder Zigarette, sondern legt sie vorher beiseite. Auch der Gast erscheint nicht mit »qualmender« Zigarette.

Eine Frau, die in einer Männerrunde den Drang nach Nikotingenuß verspürt, braucht nicht mehr darauf zu warten, daß auch die Männer rauchen. Sie zückt selbst ihre Zigaretten, und wenn sie eine starke Raucherin ist, wird sie auch mit dem Feuerzeug schneller sein als ihre männliche Umgebung. Herausfordernd auf das hingehaltene Feuerzeug zu warten – Motto: ich weiß, daß es sich gehört, einer Dame Feuer zu geben –, ist dann allerdings auch keine sehr konsequente Haltung.

Auf der Straße ist nur Männern das Rauchen erlaubt – sagen deutsche Männer. Amerikaner denken da ganz anders. Noch sind wir den Anblick rauchender Frauen unter freiem Himmel nicht so recht gewohnt, was sich aber ändern kann. Denn schon ist das Rauchen junger Mädchen auf der Straße »in«. Aber die machen es wohl noch aus Daffke.

Zigarre und Pfeife

Zigarrenrauchen gleicht, wie Weintrinken, einem kleinen Privatkult – die Zigarre entzieht sich dem hastigen Konsum und zwingt zur Sammlung. Angeblich unterscheiden sich Zigarrenraucher schon dadurch von Zigarettenrauchern, daß sie sich ihren Tabakwickel nur mit dem Streichholz entzünden. Dieser Streichholz-Purismus stammt noch aus der Zeit der Benzinfeuerzeuge, die das Aroma der Zigarren in der Tat beeinträchtigten. Bei Gasfeuerzeugen besteht diese Gefahr nicht mehr. Wer jetzt noch auf Streichhölzern besteht, ist ein Snob oder ein Konservativer – oder beides.

Vor dem Anrauchen der Zigarre wird die Bauchbinde entfernt. Die Spitze der Zigarre wird an dem Ende, das der Raucher in den Mund steckt (meist ist es das dickere), abgeschnitten, entweder mit dem Zigarrenabschneider oder mit einem kleinen Taschenmesser; zwei Fingernägel genügen notfalls auch zum Abknipsen. Das Abbeißen der Spitze sieht man allerdings nur in Gangsterfilmen.

Pfeiferauchen bei guten Freunden schafft keine Probleme. Bei einem normalen Besuch sollte ein Pfeiferaucher – Image: lässig und intellektuell – aber doch fragen, ob der Qualm nicht stört – es sei denn, der Hausherr raucht selber Pfeife. Auch im Eisenbahnabteil oder im Flugzeug sind Pfeife und Zigarre wegen der intensiven Rauchschwaden, die die Raucher um sich zu verbreiten pflegen, nicht so gern gesehen. Nichtrauchern treiben sie Tränen in die Augen.

Künstler, Wissenschaftler und Politiker, Männer der Öffentlichkeit, gehören zu den bekannten Pfeiferauchern. Die alte Ansicht, Pfeiferauchen gezieme sich nicht bei offiziellen Anlässen (in großen Räumen), ist von der Wirklichkeit überholt. Was allerdings kein Freibrief für jedermann und für jede mögliche Gelegenheit ist . . .

Raucherhilfen und Raucherunsitten

<u>Gastgeber</u>

. . . stapeln auf dem Tisch oder jedenfalls an gut sichtbarer Stelle ein Sortiment der gängigen Zigarettensorten, schwarze eingeschlossen

. . . verblüffen Freunde und Bekannte durch den Kauf von Marken, die diese bevorzugen (der Trick ist einfach, kommt aber gut an: man braucht sich bloß bei Gelegenheit die Lieblingsmarke zu merken)

. . . stellen Aschenbecher in hinreichender Zahl auf. Aschenbecher können nicht groß genug sein, im Garten empfehlen sich Vasen oder ähnliche wassergefüllte Behälter

. . . sorgen auch für Zigarren, wenn sie ältere Gäste erwarten

. . . geben nach Tisch das Zeichen zum Rauchen, indem sie Zigaretten und Zigarren anbieten oder eine Kerze anzünden

<u>Gäste</u>

. . . rauchen nach dem Essen erst, wenn der Gastgeber sichtbar dazu auffordert. Bei längeren Mahlzeiten wird zwischen den Gängen eine Rauchpause eingelegt, wenn keiner etwas dagegen hat

. . . weichen nicht gleich auf ihre Spezialmarke aus, sondern nehmen erst einmal von den angebotenen Zigaretten

. . . verstreuen die Asche nicht im Zimmer. Wenn kein Aschenbecher griffbereit ist, holt man einen oder benutzt eine Streichholzschachtel

. . . drücken die Zigaretten oder Zigarren sorgsam im Aschenbecher aus

. . . legen die brennende Zigarette nicht auf die Kante eines Möbelstückes oder auf den Rand einer Untertasse

. . . blasen anderen Gästen, vor allem Nichtrauchern, nicht den Qualm ins Gesicht

. . . schnippen, auch wenn sie angeheitert sind, keine Zigarettenkippen aus dem Fenster

Denkt an die Nichtraucher!

Jedermann darf, ob männlich oder weiblich, mit der Zigarette in der Hand von einem gewissen Alter an gegen die laut

Statistik steigende Lebenserwartung ankämpfen. Das ist jedermanns gutes Recht.

Daß Raucher innerhalb eines Jahrhunderts die Welt zu einer Raucher-Welt gemacht haben, in der selbst der höfliche Brauch, beim Essen die Tischnachbarn zu fragen, ob die Qualmentwicklung nicht störe, sang- und klanglos unter den Tisch gefegt wurde, steht auf einem anderen Blatt. Für Raucher sind »verräucherte« Gaststuben urgemütlich und volle Aschenbecher Zeichen des Lebensstandards. Mögen die anderen doch husten, sollen ihnen doch die Augen tränen – warum rauchen sie nicht auch?

Seitdem es ein wachsendes Umwelt-Bewußtsein gibt, seitdem frische Luft wieder geschätzt wird, haben auch die Nichtraucher wieder Mut und Hoffnung geschöpft. Sie lassen sich nicht mehr alles gefallen und protestieren gegen den Rauch.

Keiner läuft heute Gefahr, ausgelacht zu werden, wenn er zu Beginn einer Konferenz, einer Sitzung oder Tagung den Antrag stellt, das Rauchen durch Mehrheitsbeschluß zu unterbinden und statt dessen Zigarettenpausen einzuschieben. Viele Gremien, wie Gemeinde- und Stadträte, haben sich bereits nach entsprechenden Anträgen auf das Nichtrauchen in den Sitzungsräumen geeinigt. Die Kantinen in fortschrittlichen Unternehmen haben bereits Nichtraucher-Räume. Es geht halt auch anders ...

Deshalb sollte auch die Suggestivfrage »Sie gestatten doch, daß ich rauche« viel öfter wahrheitsgemäß, also mit einem freundlichen »Nein«, beantwortet und nicht bloß als gesellschaftliche Phrase gewertet werden (»Ich bin gleich mit dem Essen fertig ...«, wäre beispielsweise eine ehrliche Antwort). Deshalb sollten Gastgeber auch an die Nichtraucher denken.

Man raucht nicht ...

... in Wartezimmern jeder Art und in Kinderzimmern; im Krankenhaus, in Museen, in der Kirche, im Theater oder Kino

... in Ställen, Scheunen, Garagen, an Tankstellen und auf dem offenen Flugfeld. Man raucht auch auf gar keinen Fall im Wald zur Sommerzeit.

Reden

Es ist noch kein Redner vom Himmel gefallen. Übung macht auch hier den Meister – Übung, die durch den Gebrauch des Tonbands wesentlich erleichtert wird. Man kann sich selbst prüfen, wie in einer Profi-Rednerschule, die zur Selbstkontrolle auch noch den Bildschirm zur Verfügung stellt.

Wer in Versammlungen, vor Mitarbeitern oder im Klub sprechen muß und seine Zuhörer nicht langweilen will (was ja zu den peinlichen Belästigungen im Leben zählt), muß sich mit einigen Grundregeln der Vortragskunst vertraut machen.

Sprechen und Lesen sind zweierlei. Ein Text, der sich lesen läßt, muß noch längst kein Text sein, der sich gut sprechen läßt. Die Arbeit des Redners beginnt in dem Augenblick, da er sein Material in möglichst kurze, jedermann und allgemein verständliche Sätze bringt.

Dann wird das Manuskript in überschaubarer Form niedergeschrieben: mit einer gut lesbaren Schreibmaschine (große Typen) und in kurzen Zeilen. Das Auge muß die Sätze und Absätze so mühelos wie möglich erfassen können – kleiner Trick, der Ihnen helfen wird: man vermeidet im Manuskript Trennungen innerhalb des Wortes.

Auch das richtige Atmen, das Luftholen an passender Stelle, nämlich zwischen den Sätzen, will gelernt sein. Die Haltung am Rednerpult: gelöst, locker, ruhig, aufrecht – so atmet es sich am besten. Die Stimme muß sich in der Lautstärke den räumlichen Verhältnissen anpassen.

Beim Vortrag sollen Sie ja nicht bloß auf das Blatt schauen. Nichts ist schlimmer als das monotone Ablesen. Halten Sie zu Ihrem Publikum Kontakt. Mit den Augen. Dann gehen die Zuhörer auch mit. Sie fühlen sich dann angesprochen.

Der Anfänger übt zu Hause. Er hält seinen Vortrag oder die Rede zwei-, dreimal im stillen Kämmerlein – am besten vor einem Familienmitglied oder einem Vertrauten, der ihn korrigiert. Oder prüft sich per Tonband. Die unterstreichenden Gesten, die maßvoll sein sollten, werden kontrolliert. Die Zeit wird gestoppt; die meisten Vorträge leiden an Überlänge. Beim lauten Üben werden schließlich auch die Betonungen im Text kenntlich gemacht. Lampenfieber, und sei es auch nur ein Anflug davon, hat wohl jeder, der vor ein Publikum tritt. Tiefes Durchatmen, schon vor dem Auftritt, entspannt und beruhigt.

Die anfängliche Beklemmung legt sich meistens schon nach den ersten Sätzen. Beruhigungstabletten einzunehmen, deren Wirkung man nicht genau kennt, kann blamable Folgen haben.

Es muß ja auch nicht immer eine lange Rede sein. Jeder kann einmal in die Situation kommen, vor einem Publikum ein

Tischreden

Der Bedarf an Tischreden scheint fürs erste durch die letzten hundert Jahre, die auf dem Gebiet recht fruchtbar waren, zunächst einmal gedeckt.

Redner, die anläßlich eines Essens ans Glas klopfen und sich würdevoll erheben, wobei jedes Gespräch pflichtgemäß verstummt, sind seltener geworden, ihr Auftritt ist heute keine Pflichtübung mehr. Nur bei offizielleren Anlässen kommt man noch nicht ohne jene rhetorischen Aufschwünge aus, die eigentlich niemand beim Essen vermißt.

Ausgedehnte Tischreden waren und sind der Schrecken der Küche und der Alptraum der Hausfrau: das Fleisch wird kalt, das Eis zerrinnt. Also: kurzfassen! Fünf Minuten können wie eine Ewigkeit erscheinen, zwei sind allemal besser als drei. Zumal das, was da gesagt wird, den Ohren der Gäste gemeinhin nicht ganz fremd klingen dürfte. Witzige Kürze, allerdings, wem liegt sie schon?

Tischreden, wenn überhaupt, müssen gut vorbereitet sein. Wer die freie Rede nicht beherrscht, sollte lieber vom Zettel ablesen als herumstottern, bis sich Peinlichkeit über die Tafel verbreitet und die Zuhörer den Blick nicht vom Teller zu heben wagen. Tischreden müssen vorher mit dem Gastgeber oder dem Organisator abgesprochen sein, damit in der Küche Klarheit herrscht, zwischen welchen Gängen eine kurze Pause eingelegt wird. Bei mehreren Rednern beginnt der erste nach dem ersten paar Sätze, Worte des Dankes, zur Begrüßung oder Information sagen zu müssen. Solche Augenblicke lassen sich vorhersehen. In Gedanken oder besser noch auf einem Zettel legt man sich deshalb schon vorher die Sätze zurecht, die man zu sprechen oder zu erwidern gedenkt. Stammelei ist für den Redner nicht minder verdrießlich als für die Zuhörer. Sie, die Zuhörer, sollten bei einem Vortrag oder einer Rede schweigen. Jeder, der einmal auf dem Rednerpult gestanden hat, weiß, wie verwirrend es für den Redner ist, wenn sich die Zuhörer unterhalten. Ein gegenseitiger Hinweis, ein Wort: das ist gestattet. Aber keine Gespräche.

Gang. Wenn sich ein Redner zum Sprecher aller Anwesenden macht (was das Vernünftigste ist!), bittet er am besten zwischen Hauptgang und Nachtisch, wenn der Hunger gestillt ist, um Aufmerksamkeit. Beim kalten Büffet wird die Rede vor der »Eröffnung« gehalten.

Die Tischrede, wenn sie einen Sinn haben soll, klingt mit einem Toast aus, zum Beispiel: »Das junge Paar – es lebe hoch, hoch, hoch!« Wenn der Redner zum Schluß kommt und sein (hoffentlich gefülltes!) Glas hebt, stehen die Herren auf und trinken, wie auch die Damen, die sitzenbleiben dürfen, dem Gefeierten zu; auch er braucht nicht aufzustehen. In kleinerem Kreise stoßen Redner und Angeredeter mit den Gläsern an.

Wer mit einer Tischrede geehrt worden ist, muß ein paar Worte des Dankes finden. Auch Frauen sollten das tun.

Tips für Reden

Freie Rede ist die Folge langer Übung. Jeder Anfänger muß sich an ein so sorgfältig wie möglich ausgearbeitetes Manuskript halten.

Stellen Sie sich in der Wortwahl auf Ihr Publikum ein! Kann es die Fremdwörter oder Fachausdrücke verstehen, die Sie zu gebrauchen gedenken? Oder sind weitschweifige und umständliche Erklärungen nötig?

Denken Sie stets daran: *Sie* kennen Text und Inhalt, Ihre Zuhörer aber nicht. Legen Sie deshalb an größeren Absätzen getrost Pausen ein.

Der Blickkontakt mit dem Publikum wird Ihnen den Vortrag erleichtern. Ihre Rede bekommt dadurch eher den Charakter eines Gesprächs. Das enthemmt.

Achten Sie auf Ihre Aussprache! Kontrollieren Sie am Tonband, ob Sie auch nicht die Endungen verschlucken. Prüfen Sie den Eindruck der unterstreichenden Gesten im Spiegel. Schauen Sie sich auch einmal im Fernsehen (geübte) Politiker und (mehr oder weniger erfahrene) Wirtschaftler daraufhin an, wie sie sich beim Reden am Rednerpult verhalten und welche Figur sie machen.

Sehr wichtig: ein fesselnder Anfang und ein überzeugender Schluß!

Danken Sie am Ende Ihrer Ausführungen Ihren Zuhörern für ihre Aufmerksamkeit.

Und vergessen Sie niemals: eine *kurze* Begrüßungs- oder Tischrede ist die bequemste Art, sich Sympathien zu erringen.

In der Kürze liegt die Würze. Vermeiden Sie also Langatmigkeit und hundertmal gehörte Gemeinplätze!

Reistafel

Im Mittelpunkt der Reistafel, der indonesischen, indischen und chinesischen, steht der Reis, eine große Schüssel voll (man rechnet etwa 100 g pro Person).

Rezepte finden Sie in Kochbüchern, Zutaten und Gewürze gibt es in jeder Menge zu kaufen – bleibt für Sie nur noch, sich Zeit zu lassen für die Vorbereitungen und nette Leute einzuladen. Denn die Reistafel will in fröhlicher und ausgelassener Runde genossen sein.

Jeder Gast bekommt einen Suppenteller sowie zwei oder drei Schälchen. Der Reiz der Reistafel liegt ja in der Vielzahl der Gerichte – sechs oder acht –, die gereicht werden, und in den pikanten kalten Kleinigkeiten.

Gegessen wird mit dem Löffel in der Rechten und der Gabel in der Linken. Der Löffel bringt die Speisen zum Mund, die Gabel dient zur Unterstützung auf dem Teller. Trockene Beilagen werden mit der Gabel gegessen.

Wo immer Reis auf den Tisch kommt, liegt es nahe, den Versuch mit Stäbchen zu wagen – spaßeshalber. Man bekommt sie in Kaufhäusern für billiges Geld.

Bevor man ans Üben geht, muß man sich eines vergegenwärtigen: Die Stäbchen sind gleichsam die Verlängerung von Daumen und Zeigefinger, mit denen man in den Reis gegriffen hat, bevor sich die Eßsitten verfeinerten.

Das Stäbchenpaar wird in der rechten Hand gehalten. Das untere Stäbchen liegt am Daumenansatz; das obere Stäbchen wird fest zwischen Daumen und Zeigefinger gehalten, die Spitze des Ringfingers drückt es herab auf das zweite Stäbchen. Die Spitzen der beiden Stäbchen, die einen Winkel bilden, müssen auf gleicher Höhe übereinanderliegen. Mit den Spitzen, die durch Fingerdruck zusammen- oder auseinandergebracht werden, greift man Reis und Fleisch und tunkt in die Näpfchen mit Gewürzen.

Wer mit den Fingern nicht ganz und gar ungeschickt ist, lernt das Essen mit Stäbchen in einer Viertelstunde. Zuerst wird er allerdings eine Art Muskelverkrampfung spüren.

Restaurant

(siehe auch unter: Beschwer(d)en, Bestecke, Essen, Essen mit den Fingern, Spezialitäten)

Frauen gehen heute selbstverständlich allein in Restaurants und Lokale. Ist ein Mann dabei, betritt er das Restaurant oder den Speiseraum zuerst – vor der Frau. In guten Lokalen übernimmt es der Oberkellner, den Gästen einen Tisch anzuweisen, und geht deshalb voraus. Sonst sucht der Mann den freien Platz, nicht ohne sich fragend zu vergewissern, ob die Frau mit seiner Wahl einverstanden ist. »Reserviert«-Schilder auf dem Tisch tragen eine Uhrzeit; oft reicht die Zeit noch, um in Ruhe vor den anderen zu essen.

Den Mantel legt man, wenn es am Eingang keine Garderobe gibt, am Tisch ab. Der Mann bringt den der Frau und seinen eigenen zum Garderobenständer – und holt ihn nach dem Essen wieder an den Platz zurück, wo die Frau wartet.

Die Speisenkarte

Der Ober übergibt die Speisenkarte zuerst der Dame, dann dem Herrn. Liegt eine Speisenkarte auf dem Tisch, reicht der Herr sie der Dame, der Jüngere dem Älteren.

Es gibt Menschen, und natürlich auch Frauen, die die Speisenkarte mit Vorliebe von unten zu lesen anfangen, also beim teuersten beginnen. Männer sehen das nicht so gern, fühlen sich zuweilen dadurch auch gereizt. Allerdings ist die gemeinsame Lektüre der Speisenkarte, die ja sehr amüsant und appetitanregend sein kann, nicht der rechte Augenblick, über dieses Problem zu diskutieren. Wenn man sich schon vorher über Art, Qualität und Niveau des anzusteuernden Restaurants verständigt, dann bleiben auch die unangenehmen Überraschungen bei den Preisen aus.

Es gibt übrigens Lokale, die spezielle Damen-Speisenkarten vorlegen – ohne Preise! Wer mit einer Frau oder einem Gast ausgeht, sollte selbst nicht zu spartanisch essen. Das könnte dann auch als Aufforderung zur Zurückhaltung mißverstanden werden.

Es darf gefragt werden

In guten Restaurants mit einer etwas originelleren Speisenkarte empfiehlt es sich, mit dem Ober über die Wahlmöglichkeiten zu sprechen. Er weiß auch, was gerade, der Jahreszeit entsprechend, besonders frisch ist. Und da selten jemand alle Feinheiten der internationalen Küche samt ihrer Spezialsprache beherrscht, wird auch niemand von oben herab angesehen, wenn er sich Gerichte erklären läßt und sich nach Einzelheiten erkundigt – die einzige Chance, es jemals zum Kenner zu bringen. Wer etwas ganz Ausgefallenes bestellt, darf und soll natürlich auch fragen, wie man solche Delikatessen richtig zu sich nimmt.

Die Bestellung gibt jeder einzeln für sich auf, was zur Klarheit beiträgt und dem Ober nur recht sein kann; oder der Herr für die Dame und sich selbst, der Einladende für seinen Gast oder seine Gäste und sich.

Der Ober legt zuerst der Dame vor. Wenn er nur Platte und Schüsseln serviert, reicht der Mann der Frau Gemüse und Kartoffeln zu (Höflichkeit) – oder, wenn sich beide gut kennen, die Frau dem Manne, was auf eine gewisse Vertraulichkeit schließen läßt. Aber das sind wirklich Kleinigkeiten, die man auch nicht überbewerten sollte.

Man trifft Bekannte

Während des Essens grüßt man Bekannte im Lokal mit einem Kopfnicken. Tritt ein Bekannter an den Tisch, muß der Mann am Tisch aufstehen. Deshalb sollte man den direkten Kontakt vermeiden, wenn das Essen bereits serviert ist und dann leicht erkaltet. Man läßt es mit einem Gruß aus der Ferne oder im Vorbeigehen bewenden. Hat man eine wichtige Mitteilung, sagt man gleich vorweg: »Bitte, bleiben Sie sitzen. Nur das in aller Kürze . . .« Nimmt man bei anderen, Unbekannten, am Tisch Platz, um zu essen, grüßt man ebenfalls, zumindest mit einem Kopfnicken. Die Frage, ob die Plätze frei sind, ist keineswegs immer überflüssig.

Die Lautstärke am Tisch gerät, je animierter die Runde, leicht außer Kontrolle. Das ist für die Umsitzenden nicht immer ein reines Vergnügen – es könnte ja sein, daß sie sich selbst auch etwas zu erzählen haben. Jedes Restaurant ist ein Stück Öffentlichkeit, für die sich nicht jede Art von Humor eignet. Also: die Stimme ein bißchen drosseln!

Eine andere Frage: Muß man unbedingt aufessen, was auf den Teller kommt? Wenn man sich selbst bedient, wie beim Essen im privaten Kreise, sollte man die Portionen so bemessen können, daß man sie auch schafft (sonst könnte die Hausfrau doch ein wenig irritiert dreinschauen; Frauen denken gleich, es habe nicht geschmeckt).

Wenn die Portionen gereicht werden, wie im Restaurant, ist niemand verpflichtet, den Teller »leerzuputzen« – genausowenig wie man gezwungen ist, in einem guten Restaurant, das einen Namen hat, statt der zwei Gänge, auf die man Appetit hat, fünf Gänge zu bestellen. Umgekehrt ist es freilich auch verständlich, wenn renommierte Gastronomen erwarten, daß die Gäste sich ihren Schöpfungen mit gehöriger Neugier und schönem Appetit nähern. Und mit Komplimenten nicht geizen, wenn die Küche es wirklich verdient. Aber nur dann . . .

Restaurants haben wie Sportler eine Art »Tagesform«, was soviel heißt wie: Es kann auch mal etwas danebengehen. Das ist menschlich. Eine alte Erfahrung besagt, daß man in einem Restaurant möglichst ein dutzendmal ausgiebig gegessen haben sollte, ehe man es unternimmt, über dessen Rang und Leistungen zu urteilen.

Rechnung und Reklamation

Reklamationen sind angebracht: wenn das Essen nicht warm oder nicht gar ist, wenn der Wein nach Kork schmeckt, das Bier schlecht eingeschenkt oder der Kaffee sichtbar zu dünn geraten ist. In solchen Fällen beschwert man sich beim Geschäftsführer oder beim Wirt selbst. Eine sachliche Beschwerde darf nicht in Krawall ausarten. Ein Wirt, der um den Ruf seines Lokals besorgt ist, wird alles tun, um die Scharte auszuwetzen.

Auch die Rechnung wird mit einem schnellen Blick geprüft – und notfalls beanstandet. Getrennte Rechnung ist das übliche. Eine Einladung muß man vorher aussprechen (»Ich darf Sie einladen?« oder »Sie sind mein Gast«) und dem Partner damit die Möglichkeit geben, sie – freundlich – abzulehnen und selbst zu bezahlen. Man streckt dem Ober nicht den Geldschein entgegen. Das Geld wird auf den Teller gelegt, auf dem die Rechnung gereicht wird.

Daß Frauen bezahlen, und zwar für Mann und Frau, gehört gewiß immer noch zu den Ausnahmen, doch zu denen, an die man sich gewöhnen sollte. Die Zeiten jedenfalls, da die Geldbörse oder der Geldschein dem Manne verstohlen unter dem Tisch gereicht wurde, damit es bloß keiner sieht, sind vorbei. Die Frau darf bezahlen, wann und wo sie will . . .

Noch etwas: Nach dem Essen wird im Restaurant die Serviette lose neben den Teller gelegt – und nicht zurückgefaltet, wie im Hotel oder in der Pension, wo man wohnt.

Vom Umgang mit Obern

Ober in guten bis erstklassigen Restaurants kennen sich in der Welt – und in Menschen aus. Im freundlichen Gespräch mit ihnen über Küche und Keller vermag meist der Gast dazuzulernen. Ober zu schikanieren ist ein vergebliches Bemühen: Gute Ober werden immer freundlicher – eine unangenehme Waffe!

Kellner werden mit »Herr Ober« angeredet (Kellnerinnen mit »Fräulein«) – und zwar freundlich, nicht in ungeduldigem Befehlston. Kellner sind auch Menschen. Wir sollten nicht vergessen, daß der Dienst zwischen Küche und Tischen anstrengend und oft auch nervenraubend ist.

Normalerweise beobachtet der Ober den Tisch und reicht nach, wenn der Teller sich leert. Nur wenn er sehr beschäftigt ist, greift man selber zum Vorlegebesteck und bedient sich.

Die Rangfolge der Kellner, die von Dienstjahren und Können abhängt, zeigt sich bereits im Äußeren. Der Oberkellner, auch Chef de Service genannt, der die Gäste begrüßt und an den Tisch geleitet (und außerdem für die Diensteinteilung und den Service im Restaurant verantwortlich ist), trägt schwarzes Jakkett und schwarze Schleife.

Ein »Gespann«, das am Tisch zusammen arbeitet, besteht – immer in guten Restaurants, die mehr als Durchschnitt bieten – aus einem Chef de Rang (weiße Jacke, schwarze Schleife) und einem Commis, der ihm zur Hand geht (weiße Jacke, weiße Schleife). Der Piccolo, also der Auszubildende, trägt ebenfalls eine weiße Jacke mit weißer Schleife.

Schiffsreisen

Schiffsreisen sind Gesellschaftsreisen. Wer die Einsamkeit sucht, sollte nicht an Bord gehen. Denn auf einem »Musikdampfer« (wie die Kreuzfahrtschiffe auch genannt werden) trifft er Menschen, die auf Kontakte ansprechen, die beim Spiel und beim Tanz ihren Spaß haben wollen – und wer übernimmt schon gern die Rolle des Spaßverderbers?

Die geplante Reise wird in Spezialprospekten genau beschrieben; dort finden Sie alles über Landausflüge und Durchschnittstemperaturen – Angaben, aus denen sich ergibt, welche Kleidung man einpacken sollte. Hauptregel: Nicht zuviel!

Große Kreuzschiffahrts-Reedereien empfehlen: Sommerliche Straßenkleidung für die Landausflüge; sportliche Kleidung jeder Art, vom Badeanzug bis zum farbigen Pulli, für die Tage auf See; Wärmendes für kühlere Brisen und für die Nächte.

Für die festlichen Stunden an Bord, an denen besonders auf den Luxusdampfern kein Mangel herrscht, braucht der Mann einen dunklen Anzug oder, besser noch, den Smoking. Für Frauen empfiehlt sich das Cocktailkleid; wenn der Kapitän zum Willkommensessen bittet, zum Captain's Dinner, wirkt auch das lange Abendkleid nicht übertrieben. Allmählich schwindet aber das Luxus-Image der Kreuzfahrten; das Publikum wird jünger, die kostbare Garderobe seltener.

Der Kabinensteward stellt sich mit Vornamen vor und wird auch mit Vornamen angeredet (selbstverständlich per »Sie«). Die Deck- und Tischstewards werden üblicherweise mit »Steward« angesprochen.

Die Trinkgeldfrage ist gar nicht so kompliziert, wie sie oft hingestellt wird. Bei Schiffsreisen wird – im Gegensatz zum Flugzeug! – Trinkgeld gegeben, unbedingt. Es nicht zu tun, käme fast einer Beleidigung gleich. Die Faustregel: fünf Prozent vom Passagepreis gehen für Trinkgelder drauf.

Leute, die sich im Reisen ein bißchen auskennen, drücken ihrem Kabinensteward gleich zu Beginn einen Zwanzigmarkschein in die Hand und warten damit nicht bis zum Ende der Reise – das trägt zur guten Laune bei. Natürlich machen Stewards und Stewardessen davon nicht die Qualität des Service abhängig, für den sie ja da sind.

Jeder, der Sie an Bord bedient, bekommt Trinkgeld. Reedereien veranschlagen für diesen Posten in der Reisekasse etwa DM 10,– täglich (in Wirklichkeit wird es bei jedem, der nicht unter die Geizigen gezählt werden will, noch etwas mehr). Die Summe geht etwa zu einem Drittel an den Kabinensteward und die Stewardeß, zu einem weiteren Drittel an die beiden Tischstewards im Restaurant; das restliche Drittel bleibt fürs Deck (Liegestühle gibt es kostenlos) und für die Bar.

Bargeld braucht man sonst nicht; man unterschreibt einen Bon und bezahlt am Ende der Reise. Schiffsreisende sind kontaktfreudig: Man spricht sich an, man spielt eine Partie Deck-Tennis oder Shuffle-board miteinander; sich im passenden Augenblick, bei gegenseitiger Sympathie, mit Namen vorzustellen, gehört dazu.

Bei ernstzunehmenden Beschwerden wendet man sich an den Oberzahlmeister, der auf einem Schiff die Stellung des »Hoteldirektors« bekleidet.

Schnaps und Likör

Die Spirituose hat etwas mit »Spiritus« zu tun – was bei den Lateinern, also den alten Römern, noch Geist, später schon Weingeist bedeutete.

Nach bewährtem Muster unterscheidet man bei den Spirituosen Kipp- und Nipp-Alkoholika. Gekippt werden, so heißt es, die Schnäpse, genippt Weinbrände und Liköre. Das »Kippen«, das Durch-die-Gurgel-Jagen, beim Wodka, beim Korn und Genever, bei kalten Schnäpsen überhaupt angebracht, wäre freilich bei Schnäpsen mit starkem Bukett (bei Obstlern, beispielsweise) schon eine Sünde.

Der wichtigste Grundsatz beim Umgang mit allem Hochprozentigen besagt: bei einer Sorte bleiben! Vier Worte, mehr nicht. Sie sagen sich so leicht: bei einer Sorte bleiben! Doch wie schwer fällt es, danach zu handeln! Die Folgen sind bekannt.

Sorte heißt beileibe nicht Marke. Sorte steht für Familie. Und wie es im Leben zwischen Familien Spannungen, ja Urfehden gibt, so auch beim Alkohol. Sie mögen sich nicht sonderlich. Also nehme man pro Abend möglichst mit einer Familie vorlieb. Ihre Gäste sind die Nutznießer so weiser

Beschränkung. Diesen Aufruf zur Mäßigung sollte man auch manchem allzu draufgängerischen Amateur-Barkeeper ins Stammbuch schreiben.

Grob vereinfacht existieren fünf mehr oder weniger große Familien bei den Spirituosen – und diese sollte man wirklich auseinanderhalten können.

Es sind: die Getreide-Familie (Korn, Steinhäger, Gin, Genever, Aquavit, Whisky, schottischer wie amerikanischer); die Obst-Familie (Obstwässer sehr verschiedener Machart, vom französischen Calvados über das deutsche Zwetschgenwasser bis zum ungarischen Barack Pálinka); die Trauben-Reste-Familie (Grappa, Marc).

Die Wein-Familie (deutsche Weinbrände, Cognac, Brandies, Armagnac) gehört, wie gesagt, ebenso wie die vielen Liköre zu den »Nipp«-Alkoholika. Bei den Likören gilt freilich nicht einmal mehr das Wort von der Familie, die sich untereinander verträgt: Man soll keine Liköre miteinander mischen. Ohnehin werden sie ja nur in kleinen Portionen genossen; mit Likör wird nicht gezecht.

Kenner wissen aus leidvoller Erfahrung außerdem folgendes zu melden: Schottischer Whisky und amerikanischer Whiskey vertragen sich nicht, wiewohl aus derselben Familie. Dafür läßt sich guter Wodka ohne Folgen auch mal zwischen andere Getränke schmuggeln – bloß nicht unbedingt zwischen Liköre, das sollte man lassen.

Gläser und Temperaturen

Kipp- und Nipp-Spirituosen unterscheiden sich auch hinsichtlich der Gläser und der optimalen Temperaturen. Schnäpse kommen in kurzen, massiven Gläsern ohne Fuß auf den Tisch. Oder in Stielgläsern, die je nach Marke (Aquavit, Genever usw.) unterschiedliche, typische Formen haben. Whiskys gehören in Bechergläser (Whiskybecher oder Tumbler).

Weinbrände werden je nach Qualität und Marke in dickbauchigen Cognacschwenkern verschiedener Größe (je teurer die Marke, desto voluminöser der »Sniffer«) oder in hohen Stielgläsern angeboten. Liköre erfordern Likörkelche, Likörschalen oder Likörschwenker, die Cognacschwenkern gleichen, aber kleiner sind.

Mit Schnäpsen oder Likören wird nicht angestoßen. Sie werden aus der Originalflasche eingeschenkt – bei unterschiedlichen Temperaturen. Wodka und Getreideschnäpse werden eiskalt getrunken (möglichst aus geeisten Gläsern). Bei guten Obstschnäpsen muß das Aroma erhalten bleiben – also Zimmertemperatur, allenfalls kalt, aber nie eisgekühlt. Whisky eiskalt mit irgendwelchen verdünnenden Zusätzen herunterzustürzen, käme zumindest bei wirklich guten Qualitäten einem »Verbrechen« gleich: je besser der Whisky, so die Regel, desto weniger verdünnen und abkühlen. Kenner trinken Whisky pur, bei Zimmertemperatur.

Cognac verlangt auf jeden Fall Zimmertemperatur. Liköre sollen nicht aus dem Eisschrank kommen. Allerdings kann das Glas vor dem Einschenken mit Eisstücken gekühlt werden.

Schnecken

Empfindlicheren Gemütern vergeht der Appetit, wenn sie bloß an die schleimabsondernden Kriechtiere denken. Ihnen entgeht damit freilich ein köstlicher Genuß.

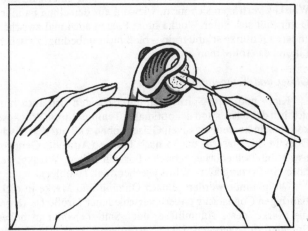

Für die Küche sind Schnecken unproblematisch. Man kauft sie fertig in Dosen, die Häuser separat, pro Person sechs bis zwölf Schnecken. Wer keine Schneckenpfanne mit Vertiefungen sein eigen nennt, stellt die Häuschen mit Schnecke in eine feuerfeste, mit Salz gefüllte Form. So können sie auch, auf ei-

nem mit Salz gefüllten Teller, serviert werden – die Schnecken-
öffnung immer nach oben.

Gedeckt wird für jeden Schneckenesser ein großer flacher
Teller, darauf ein Suppenteller. Links vom Teller eine Schnek-
kenzange (die braucht man schon, das Schneckenhaus ist heiß),
rechts eine kleine zweizinkige Gabel mit Widerhaken (die
braucht man ebenfalls), es kann zur Not auch eine Fonduegabel
sein. Dazu einen Löffel, Serviette und Weißbrot.

Mit den ovalen, federnden Greifern der Schneckenzange
faßt man das heiße Gehäuse und hält es in der Linken. Mit der
Gabel in der Rechten holt man das gesottene Tier heraus und
steckt es in den Mund. Die Soße in dem Gehäuse, eine wohlschmeckende Mischung aus Butter und Saft, gießt man – die
Schneckenzange hält immer noch das Häuschen – entweder auf
Weißbrot oder auf den Löffel.

Dann legt man das leere Schneckenhaus auf dem Teller ab.

Schweden

(siehe auch unter: Auslandsreisen)

Unter der ältesten Nationalflagge Europas, dem gelben
Kreuz auf blauem Grund, unter Sylvias Augen geht es mitnichten so zügellos zu, wie es uns eine Handvoll Filmregisseure und
eine Legion blonder Mädchen weismachen wollen. Die 8 Millionen (fast ausschließlich protestantischen) Schweden sind
freie Bürger – durchaus mit Sinn für Form.

So darf man, beispielsweise, ohne Erlaubnis des Besitzers
auf dessen Grund eine Nacht lang zelten, wenn der Zeltplatz
außer Sicht- und Hörweite einer Privatwohnung liegt – so will
es das »Allemansrätten«, ein seit alters her überliefertes Recht.
Nacktbaden aber ist nach Meinung der Schweden nur an Pri-
vatstränden erlaubt, und auch nur, wenn der Gastgeber mit
nacktem Beispiel vorangeht.

»Tack« zu sagen, immer wieder »tack«, gebietet das sim-
pelste, auch Ausländern verständliche Gebot der Höflichkeit in
diesem Land. Man kann nicht oft genug »tack« sagen.

Die Hauptmahlzeit der Schweden (die übrigens in der
Mehrzahl Deutsch verstehen) heißt »middag« und ist »folgerichtig« das Abendessen: Smörgasbord mit nachfolgenden
warmen Gerichten, eine Sache für Schlemmer also. Es wird ab

5 Uhr nachmittags eingenommen – in Hotels und feineren Restaurants aber nur bis 20 Uhr; danach wird »Abendbrot« serviert, ein weniger opulentes Essen, das aber manchmal teurer werden kann, weil diese Zeit als Überstunden bezahlt werden muß. Personal ist Mangelware in Schweden.

Alkohol, der sehr teuer ist, wird in Restaurants nur bei gleichzeitigem Verzehr ausgeschenkt. Die meisten Hotelrestaurants und die größeren Touristenhotels haben Ausschankkonzessionen. Dort dürfen an Wochentagen nach 12 Uhr und an Sonntagen nach 13 Uhr Wein und Spirituosen serviert werden.

Richtige Stimmung kommt bei Schweden vor allem in der Krebszeit auf, im August. Dann feiern sie nach dem Krebsessen ihre ausgelassenen Feste, bei denen es schnell zu einem »Du« kommt. Das hat aber, angesichts der allgemeinen lauten Verbrüderung, nicht viel zu bedeuten.

Schweiz

(siehe auch unter: Auslandsreisen)

Die 6 Millionen Schweizer dürfen in vielerlei Zunge reden: in Schwyzerdütsch (was über 70 Prozent der Bevölkerung sprechen), in Französisch, Italienisch und Rätoromanisch (das spricht gerade 1 Prozent in Teilen Graubündens). Fast alle Schweizer beherrschen zwei dieser vier offiziellen Landessprachen, viele sogar drei. Für Deutsche gibt es also keinerlei Schwierigkeiten, weder mit der Verständigung noch mit dem Essen. Die Schweiz, dieser Bund aus 25 Kantonen, ist eben ein klassisches Reiseland, seitdem die Briten die Schönheiten der Alpenwelt für den Tourismus entdeckten.

Die Solidität der Schweiz fällt auf Schritt und Tritt ins Auge. Hier herrschen Ordnung und Sauberkeit – wie in den Niederlanden. Die zugeknöpfte Bürgerlichkeit der Bewohner regt andere Völker geradezu auf. Kritik hört man aber nicht gern – schließlich ist die Schweiz die älteste Demokratie Europas, und Musterdemokraten glauben über andere rechten zu können.

Hier in der Schweiz wurde die Fondue erfunden, von hier kommen Emmentaler und Appenzeller. Die perfekte Hotellerie genießt weltweiten Ruf – wie überhaupt eine gewisse Weltoffenheit in Zürich oder Genf zumindest in wirtschaftlicher

Hinsicht in spürbarem Gegensatz zu der Distanziertheit, um nicht zu sagen: zu der Verschlossenheit weiter Bevölkerungskreise steht. Überschäumende Gastfreundschaft, die arme und ärmste Völker so sympathisch machen kann, wird man hier vergeblich suchen.

Angeberei und Protzerei fallen hier unangenehm auf, Titel werden nicht so wichtig genommen. Die Schweizer haben es verstanden, aus ihrer (seit 1816 vertraglich zugesicherten) Neutralität kräftig Kapital zu schlagen. An Selbstbewußtsein mangelt es, was wunder, nicht. Das sollten die Touristen wissen.

Sekt

Sektkorken knallen beim Karneval und zu Silvester längst nicht mehr nur bei »reichen Leuten«. Ganze Sektflaschen zerschellen an Schiffs- und neuerdings auch an Flugzeugrümpfen. Sekt, zu deutsch Schaumwein, steht für Stimmung, Schwung, Glückseligkeit.

Schaumwein enthält (anders als der »stille« Wein) viel Kohlensäure, die durch Gärung in der Flasche oder – wie heute meist üblich – in Großbehältern entstanden ist. Die süßer schmeckenden, zuckerhaltigeren Sorten tragen die Bezeichnung »trocken«, »dry«, »sec«, die weniger zuckerhaltigen »sehr trocken«, »extra dry«, »extra sec«. »Brut« (gesprochen brü) ist am trockensten, also am wenigsten süß.

Daß Schaumwein nicht warm sein darf, sondern kalt getrunken werden muß, ist eine Binsenweisheit. Sie wird leicht dahin mißdeutet, daß Sekt *eis*kalt getrunken werden soll – was Kenner wie Produzenten zusammenzucken läßt. Die richtige und angemessene Sekttemperatur liegt ganz in der Nähe der vernünftigen Biertemperatur, zwischen 7 und 9 Grad. Zu kalt serviert, verliert er seinen Geschmack, zu warm sprudelt er aus dem Glas. Manchmal genügt, wie auch beim Wein, schon die Handwärme, um ihn richtig zu temperieren. Eine angebrochene Flasche muß innerhalb einiger Stunden aufgebraucht werden.

Den Sektkorken in beschwingter Sektlaune »knallen« zu lassen, mag wohl bisweilen die Stimmung erhöhen, vor allem zu Silvester, wenn es überall knallt. Üblich ist es allerdings nicht. Der Gastgeber hält es normalerweise wie der Ober im Restaurant, der den Korken am Tisch geräuschlos entfernt.

Das ist nun beileibe kein Kunststück. Zuerst wird die Drahtöse, die den Verschlußbügel über dem Korken festhält, freigelegt und nach vorn gebogen. Dann wird der Drahtring hin und her bewegt (also nicht aufgedreht!). Der Draht platzt unterhalb des Gewindes, und der Verschluß läßt sich entfernen. Der Korken ist jetzt mit einem Finger festzuhalten.

Naturkorken (heute selten geworden und den großen Marken vorbehalten) dreht man am Kopf des Korkens nach links heraus. Der Plastikkorken, über den man am besten ein Handtuch schlingt, das man mit der Linken hält, läßt sich bequem lockern. Herausfliegen kann er nur, wenn der Sekt zu warm ist. Vorsichtshalber halte man die Flasche beim Öffnen schräg von sich weg und niemals auf einen Menschen gerichtet. Es gibt immer wieder Verletzungen!

Die Öffnung der – kühl und liegend gelagerten – Sektflasche wird vor dem Eingießen mit einer Serviette gereinigt. Nach dem Eingießen kommt die Flasche wieder in den Kühler mit kaltem Wasser oder Eis; sie muß ausgetrunken werden.

Das Glas soll beim Einschenken nicht überlaufen. Perlen und Schaum entwickeln sich am schönsten, wenn man den Sekt langsam ins schräg gehaltene Glas herablaufen läßt. Die Gläser sollen – beim guten Sekt wie beim guten Wein – zu zwei Dritteln gefüllt sein; so läßt sich die Blume genießen, wenn das Glas zudem die Form des Spitzkelches (»Flöte«) hat. Eine breite Schale, wie sie auch bei Sektcocktails gern benutzt wird, erleichtert natürlich das Entweichen der »Sektgeister«.

Und der Sektquirl? Der Witz des Schaumweines liegt in der Kohlensäure. Daher wirkt es eher komisch, wenn ebendiese mittels Quirl »an die Luft« gesetzt wird. Die Hersteller in der Champagne sind darin besonders empfindlich. Sie sagen, daß durch den Quirl »in wenigen Augenblicken die geduldige, gewissenhafte Arbeit und Pflege langer Jahre zunichte« gemacht wird. Also: weg mit dem Quirl! Oder Wein anbieten . . .

Vom Sekt zum Champagner

Perlwein: ist kein Schaumwein (Druck 1–2 Atmosphären)

Schaumwein: muß (in Deutschland) aus Wein hergestellt sein und mindestens 3 atü Kohlensäure Druck haben

Sekt = »Qualitätsschaumwein«: muß im (deutschen) Inland hergestellt sein, mindestens neun Monate gelagert haben und nach behördlicher Qualitätsprüfung eine amtliche Prüfungsnummer tragen

<u>Prädikatssekt:</u> ist Sekt (Qualitätsschaumwein) zu mindestens 60 Prozent aus deutschen Weinen

<u>Vins mousseux:</u> heißen französische Schaumweine

<u>Champagner:</u> Moussierender Wein aus Trauben, die innerhalb der vier französischen Départements Ardennes, Marne, Haute-Marne, Aube in der Champagne wachsen

Servieren

Was der Piccolo in seinen harten Lehrjahren bis zur Vollkommenheit zu beherrschen lernt, dieses elegante Balancieren gefüllter Teller auf Hand und Unterarm, braucht keine Hausfrau im Schnellkurs nachzuholen.

Akrobatische Kunststücke werden von ihr nicht erwartet und nicht verlangt. Was sie vom Servieren wissen muß, entspricht etwa dem, was jeder Gast am Tisch wissen sollte, will er Kellner oder Hausfrau nicht bei der Arbeit behindern.

In der Familie und im kleinen Kreis wird ja, auch wenn Gäste gekommen sind, bei Tisch wie gewohnt verfahren. Die von der Hausfrau eingefüllte Suppe wird herumgereicht, leere Teller gehen bei Bedarf nochmals zurück, jeder hilft dabei mit.

Auch die Schüsseln mit Gemüse und Kartoffeln gehen herum, das Fleisch kann schon in der Küche auf die (angewärmten) Teller gelegt werden. Nach dem Hauptgang werden Geschirr und Bestecke in die Küche gebracht oder auf der Anrichte abgestellt. Alles zwanglos und leger.

Mit freundlicher Selbstbedienung ist es bei einer Gesellschaft nicht mehr getan: da wird man bedient. Ohne Hilfe kommt eine Gastgeberin, die womöglich einen Ehrengast neben sich hat, dann nicht aus. Sie kann nur, wenn überhaupt, gelegentlich eingreifen.

Im größeren Kreis einer Gesellschaft wird wie im Restaurant serviert. Und da die geschulte Aushilfe für ein paar Stunden daheim immer schwerer zu bekommen ist, werden immer häufiger Stadtküchen mit ihrem Personal beauftragt oder, konsequenter, Gesellschaften gleich ins Restaurant verlegt.

Die Regeln für das korrekte Servieren zu Hause an einer Tafel und im Restaurant lauten:

Von der rechten Seite des Gastes

... werden neue Teller »eingesetzt« (wie es in der Fachsprache heißt)

... werden Getränke eingeschenkt

... werden Suppen, Platten mit Speisen, Schüsseln mit Beilagen und Flaschen eingesetzt

... werden Teller und Gläser wieder abgeräumt

Von der linken Seite des Gastes

... werden Teller und Besteckteile, die ihren Platz links vom Gedeckteller haben, eingesetzt (damit der Servierende nicht vor dem Gesicht des Gastes hantieren muß)

... werden Platten und Speisen angeboten und angereicht

... werden Speisen von Platten vorgelegt

...werden Besteckteile, die links vom Gast liegen, abgeräumt

Reihenfolge der Speisen

Begonnen wird mit dem Servieren immer bei einer Dame. Wenn ein Herr der Ehrengast des Tages ist, beginnt das Servieren bei der Dame zu seiner Rechten. Der Gastgeber kommt zuletzt an die Reihe.

Die Speisen des Hauptganges werden in dieser Reihenfolge angeboten: Zuerst Fleisch und Soße, dann Gemüse, Kartoffeln, Salat. Woraus auch hervorgeht, daß Soße über das Fleisch gegossen wird, nicht über die Kartoffeln.

Beim Anbieten und Vorlegen verständigt sich der Gast mit dem Servierenden über die Menge der Speise. Der Kellner hält die Platte mit der Linken. Mit der Rechten legt er, Gabel über Löffel, vor.

Wenn die Platte bei Tisch herumgereicht wird, hält sie Ihr linker Tischnachbar, während Sie sich selbst vorlegen. Sie dürfen ruhig den Löffel in die Rechte und die Gabel in die Linke nehmen. Sie haben ja, im Gegensatz zum Ober, der die Platte hält und vorlegt, beide Hände frei.

Vorspeise und Nachspeise werden nur einmal gereicht, alle anderen Gänge werden zumeist zweimal angeboten. Vor der Nachspeise wird alles, was man nicht mehr braucht – Gläser, Bestecke, Teller –, abgeräumt, möglichst geräuschlos.

Dem Servierenden wird normalerweise weder das Glas

zum Nachschenken noch das Geschirr zum Abräumen gereicht. All das sollte unauffällig geschehen und die Unterhaltung bei Tisch gar nicht stören. Natürlich wird jeder, der sieht, daß er es nicht mit hundertprozentig geübten Kräften zu tun hat, selbst ein bißchen helfen.

Spaghetti

Spaghetti-Essen ist eine Sache der Übung, daran kommt keiner vorbei. Die italienische Küche läßt die Teigfäden – im Gegensatz zu mancher deutschen Hausfrau – bißfest, deshalb lassen sie sich gut um die Gabel wickeln.

Vorher werden Soße und Käse unter die Spaghetti gemengt. Dann steckt man die Gabel in den großen Spaghetti-Berg, lupft mit dem Gabelzinken ein paar Fäden und dreht und dreht die Gabel oben am Stiel, mehr oder minder schnell. Die Spitzen der Gabel kreisen entweder, wie bei Italienern und anderen Könnern, am Tellerrand, den man vorher ein bißchen freigemacht hat, oder, wie bei Touristen und anderen Anfängern, in der Mulde eines Löffels, den die linke Hand hält.

Wenn sich ein kloßartiges Gebilde um die Gabelzinken verfestigt hat, muß man dieses entschlossen und ohne Zögern zum Mund befördern, sonst löst es sich wieder auf. Ein paar Fäden werden immer herabhängen, sie werden abgebissen. Die schlenkernden »kleinen Schnüre« (so die wörtliche Übersetzung von Spaghetti) haben allerdings schon manche Krawatte ruiniert – also ist Vorsicht geboten.

Makkaroni werden, im Gegensatz zu Spaghetti, mit der Gabel zerkleinert und mundgerecht zubereitet.

Spanien
(siehe auch unter: Auslandsreisen)

»Stolz wie ein Spanier«, heißt es nicht ohne Grund. Dieser Stolz, gepaart mit Sinn für Würde, wird höchstens noch von der Höflichkeit der Spanier übertroffen. »Por favor«, bitte (wörtlich: aus Gefälligkeit), »gracias«, danke, sind die meistgebrauchten Wendungen.

Die gesittete Höflichkeit anderen gegenüber – man stellt

sich am Busstop an – erstarrt freilich auch zur bloßen Förmlichkeit. Freundliche Aufforderungen, zum Essen zu bleiben, oder große Gebärden wie »Dies ist Ihr Zuhause« sind nicht wörtlich gemeint; jeder Spanier wäre entsetzt, wenn man darauf einginge. Dabei sind sie gastfreundlich, jedenfalls im Restaurant und in der Bar. Dort etwas abzulehnen wäre unhöflich. Das Zuhause aber, Frau und Familie, wird abgeschirmt

Die etwa 30 Millionen Spanier eint der Glaube – bei aller Unterschiedlichkeit der Mentalität zwischen Nord und Süd. Die Religion – Spanien ist römisch-katholisch – spielt eine zentrale Rolle im Leben und im Staat, sie wird ernst genommen. Kirchen sind keine Museen, sondern eben Gotteshäuser, und Spanier erwarten, daß Touristen sie nicht in unschicklicher Kleidung (vor allem Shorts) betreten.

Mit Tugendwächtern, auch uniformierten, muß man in Spanien rechnen – mag sich durch den Fremdenverkehr auch schon manches geändert haben, jedenfalls entlang den Küsten. Mit der Polizei sollte man sich nicht anlegen, sie versteht keinen Spaß, die »Guardia Civil« (grüne Uniform, charakteristischer schwarzer Lackhut) noch weniger als die in Maßen fremdenfreundliche »Policía Municipal« (weiße Jacke, schwarze Hose). Sie achten darauf, daß Sex und Sittenverderbnis nicht überhand nehmen, wenn Europas Jugend sich in der Sonne und

Bikinis sind inzwischen allerdings an den von Touristen bevorzugten Stränden erlaubt und gelitten – dieser reichlich reaktionäre Kampf gegen Zeitgeist und Mode ist verloren. Trotzdem sollte auch der Tourist mit einem leichten Anzug und einem normalen Kleid ein kleines Zugeständnis an Spaniens Konservative machen, und zusätzlich die Krawatte in den Koffer packen.

Spanien lebt in anderen Zeiten, und die Spanier haben Zeit. Verabredungen werden nicht genau eingehalten, deutsche Pünktlichkeit macht auf Südländer keinen Eindruck. Die mittägliche bis nachmittägliche »siesta«, dem Klima durchaus angemessen, ist absolutes Tabu. In dieser Zeit stört man auf gar keinen Fall einen Spanier.

Um so ausgeruhter reagiert der Ober dann im Restaurant auf das scharfe »ssst« des Gastes. Das Abendessen wird in Spanien recht spät eingenommen. Als willkommene Überbrückung bieten sich die »tapas« an, kleine Häppchen, die zum Wein gegessen werden.

Spanier schätzen Deutsche. Was sie aber überhaupt nicht schätzen, ist Kritik an Spanien – und unsachverständige Kritik am Stierkampf.

Spargel

Die Frage, wie man Spargel denn nun richtig ißt, wird gern zu einem Diskussionsthema hochgespielt – überflüssigerweise. Denn das Problem war im 19. Jahrhundert entstanden, wegen der Geschmacksverfälschung durch die schlechte Qualität der Messerschneiden. Und dieses Problem ist gottlob längst aus der Welt geschafft.

Spargel wird heute mit dem Messer in mundgerechte Stücke geschnitten. Das ist die einfachste Methode, Spargel mit der Gabel zu transportieren.

Was natürlich nicht ausschließt, daß er auch noch nach der Methode, die unsere Eltern bevorzugten, verspeist wird. Feinschmecker in Spargelgegenden und einschlägigen Restaurants nehmen auch heute noch die Spargelstangen in die Hand und tunken sie mit der Spitze in die Soße, bevor sie sie essen. Das letzte, dicke (und oft holzige) Stück der Spargelstange wird auf den Teller zurückgelegt.

Andere, denen Finger allein zu vulgär erscheinen, benutzen zusätzlich eine Gabel. Mit der Rechten greifen sie die Spargelstange (die ja in der Tat nicht immer fest ist) und stützen sie mit der Gabel im vorderen Drittel. Auch so geht es.

Schließlich kann man den Spargel in der Mitte knicken, so daß man nicht die ganze Länge zum Mund balancieren muß, sondern nur die Hälfte – und die mit einer Gabel.

Je nach Gusto und Umgebung kann man Spargel also auf dreierlei Art essen: mit Messer und Gabel, mit der Gabel, mit den Fingern.

Spezialitäten essen
(siehe auch unter: Artischocken, Austern, Hummer, Kaviar, Krabben, Krebse, Schnecken, Spaghetti, Spargel, Weißwürste)

Es soll Menschen geben, die ihr Leben lang beim Schnitzel bleiben. Weil sie genau wissen, wie man das ißt. Und die sich die Köstlichkeiten der internationalen Küche entgehen lassen, aus Angst, sich beim Essen zu blamieren. Oder weil sie vermeintlich nur »für die anderen«, gemeint sind »die da oben«, bestimmt sind.

Das ist unangebrachte Zurückhaltung. Auch Sekt war früher einmal gleichbedeutend mit »vornehm«. Heute ertappt sich wohl keiner mehr, wenn er am Sektglas nippt, beim sündigen Griff nach Trauben, die zu hoch für ihn hängen. Genauso ist es mit Spezialitäten der Küche: Man muß nur einmal den Anfang machen und den Mut haben, zu probieren. Manch Gaumenkitzel harrt unser.

Man sollte sich freilich nicht noch zusätzlich Minderwertigkeitskomplexe aufhalsen, indem man sich allein in ein Restaurant setzt in der stillen Hoffnung, bei anderen Gästen mit einem verstohlenen Blick auszukundschaften, wie man sich an die seltsamen Tiere und Früchte heranmacht. Das wäre ein schlecht beratener Entdeckungsreisender.

Viel vernünftiger ist, mit Freunden essen zu gehen, die sich in Spezialitätenlokalen bereits auskennen – solch Lernprozeß kann ja sehr lustig sein. Oder, noch besser, Spezialitäten im Lande ihrer Herkunft zu verspeisen, wo sie meist auch viel preiswerter und frischer sind.

In Spezialitätenrestaurants, vor allem in chinesischen, darf man sich selbstverständlich durch die reichhaltige und abwechslungsreiche Speisenkarte durchkosten, indem man von allen Gerichten nur eine Portion bestellt und miteinander am Tisch austauscht. Nur so kann man es zur Kennerschaft bringen.

Spielen

Man kann Fußball spielen, Boccia oder Skat, Schach, Billard und den Hamlet: der Mensch ist laut Schiller, dem Dichter, »nur da wirklich Mensch, wo er spielt«.

Seien wir Menschen, spielen wir also! Am Küchentisch, im Garten, im Wohnzimmer oder auf dem Fußboden, überall wird gespielt, denn Spielen ist wieder »in«. Unbeeinflußt von dieser modischen Wiederbelebung in der Freizeitgesellschaft hatte ja die gemütliche Skatrunde mit Bier, Schnaps, ein paar erfrischenden Kleinigkeiten und Mordsgedröhn ohnehin die Jahre und Jahrzehnte souverän überdauert. Ihr gelegentlicher Fehler: die Überdauer. Man sollte schon vorher einen Spielabschluß ausmachen, um zu vermeiden, daß sich die Revanchen allzulang hinziehen.

Zweiter Fehler: es wird zu laut. Im Lokal wie in der Wohnung. Aber wer wird angesichts des Triumphgeheuls und des Wutgebrülls den ersten Stein werfen, wer bleibt da selber ruhig? Kartenspieler werden wohl nie zu bändigen sein – Bridgespieler natürlich ausgenommen.

Mit Anstand verlieren

Gesellschaftsspiele können heute selbst auf Parties wieder ungeniert aus dem Schrank geholt werden, keiner wird deshalb die Nase rümpfen. Selbst das Knobeln mit ein paar Streichhölzern kann zu einer Riesengaudi werden. Ein guter Gastgeber muß allerdings daran denken, daß es nicht allen Menschen gleichermaßen gegeben ist, mit Anstand zu verlieren; deshalb hat ja der Erfinder von »Mensch ärgere dich nicht« das Geschäft seines Lebens gemacht.

Der Gastgeber muß immer darauf achten, daß keine Verbissenheit aufkommt und der Spielcharakter gewahrt bleibt, Motto: Es darf gelacht werden. Das ist leichter gesagt als getan. Die Praxis hat gezeigt, daß es Ehepaare gibt, die nach ausgedehntem Monopoly-Spiel jeder für sich in getrennten Zimmern übernachten.

Auch Erfolgsmenschen müssen beim Spiel erfahren, daß nicht alles nach ihrem Willen geht, darin liegt ein tiefer Sinn. Bei bestimmten Spielen, Skat gehört dazu, muß man allerdings ein bißchen Regie führen, damit möglichst gleich gute Spieler zusammensitzen. Sonst macht es keinem Spaß.

Aktivieren Sie die Gäste!

Wer Geschicklichkeitsspiele oder ein Ratequiz auf sein Programm setzt, muß Alter und Bildungsgrad seiner Gäste berücksichtigen. Haben alle ungefähr die gleiche Chance? Niemand darf der Lächerlichkeit preisgegeben werden, bloß weil er wegen seines Alters nicht mehr zu sportlichen Höchstleistungen oder wegen seiner Schulbildung nicht zu geistigem Höhenflug in der Lage ist.

Wer auf emsige Betriebsamkeit aus ist, kann Zeichenblocks und Filzschreiber verteilen; die beste Zeichnung wird prämiiert (zu überlegen ist, wie die Jury aussieht). Aber organisieren Sie solche Abende nicht zu preußisch-exakt, lassen Sie Ihren Gästen getrost Spielraum. Denn es ist entscheidend, wie sich immer wieder zeigt, den Gästen bei einem Fest oder einer Gesellschaft die Möglichkeiten zur freien Entfaltung ihrer Spiellaune und ihrer Phantasie zumindest anzubieten. Sie, als der Gastgeber, müssen freilich auch damit rechnen, daß viele Menschen schon gar nicht mehr wissen, was Phantasie eigentlich ist.

Glücksspiele in den eigenen vier Wänden sind erlaubt. Sie dürfen pokern, die Bakkaratkarten hinblättern und das Roulette drehen. Einsätze tragen immer zur Stimmung bei, vorausgesetzt, daß sie in Grenzen bleiben. Keiner darf hier mit der Brieftasche renommieren, sonst kann es leicht Mißtöne geben. Der Gastgeber muß gelegentlich auf die Uhr schauen und irgendwann energisch um die letzte Runde bitten. Spieler finden kein Ende.

Nichtspielern sollte man kein Spiel aufdrängen. Umgekehrt hat sich auch der passionierte Spieler, dem es in den Fingerspitzen kribbelt, in einer privaten Gesellschaft zurückzuhalten. Auch wenn es schwerfällt ...

Der Besucher deutscher (und mancher ausländischer) Spielbanken wird spätestens am Eingang erfahren, daß es einen Krawattenzwang gibt. Der Portier hat zwar welche, aber bestimmt nicht die passende. Monte Carlo freilich ist da großzügiger: Im berühmten Casino darf man tagsüber in den vorderen Salons in ganz zwangloser Kleidung, Shorts eingeschlossen, sein Geld aufs Spiel setzen.

Sport und Sportler

Wie sich Sportler anderen Sportlern gegenüber verhalten, ist ihre eigene Sache und geht Nichtsportler nichts an, auch wenn die sich manchmal vergeblich ihren Reim auf das hehre Wort »Fairneß« zu machen versuchen.

Hier geht es allein um jene Situationen, in denen Sportler auf harmlose Trimm-dich-Amateure treffen – auf Pisten, Straßen, Seen und Wegen. Zugegeben: Rowdies gibt es überall, warum also nicht auch unter sogenannten »Sportlern«?

Jedoch: Müssen Motorbootfahrer aus Jux und Tollerei gefährlich dicht an Schwimmende heranfahren oder mit schäumender Bugwelle Segler ärgern, die nicht so beweglich sind? Überhaupt, müssen Motorbootfahrer auf dem Wasser unbedingt all die unfreundlichen Ruppigkeiten loswerden, für die unsere Straßen zu eng geworden sind?

Müssen (jugendliche) Schwimmer in öffentlichen Bädern, obgleich es nicht an ausdrücklichen Verboten fehlt, mit Gebrüll und in schäumender Gischt zwischen andere, friedliche Bassinbenutzer hechten, die nichts weiter als gemächlich ihre Bahn ziehen wollen?

Müssen Reiter im Galopp an Fußgängern vorbeipreschen, daß denen die Erdbrocken um die Ohren fliegen? Motorsportler bei ihren Rallyes auf öffentlichen Straßen Regeln der Straßenverkehrsordnung mißachten, bloß um Punkte zu schinden? Skiläufer in rasender Schußfahrt die Piste verunsichern?

Nein, sie müssen nicht. Es könnte ja, im Gegenteil, ein Gebot sportlicher Fairneß sein, sich in allen Situationen nachsichtig auf die einzustellen, die schwächer sind, kurzatmiger, ungeübter, ungeschickter, schreckhafter als die Trainierten: Könnern fällt es immer leichter, auf Nichtkönner Rücksicht zu nehmen. Und besser ungefährlich stürzen, als mit anderen zusammenstoßen.

Zuviel verlangt? Fast scheint es so. Sportliches Treiben am Steuer oder auf Brettern und eine sportlich-faire Einstellung zum Mitmenschen haben offensichtlich nicht viel miteinander gemeinsam. Je sportlicher die Wagen, desto häufiger sind sie in Unfälle verwickelt, ermittelten die Versicherungsgesellschaften. Das Wörtchen »sportlich« ist heute, leider, oft genug gleichbedeutend mit Unvernunft, Übermut und dümmlicher Arroganz.

Suppe

Suppe auf geräuschlose Art vom Löffel in den Mund zu bringen – und daran wird ja zuweilen die Kinderstube gemessen – ist eine Frage des Maßhaltens. Von einem Löffel, der zu voll ist, wird natürlich Flüssigkeit auf den Teller zurückplätschern. Also füllt man den Löffel nicht bis zum Rand, damit nichts überschwappen kann. Einlagen (wie Nudeln) müssen vorher noch zerkleinert werden, damit sie nicht vom Löffel in die Suppe zurückfallen und spritzen.

Suppe wird nicht geschlürft. Man führt den Löffel mit der Spitze (nicht mit der Breitseite) zum Mund, und man hebt den

Arm dabei. Beim Auslöffeln des Suppenrestes wird der Teller leicht angehoben – und zwar zur Tischmitte hin. Das hat sich als praktisch erwiesen; es kann nämlich nichts auf die Kleidung schwappen.

Suppe oder Brühe in der Tasse wird gelöffelt, solange sie sehr heiß ist. Den abgekühlten Rest trinkt man, wie man aus einer Tasse zu trinken pflegt, mit der rechten Hand. Bei Suppen mit einer Einlage (Schildkrötensuppe zum Beispiel) wird diese natürlich zuerst ausgelöffelt, der Rest wird dann ausgetrunken. Suppentassen mit zwei Henkeln werden auch an beiden Henkeln angefaßt.

Wenn es Suppe mit Wurst gibt, legt man zuerst die Wurst auf den Teller und zerschneidet sie; das gilt auch für Fleisch. Erst dann füllt man den Teller mit Suppe aus der Terrine.

Anzumerken ist, daß in anderen Ländern (zum Beispiel England) der Löffel nicht mit der Spitze, sondern mit der Seite an die Lippen gesetzt wird.

Tanzen

Gleichberechtigung und Emanzipation ändern nichts daran, daß man auch heute noch die Dame mit Verbeugung »engagiert«. So sagen jedenfalls die auf ein Mindestmaß an Etikette bedachten Tanzlehrer.

Wohlan denn! Der Herr tritt vor die Dame, die er zu schwenken gedenkt, nickt freundlich-artig mit dem Kopf, sagt vielleicht sogar »Gestatten Sie?« oder »Darf ich bitten?« (was nicht sein muß). Denn es ist sein gutes Recht, so will es die Etikette, eine Unbekannte, ohne sich vorzustellen, um einen Tanz zu bitten. Jedenfalls in der Öffentlichkeit, auf Bällen und in Tanzlokalen; in einer geschlossenen Gesellschaft hat der Gastgeber die beiden ja meistens ohnehin bereits miteinander bekannt gemacht.

Wenn die Dame gestattet, nickt sie lächelnd, erhebt sich und geht vor dem Mann zur Tanzfläche. Bevor sie zum ersten gemeinsamen Tanzschritt ansetzen, verbeugt sich der Mann nochmals leicht (auch das darf er vergessen). Nach dem Tanz bringt er sie an den Tisch zurück; wenn der Platz es gestattet, reicht er ihr den Arm, sonst geht sie voran. Am Tisch sagt er »Danke« und verbeugt sich ein letztes Mal. Sie nickt und sagt allenfalls »Bitte«. Platz nehmen darf er nur, wenn er dazu aufgefordert wird; in diesem Augenblick sollte er sich vorstellen.

In Diskotheken, in denen sich die Jugend in ihren Modetänzen übt, herrscht freilich ein etwas salopperer Ton. Die korrekte Verbeugung wäre hier, wo Lässigkeit triumphiert, eher komisch. Wer als Mann dem lokalen Schönheitsideal nahekommt (das, je nach Lokalität, irgendwo zwischen Beau und Rocker liegt), darf auch damit rechnen, daß ein Mädchen auf die Frage »Tanzen Sie?« (unter Gleichaltrigen: »Tanzt Du?«) aufsteht und mit zur Tanzfläche kommt.

Ein »Korb« ist keine Beleidigung

Doch zurück in die bürgerliche Gesellschaft. Auch eine Frau, die in Begleitung an einem Tisch sitzt, darf zum Tanz aufgefordert werden. Der Auffordernde wendet sich dann an die Begleitung, meist wird es ja ein Mann sein, und fragt ein bißchen gestelzt, doch zweckdienlich: »Gestatten Sie, daß ich mit der Dame tanze?« Selbst wenn der Mann jetzt zu der Dame »Bitte, möchtest Du tanzen?« sagt, kann sie mit einem schlichten »Nein, danke« ablehnen.

Eine Frau darf, wenn sie nicht tanzen will, jede Aufforderung ausschlagen. Wenn der Mann ungebeten an den Tisch kommt oder sich, im Lokal möglich, in eine geschlossene Gesellschaft begibt, geht er dieses Risiko immer ein. Einer Begründung bedarf es dann nicht. Die Frau sagt »Nein, danke«, er verbeugt sich und geht wieder. Schluß. Was besagte Dame keineswegs zu hindern braucht, im nächsten Augenblick mit dem Mann ihrer Wahl zur Tanzfläche zu eilen. In standesbewußteren Kreisen, vor allem im Ausland, sollte man lieber gleich davon absehen, in geschlossene Gesellschaften einzudringen. Es ist nicht überall üblich, daß Frauen mit wildfremden Männern tanzen.

Auch bei einer Hausparty braucht eine Frau nicht unbedingt zu tanzen, wenn ihr nicht danach ist. Hier wird sie dem Manne den »Korb« wohl mit einer kleinen Erklärung verzieren – man kennt sich schließlich. »Ich muß mich mal ausruhen. Später, ja?« Oder: »In diesen Modetänzen kenne ich mich nicht aus.« So eine Ablehnung muß jeder Mann mit Fassung ertragen. Es wird ihm leichter fallen, wenn sie freundlich lächelnd daherkommt.

Damenwahl – der Herren Qual?

Bei der offiziellen »Damenwahl« bittet die Frau den Mann um einen Tanz – etwa in der Art, wie der Mann eine Frau auffordert. Allerdings setzt sich nun im Zeichen der Gleichberechtigung eine Art inoffizieller Damenwahl durch. Zumindest in einem Kreis von Freunden und Bekannten dürfen Frauen Männer um einen Tanz bitten, und zwar ohne steifes Gehabe. »Wollen wir tanzen?« genügt. (Theoretisch wenigstens sollte dem Mann in dieser Situation auch das Recht zustehen, liebenswürdig »Nein« zu sagen, ohne daß die Frau beleidigt ist).

Männer, so will es ein ehernes Gesetz der gesetzteren Gesellschaft, müssen bei privaten Festen ihre Pflichttänze absolvieren. Zuerst tanzt der Mann mit der »Tischdame«, die ihm zur Rechten saß. Der nächste Tanz, oder einer der nächsten, gehört der Hausfrau. Und so weiter. Jede Frau, auch die alleinstehende, hat ein Anrecht auf Tanzen. Ein Prinzip, gegen das nichts einzuwenden ist, auch wenn sich immer mehr Männer großzügig darüber hinwegsetzen.

Tänzer und Nichttänzer

Manchem Menschen fehlt jeder Sinn für Rhythmus und Musik, oder er bildet es sich zumindest ein. Mit einigen entschuldigenden Worten kann er sich aus der Affäre ziehen und während der Tanzerei ältere Herrschaften oder andere Nichttänzer unterhalten.

Wer sich in eine Gesellschaft begibt, sollte allerdings kein Spielverderber sein. Moderne, offene Tänze fordern ja zur Gruppenbildung heraus. Man kann zu viert, zu sechst tanzen, und das nicht nur beim Karneval. Warum soll man einen eingefleischten Nichttänzer nicht bei der Hand fassen und in einen Kreis ziehen? Ein bißchen Mitklatschen, ein bißchen »Mithampeln«, um den guten Willen zu zeigen, wird er wohl können.

Vielleicht ist er schließlich ehrlich genug einzugestehen, daß es ihm sogar Spaß gemacht hat. Vielleicht merkt er, daß er bloß Hemmungen hatte, daß ihm die Angst vor einer möglichen Blamage die Beine lähmte, und geht jetzt schnurstracks in eine Tanzschule! Tanz, sagen die Tanzlehrer, löst seelische Verkrampfung.

Beim Tanz ist der Tanz, die harmonische Bewegung im Rhythmus der Musik, die Hauptsache. Die Unterhaltung beschränkt sich auf Sätze über die Musik, die Kapelle, das Lokal, die Stimmung und – den Tanz. Wer solche konventionellen Sätze nicht mag, schweigt.

Tips fürs Tanzen

In einer Gesellschaft, die aus Jung und Alt gemischt ist, muß der Gastgeber dafür sorgen, daß auch die älteren Gäste mit einem Walzer oder einem Foxtrott auf ihre Kosten kommen. Immer nur Modetänze – das geht nicht.

Auf kleinen Tanzflächen, vor allem in der Wohnung, verzichtet man auf raumgreifende Turnierschritte. Die Tanzfläche ist für alle da. Soloauftritte, bei denen der Partner dumm herumsteht, unterläßt man.

Frauen, vor allem ältere Frauen, dürfen im privaten Kreis oder im Lokal miteinander tanzen. Bei gesellschaftlichen Anlässen ist es verpönt.

Beim »Abklatschen« bedankt sich der Mann durch eine Verbeugung bei der Partnerin. Er verbeugt sich auch vor der neuen Partnerin.

Musiker freuen sich über Applaus. Alle Tanzenden, Männer wie Frauen, klatschen.

Tanzschulen veranstalten auch Kurse für fortgeschrittene Jahrgänge. Niemand muß auf Modetänze verzichten, weil er sie nicht beherrscht. Schließlich müssen wir auf allen Gebieten Neues dazulernen.

Taufe und Taufpate

Die – lebensnotwendige – Geburtsurkunde wird, mit Vor- und Nachnamen, nach der Geburt auf dem Standesamt ausgestellt. Bei Eltern, die keiner Kirche angehören, genügt das.

Durch die Taufe, diesen religiösen Reinigungs- und Einweihungsritus, wird ein Mensch in die christliche Gemeinschaft aufgenommen; er bekommt einen Taufnamen.

Eine feste Regel für den Zeitpunkt der Taufe gibt es weder für evangelische noch für katholische Kinder. Da die Taufe, eine intime Feier, möglicherweise einer kleinen Familienzusammenführung gleichkommt, hängt das Datum meistens von der Absprache zwischen Eltern, Verwandten und Pfarrer ab. Wie viele Tage oder Wochen zwischen Geburt und Taufe liegen, spielt dabei keine Rolle.

Verwandte und Freunde schenken zur Taufe Blumen und bringen, nach Belieben, eine Kleinigkeit für das Kind mit. Für Christen ist die Taufe ein feierlicher Akt, die Kleidung dementsprechend (dunkler Anzug – auch das hat sich gelockert).

Die Taufe selbst wird den Eltern vorher erläutert. Eine kleine Gesellschaft nach der Taufe vereint Eltern und Paten, Freunde und Verwandte bei einem Frühstück oder einer Kaffeetafel. Wenn der Geistliche teilnimmt (der evangelische Pfarrer mit Frau), so sitzt er zur Rechten der Mutter.

Pate leitet sich vom lateinischen Wort pater her und bedeutet: Vater. Der Pate – gleichgültig, ob Mann oder Frau – ist sowohl Zeuge der christlichen Taufe als auch Bürge für die Erziehung des getauften Kindes im christlichen Glauben. Letzteres hört sich gut an, geht an der Wirklichkeit aber meistens vorbei.

Die Eltern des Kindes bitten Verwandte oder Freunde, die Patenschaft zu übernehmen. Man wählt heute gern junge Paten, damit der Altersabstand nicht zu groß ist und ein wirkliches Vertrauensverhältnis zustande kommen kann: der Pate als Freund und Helfer.

Das bedeutet eine ernstzunehmende Verantwortung für

die Paten (es sind normalerweise zwei). Allerdings überwiegt leider auch hier oft genug die Flucht aus der Verantwortung in die Sachwerte: statt einem Menschen mit Rat und Tat zur Seite zu stehen, ließen und lassen es Paten gern bei dem obligaten Patengeschenk zum Geburtstag, mit dem Buch oder Sparbuch, bewenden.

Eine Patenschaft, um die man gebeten wird, kann man nur mit wirklich stichhaltigen Gründen ablehnen.

Tee

Als der einstmals so beliebte »five o'clock tea« in Deutschland schon längst vergessen war oder zumindest nur noch belächelte Erinnerung, feierte der Tee unversehens ein öffentliches Comeback: kleine Teestuben machten neben Boutiquen auf, und junge Menschen entdeckten den scheinbar so bürgerlichen Kräutertee.

Starke Raucher trinken Tee, weil er den Magen beruhigt; Studenten, weil er die Konzentration und geistige Beweglichkeit fördert. Tee, genauer: Koffein im Tee, regt auf – und ab. Kein Wunder, daß er eine große Anhängerschaft hat.

Man kann den Teegenuß wie eine fernöstliche Zeremonie zelebrieren, mit hauchfeinen Schalen und viel Kultur. Man kann den Tee genauso gut aus Gläsern trinken, die in einem (selbstgemachten, warum nicht) Bastkörbchen stecken; denn das Glas ist heiß.

Wichtig ist, daß der Tee – pro Tasse einen Teelöffel – fünf Minuten zieht. Soll er anregen, genügen schon zwei Minuten! Um das Teeglas läßt sich eine ganze Batterie von Schälchen, Dosen, Kännchen und Karaffen gruppieren: für Zucker (nach ostfriesischer Art: Kandiszucker); für Zitrone (manche Teetrinker bevorzugen Ananas-, Grapefruit- oder Orangenscheiben); für Sahne (oder rohe Milch) und Rum.

Telefonieren

Wer nachts unsanft aus dem Schlaf geläutet wird, nur um im Hörer eine unbekannte Stimme zu vernehmen, die ohne jede Entschuldigung etwas von »falscher Nummer« brabbelt, *der* zumindest wird an der Richtigkeit der schönen Worte zweifeln, die Philipp Reis noch auf dem Totenbett sprach: »Ich habe der Welt eine große Erfindung geschenkt.« Er wird sie schön verfluchen.

Bis zum nächsten Morgen – wenn er selbst wieder mit schwungvoll ausgestrecktem Arm zum Hörer greift. Mit dem Telefon geht es uns ja nicht anders als mit dem Auto oder dem Fernseher. Sie können zur Tortur werden, sie können uns aber auch das Leben erleichtern und verschönern. Es liegt an uns, mit der Technik maßvoll umzugehen. Gerade beim Telefon fällt das offenbar besonders schwer. Es wird viel zu oft, es wird sinnlos telefoniert. Viele Menschen haben so etwas wie einen »Telefontick«: Sie müssen, wo immer sie hinkommen, gleich oder bald zum Apparat eilen. Wichtigtuerei!

Kurz und bündig

Der schnelle Austausch von Informationen läßt sich bei einiger Selbstdisziplin erlernen. Zu nicht endenwollenden Gesprächen gehören immer noch zwei. Man darf am Apparat, auch eine Art von Notwehr, auf Beendigung des Gesprächs drängen (»Meine Zeit ist um«). Im Büro blockieren ausgiebige Unterhaltungen (möglichst privater Natur) die Leitung; Kollegen müssen warten, werden nervös. Bei Ferngesprächen geht planloses Telefonieren zudem ins Geld. Wer eine Nummer wählt oder sich verbinden läßt, sollte sich vorher unbedingt Stichwörter notiert haben.

Also: Fasse dich kurz! (auch wenn es nicht mehr an der Zelle steht). Vor allem auf Bahnhöfen und Flugplätzen, wo es jeder eilig hat. Beim Telefonieren den ungeduldig Wartenden auch noch den Rücken zuzudrehen, so als gäbe es sie dadurch nicht, ist, gelinde gesagt, unmanierlich. Man darf, man muß gelegentlich energisch um Kürze bitten. Eine Nummer im Telefonbuch läßt sich bei größerem Andrang zur Not auch vor der Zelle suchen, während ein anderer spricht.

Kurz und freundlich

Sich am Telefon mit einem gedehnten »Ja?« oder mit einem forschen »Hallo!« zu melden, gehört zu jenen schlechten Angewohnheiten, die nichtsdestotrotz weitverbreitet sind. Notgedrungen geht es erst einmal mit der Gegenfrage »Wer ist denn da?« oder »Mit wem spreche ich denn?« weiter.

Das läßt sich doch vermeiden. Man sagt seinen Namen, der

Angerufene genauso wie der Anrufer. Und warum soll man nicht auch, wie die Telefonistin im Betrieb, gleich ein »Guten Morgen« oder »Guten Tag« hinzusetzen? Freundlich, versteht sich. Denn eine vergnatzte, mürrische Stimme am Telefon wirkt wie eine kalte Dusche.

Bei einer größeren Familie empfiehlt es sich, von Anfang an Klarheit zu schaffen, indem man seinen Vornamen nennt oder »Frau« hinzufügt. Dann weiß der Anrufer, woran er ist. Wer zu Gast ist, meldet sich »Bei X.«.

Solange das Fernsehtelefon noch mehr oder weniger schöne Vision ist, gehört es zum guten Ton, den Anrufer nicht im unklaren zu lassen, was weiter geschieht: »Ich verbinde«; »Da wird gesprochen, wollen Sie warten?«; »Er ist nicht am Platz, ich werde ihn suchen«. Solche Zwischeninformation ist ebenso höflich wie nützlich. Das Knacken und nachfolgendes Schweigen sagt gar nichts.

Wohl dem, der bei einem Gespräch mit einer Firma oder Behörde weiß, an wen er sich zu wenden hat. Schwieriger wird es, wenn einer seinen Wunsch erst formulieren muß, ohne zu wissen, wer dafür zuständig ist. Es lohnt sich schon, vorher ein paar Augenblicke des Nachdenkens darauf zu verwenden: Wie formuliere ich den Zweck meines Anrufes? Wie komme ich schnell zum Ziel? Der Buchbinder Wanninger, dieses bedauernswerte Opfer des Immer-weiter-verbunden-Werdens, das Karl Valentin erfand, steht warnend vor aller Augen.

Kurz und gut

Man telefoniert – privat – am besten in der Zeit, die von jeher als Besuchszeit gilt: zwischen 10 und 12 Uhr vormittags, zwischen 16 und 18 Uhr nachmittags. In diesen Stunden darf man von der Annahme ausgehen, nicht zu stören.

Man sollte zumindest beim Telefonieren die denkbare Mittagsruhe und auch das wichtige, alles entscheidende Fußballspiel im Fernsehen respektieren, und man sollte sonntags nicht zu früh anrufen (am besten erst nach 11 Uhr). Während der Woche reicht die normale, akzeptable Telefonierzeit bis 22 Uhr. Seitdem es aber den – billigeren – »Mondscheintarif« gibt, muß man auch auf Ferngespräche nach 22 Uhr freundlich reagieren.

Jeder soll ehrlich sagen, ob er gerade Zeit hat. Wenn das Essen kalt wird, wenn man gerade im Aufbruch ist, darf man sich entschuldigen – und mit einem »Ich rufe zurück« den Anrufer auf später vertrösten. Das macht man auch, wenn man Besuch hat. Wer zufällig, während eines Gesprächs, Zeuge eines Anrufs wird, der privat oder gar vertraulich zu sein scheint, entfernt sich aus dem Zimmer (»Ich komme nachher wieder«). Der Sprechende kann immer noch zu verstehen geben, daß diese höfliche Geste überflüssig ist.

Man kann sich am Telefon seine Liebe gestehen. Man kann per Telefon zur Party einladen (und auch absagen). Man kann Verwandten und guten Freunden zum Geburtstag gratulieren, wenn's denn sein muß. Aber man darf auf keinen Fall telefonisch sein Beileid aussprechen.

Überhaupt sollte man viel öfter daran denken, daß ein Telefonanruf immer einem unangemeldeten Besuch gleicht, der plötzlich im Wohnzimmer steht. Hätten Sie das gerne?

Tisch decken
(siehe auch unter: Bestecke)

Phantasie kennt keine Grenzen. Die rustikale Version mit Brett, Zinn und kräftiger Farbe für die deftige Brotzeit, die weibliche Note beim Kaffeekränzchen oder die festliche, mit Porzellan und geschliffenen Gläsern, beim Abendessen mit Gästen – es gibt so viele Gelegenheiten, sich und anderen einen zusätzlichen Augenschmaus zu bereiten. Phantasie gestaltet, bringt Leben und Farbe auf dieses Rechteck, Tisch genannt.

Die Regeln freilich, nach denen Bestecke, Teller und Gläser auf dem Tisch angeordnet werden, liegen seit geraumer Zeit fest. Niemand denkt daran, sie zu verändern, sie haben sich als sinnvoll erwiesen. Warum, simpelstes Beispiel, liegt das Messer rechts? Weil die rechte Hand, normalerweise die stärkere, die Arbeit des Schneidens übernimmt. Logisch.

Und so sieht die einfachste Anordnung aus: Das Messer liegt, mit der Schneide nach innen, rechts neben dem Teller, die Gabel links neben dem Teller, der Löffel für die Suppe außen neben dem Messer, der kleine Löffel für den Nachtisch oben über dem Teller – Löffel und Gabel liegen mit der Wölbung nach unten.

Der Abstand zwischen Besteck und Tellerrand soll etwa einen Zentimeter betragen. Wenn nur ein Besteckteil gebraucht wird (beim Eintopf ein Suppenlöffel, beim Kaffee die Kuchengabel), liegt es rechts neben dem Teller.

Man benutzt das Besteck in der Reihenfolge von außen nach innen. Zuerst wird der Suppenlöffel – rechts außen – gebraucht, der dann mit dem Teller abgeräumt wird. Dann folgen beim Hauptgericht Messer und Gabel, schließlich auch der kleine Löffel.

Die Regel, das Besteck von außen nach innen zu benutzen, stimmt immer, jeder angehende Ober lernt sie auf der Schule

und legt die Bestecke entsprechend auf. Immer in der Reihenfolge: Vorspeise, Fisch, Hauptgericht. Zu beiden Seiten des Tellers. Mehr als drei Besteckteile auf jeder Seite wären übertrieben. Was sonst noch gebraucht wird, kommt beizeiten auf den Tisch – und verschwindet wieder. Niemand, und mag er noch so unerfahren sein, braucht sich also angesichts einer festlich gedeckten Tafel den Kopf zu zerbrechen.

Für jeden Eßplatz rechnet man etwa 60 cm. Bei ausgedehnteren Essen mit größerem Aufwand an Bestecken und Gläsern kann man getrost mehr einplanen, wenn der Raum es zuläßt.

Der Teller steht ein kleines Stück vom Tischrand entfernt, damit nichts passiert, wenn man an der Tafel Platz nimmt. Dieser Teller ist entweder für das Hauptgericht bestimmt oder dient, bei einem Essen mit mehreren Gängen, als »Platzteller«, der während des ganzen Essens stehen bleibt und erst abgeräumt wird, bevor Süßspeise oder Käse gereicht wird. Auf den Platzteller kommt also bei jedem neuen Gang neues Geschirr. Ein kleiner Teller für Toast oder Brötchen, für Salate (oder Knochen) steht oben links.

Gläser werden rechts über dem Besteck aufgestellt, und zwar in einer Linie schräg von rechts nach links. Das Glas, das zuerst benutzt wird, steht auch hier ganz außen. Dann wird, wie üblich, nach innen vorgegangen.

Manchmal werden Gläser auch nach der Größe gruppiert. Kein Grund zur Aufregung! Der Ober weiß schon, welches Glas zu welchem Gang gehört. Auch Tassen stehen rechts.

Servietten zu kleinen Phantasiegebilden zu falten war einst eine gern und geduldig geübte Kunstfertigkeit. Heute legt oder stellt man das Tuch auf den Eßteller oder auf den Platzteller – oder links daneben. Die Serviette kann ebenso auf dem Toastteller liegen.

Außerdem gehören beim Essen Salz und Pfeffer auf den Tisch, Pfeffer möglichst in einer kleinen Pfeffermühle. Es ist besser, etwas milder zu kochen und die Gäste selber nachwürzen zu lassen. Ein Senftöpfchen mit Deckel und kleinem Löffel darf bei Würstchen und fettem Fleisch nicht fehlen. Weißwürste verlangen ihren eigenen, süßen Senf.

Paprika, Kümmel und Curry kommen in kleinen Schalen auf den Tisch. Essig und Öl in Fläschchen brauchen Sie, wenn der Salat am Tisch angemacht wird. Für Kaffee und Tee, auch für Grog und Glühwein steht Würfelzucker griffbereit, mit einer Zuckerzange.

Diese Gerichte ißt man

VORSPEISEN	**auf/in – mit**
Gefüllte Fleischröllchen, überbackene Toaste und anderes zum Schneiden	Dessertteller Dessertmesser, Dessert-gabel
Ragouts überbacken, Käsesoufflé	feuerfestem Förmchen oder Muscheln auf Desserttellern Dessertgabel
Salate aller Art	Dessertteller oder Glasteller auf Dessertteller Dessertgabel
Kalte Vorspeisen (z.B. Räucherlachs, Aufschnitt)	Dessertteller Dessertbesteck
Cocktails, Toast und Butter (z.B. Hummer- oder Krabbencocktail)	Glas mit weitem Kelch auf Dessertteller Kaffeelöffel, Cocktailgabel, Dessertmesser oder Butter-streicher

SUPPEN	**auf/in – mit**
Eintopfsuppen	Suppenteller Tafellöffel
Brühe mit Einlage, Cremesuppen	Suppenteller, Suppentasse Tafellöffel, Tassenlöffel

Schildkrötensuppe und ähnliche feine Suppen	Schildkröten-Suppentasse oder Mokkatasse Kaffee- oder Teelöffel

HAUPTGANG	**auf/in-mit**
Fisch	großem Teller Fischbesteck oder 2 Gabeln
Braten, Geflügel	großem Teller Tafelmesser, Tafelgabel
Haschee, feines Ragout, Gerichte aus Hackfleisch	großem oder Mittelteller Tafel- oder Dessertgabel
Salat zum Hauptgang	Dessert- oder Glasteller Kein Extrabesteck

SÜSS-SPEISEN	**auf/in-mit**
Eis, Obstsalat, Kompott	Glasteller oder kleinem Teller, kleiner Glasschale oder Eiskelch oder Cocktailschale Eislöffel, Kaffeelöffel, Kompottlöffel
Flammeri, Cremespeisen, frisches Obst	Dessertteller, Dessertlöffel, Obstbesteck
Klöße, Pfannkuchen, süße Aufläufe, gekochter Pudding	Dessertteller Dessertlöffel, Dessertgabel
Käse und Brot, Aufschnitt	Dessertteller Dessertmesser, Dessertgabel

Alles, was zum Essen oder Trinken gebraucht wird, steht in der Reihenfolge auf dem Tisch, in der es während des Essens benutzt wird.

Die Streuer für Salz, Pfeffer und die Flaschen mit Gewürzsoßen sollen so verteilt sein, daß sie für alle Gäste erreichbar sind (notfalls natürlich mit einem »Würden Sie mir bitte das Salz geben?«).

Fingerschalen – das können Tassen sein – wirken schon ein bißchen snobistisch. Wenn mit den Händen gegessen wird – bei Krebsen zum Beispiel gar nicht zu vermeiden –, haben sie einen Sinn. Man legt eine Zitronenscheibe in das Wasser. Wer sich mit Fingerschalen albern vorkommt, muß dafür sorgen, daß kein Mangel an Papierservietten herrscht.

Blumen und Kerzen schaffen bei Tisch Atmosphäre. Jedoch, am Tisch soll vor allem gegessen werden. Deshalb Vorsicht: er darf nicht mit Zierat überladen sein.

Kleine Blumenarrangements an jedem Platz sind oft besser als Vasen mit Blumensträußen. Auf keinen Fall dürfen Blumen die Gäste daran hindern, sich zu unterhalten.

Tischordnung

(siehe auch unter: Hochzeit)

»Tischordnung«, das klingt wie ein Ordnungsruf für zankende Kleinkinder – und geht doch an die Adresse erwachsener, schon sehr erwachsener Menschen: Jede Tischordnung soll Hader, Zank und Streit um Vorzugsplätze vermeiden. Und die Geschichte weiß in der Tat von manchem derartigen Streitfall zu berichten.

Denn viele Menschen, vor allem die sogenannten Erfolgsmenschen mit den Ellenbogen, sind nun einmal von Prestigedenken beherrscht, und das pocht vernehmlich auf angemessene Rangfolge und entsprechende Placierung. (Die Cocktail-Party, das sei hier nur am Rande vermerkt, bei der alle, gleich welchen Standes oder Alters, einträchtig miteinander herumstehen, ist ja auch ein demokratischer Versuch, die Probleme, die sich bei Tisch aus der Rangordnung notgedrungen ergeben, zu umgehen.)

Bei offiziellen Anlässen

Bei offiziellen Veranstaltungen mag kein Organisator auf die korrekte Tischordnung verzichten. Keine Experimente, heißt die Devise der Protokollchefs, die aus bitterer Erfahrung nur allzu genau wissen, daß Originalität und Neuerungssucht, wenn es um Geltung und Würde geht, leider am wenigsten honoriert werden.

Um jeden Ärger zu vermeiden, bleiben sie beim Altbewährten und setzen die Gäste beim Essen streng nach protokollarischer Rangfolge (die in monarchistischen Zeiten noch wesentlich präziser ausgetüftelt war). Erst wenn eine Tafel für den abschließenden Kaffee aufgehoben wird, dürfen sich die geladenen Herrschaften unter Mißachtung aller Rangunterschiede je nach Sympathie und Interessenlage gesellen.

Bei einem normalen Treffen unter normalen Sterblichen wird sich das Problem in dieser zugespitzten Schärfe sicher nicht stellen. Und einen oder gar zwei Ehrengäste, die als solche respektiert und behandelt werden wollen, am Tisch richtig zu placieren, ist ein so großes Kunststück nun auch wieder nicht.

Bei privaten Essen

Im privaten Kreis (beginnen wir mit dem Einfachen), beim Mittag- oder Abendessen, weist die Gastgeberin oder der Gastgeber den Gästen ihren Platz zu, so wie sie/er sich die Tischordnung nach bestem Wissen und Gewissen (wer paßt zu wem?) ausgedacht hat: Ehepaare läßt man meistens nicht nebeneinander sitzen, sondern bringt sie mit anderen Gästen zusammen in der Hoffnung, daß sich alle, über die reinen Höflichkeiten hinaus, etwas zu sagen haben. Das Anweisen der Plätze geschieht unaufdringlich und leise, mit einigen unterstreichenden Handbewegungen in Richtung auf den Platz (»Frau X., wollen Sie neben meinem Mann sitzen?«).

Hausherr und Hausfrau sitzen sich an der Tafel gegenüber – entweder jeder für sich an der Schmalseite des Tisches (dann sind sie durch die ganze Tafel getrennt) oder an den Längsseiten in der Mitte des Tisches (dann können sie sich leichter verständigen).

Bis hierher kann es eigentlich keine Schwierigkeiten geben. Die feineren Regeln der Tischordnung werden im familiären Kreis ja auch erst dann genauer studiert, wenn es bei irgendeinem wichtigen Anlaß darum geht, einen Ehrengast oder gar mehrere an die gebührende Stelle zu setzen. Wer also glaubt, daß Zwanglosigkeit der Tischordnung zwangsläufig zur Anarchie führt, hält sich an die altbewährte Regel:

Der Platz der Ehrengäste

Ein Ehrengast sitzt hierzulande zur Linken der Gastgeberin (international: rechts), die Frau des Ehrengastes sitzt zur Rechten des Gastgebers. Der zweitbeste Platz für einen weiblichen Gast ist der links vom Hausherrn, für einen männlichen rechts von der Gastgeberin.

Wenn Hausfrau und Hausherr sich in der Mitte der Tafel gegenübersitzen, ist hier das Zentrum der Tafel mit Gastgebern und Ehrengästen; zu den Enden der Tafel hin wird abgestuft. Bei der anderen Sitzweise – Hausherr und Hausfrau jeweils an der Schmalseite der Tafel – entstehen zwei Zentren, und die Abstufung (wenn man sie ernst nimmt, übrigens ein heikles Kapitel!) geschieht zur Mitte hin.

Wir meinen aber: in den eigenen vier Wänden sollte man nicht den Ehrgeiz entwickeln, mit dem Differenzierungsvermögen von Protokollchefs, zu dem ja auch erhebliche Erfahrung und Fingerspitzengefühl gehören, zu konkurrieren. Lieber sollte man die Zeit zum Nachdenken darüber verwenden, welche Gäste wirklich zusammen passen, damit an der Tafel eine gelöste und heitere Stimmung entsteht.

Anders bei wichtigen geschäftlichen Anlässen, wo eine falsche Placierung, wenn's der Teufel will, schaden kann: der Jahrmarkt der Eitelkeiten ist größer als man denkt. Es hat sich bei derartigen Anlässen gezeigt, daß im Restaurant mehrere kleinere Tische – an einem der Chef mit der Prominenz, an den anderen Direktoren oder Abteilungsleiter mit weiteren Gästen – dem anregenden Gespräch durchaus förderlich sein können.

Bei der Hufeisenform der Tafel, auch das sei noch bemerkt, sind die rangniedrigsten Plätze an den beiden Innenseiten des Tisches und an den Enden des Hufeisens.

Tischkarten, daheim sicher übertrieben, sind an einer ausgedehnten Tafel mit vielen Gästen durchaus nützlich. Wenn außerdem noch ein Tischplan ausliegt, dürfte sich das Platznehmen reibungslos abspielen. Und jeder weiß schon vorher, wen er neben sich hat.

Problemlos – der runde Tisch

Tischprobleme – genauer gesagt: Placierungsschwierigkeiten, die an rechteckigen Tischen entstehen – haben bis in unsere

Zeit hinein, man denke nur an die Vietnam-Konferenz in Paris, in der Politik eine Rolle gespielt. Früher wurden sie freilich ungleich wichtiger genommen als heute. Die einfachste Lösung, das Ei des Kolumbus, die letzte Rettung war, ist und bleibt: der runde Tisch. Er hebt, in der Unendlichkeit des Kreises, Rangprobleme so gut wie auf.

Todesfälle

Bei einem Todesfall muß die nächste Umgebung auf den oder die Betroffenen vermehrte Rücksicht nehmen – Nachbarn vor allem, die für ein paar Tage auf Lärm und Munterkeit verzichten müssen. Sie können ihre Anteilnahme wohl am besten dadurch ausdrücken, daß sie ihre Dienste für Erledigungen, Kinderbetreuung oder Essenzubereitung anbieten. Die Frage nach möglicher Unterstützung ist denn auch die einzige Rechtfertigung für einen telefonischen Anruf.

Formalitäten

Die amtlichen Formalitäten übernimmt heute im allgemeinen das Bestattungsinstitut. Die Hinterbliebenen verständigen die nächsten Anverwandten und Freunde, telefonisch oder telegrafisch. Eine gedruckte Todesanzeige wird in der Tageszeitung veröffentlicht oder als Briefkarte an entferntere Verwandte und Bekannte verschickt – oft auch beides. Den Text entwerfen die Hinterbliebenen, alles Weitere macht das Bestattungsinstitut.

Jeder Tod ist schmerzlich für die Angehörigen. Den verständlichen Schmerz in schwülstigen Formulierungen auch noch publik zu machen, wäre allerdings schlechter Stil. Die möglichst schlichtgehaltene Anzeige muß enthalten: den Namen des Verstorbenen; das Datum des Todes; die Anschrift des Trauerhauses; die Namen der nächsten Angehörigen (bei Verheirateten steht an erster Stelle der Ehepartner, der auch »im Namen aller Angehörigen« sprechen kann; bei weiteren Namensnennungen folgen die Kinder, die Eltern, Schwiegereltern, Geschwister und Schwäger); schließlich Datum, Uhrzeit und außerdem Ort der Bestattung.

Die Beerdigung kann auch »in aller Stille« erfolgen. Man darf darum bitten, von Beileidsbesuchen und Blumenspenden abzusehen. Die Anzeige muß nicht über die Todesursache informieren. Ebenso gilt der süddeutsche Brauch, daß sich Witwen mit dem Beruf oder Titel ihres verstorbenen Mannes schmücken, inzwischen als altmodisch.

Die Kondolenz

Wenn die Beerdigung schon in aller Stille stattgefunden hat oder wenn Sie nicht daran teilnehmen können, beantworten Sie die Todesanzeige schriftlich (auf gar keinen Fall telefonisch!).

Bei einem Menschen, der Ihnen nahestand, schreiben Sie einen Beileidsbrief, mit der Hand und auf weißes, nicht etwa schwarz umrandetes Briefpapier. Dieser Brief geht an den Hinterbliebenen, den Sie am besten kennen.

Der Brief kann kurz sein, ohne Floskeln – er kann aber auch zusätzlich ausdrücken, wie Sie zu dem Verstorbenen standen, was Sie ihm verdankten oder mit ihm gemeinsam erlebten. Betroffenheit schlägt sich nicht in geschliffenen Sätzen nieder. Trost kann ein solcher Brief nicht bringen, mehr als ein Zeichen glaubhafter Anteilnahme kann er nicht sein.

Wenn die Angehörigen in ihrer Anzeige ausdrücklich auf Kränze und Blumen verzichten und statt dessen um eine Spende für einen guten Zweck (Rotes Kreuz, SOS-Kinderdörfer) bitten, wie das heute immer häufiger geschieht, darf man im Beileidsbrief erwähnen, daß man diesem Wunsch entsprochen hat. Natürlich nennt man keinen Betrag.

Beileidsbesuche macht man heute selten, und auch nur, wenn man zu den Hinterbliebenen ein engeres Verhältnis hat. Man sollte aber den Besuch, der Überwindung fordert, auf keinen Fall dann unterlassen, wenn anzunehmen ist, daß der oder die Hinterbliebenen in irgendeiner Weise Hilfe brauchen. Blumen werden bei einem Beileidsbesuch auf keinen Fall mitgenommen.

Bei Todesfällen in der Bekanntschaft darf man sich auf eine vorgedruckte Karte mit schwarzem Rand beschränken. Auf ihr braucht man nur seinen Namen zu vermerken.

Beerdigung und Trauer

Verwandte, Freunde und Kollegen nehmen von dem Toten bei der Beerdigung Abschied. Die Kranz- oder Blumengebinde läßt man entweder zum Friedhof schicken oder legt sie selbst am Grabe nieder. Kranzspenden haben offiziellen Charakter, Blumen wirken persönlicher. Ein Kranz wird meist von mehreren gestiftet.

Nach der Trauerfeier in der Friedhofskapelle bewegt sich der Trauerzug zum Grab. Hinter dem Geistlichen (mit dem man sich vorher wegen der Predigt in Verbindung gesetzt hat) gehen die nächsten Angehörigen. Nachdem Angehörige und Freunde drei Schaufeln Erde auf den Sarg geworfen haben, wird den Hinterbliebenen kondoliert. Ein stummer Händedruck genügt. Wer in diesem Defilee eine übertriebene Tortur für die Angehörigen sieht, wird mit gutem Grund auch darauf verzichten.

Familienmitglieder tragen zur Beerdigung schwarze Kleidung, Männer einen dunklen oder schwarzen Anzug mit schwarzer Krawatte. Auch die Trauergäste erscheinen in dunklen, auf jeden Fall in gedeckten Farben, Männer mit dunkler oder schwarzer Krawatte.

Nach der Beerdigung werden Danksagungen verschickt. Entweder läßt man eine Karte drucken oder man gibt in der Zeitung eine Anzeige auf. Um alle Betroffenen zu erreichen, die ihre Teilnahme bekundeten, wird oft beides, Karten und Anzeige, benutzt.

Genau begrenzte Trauerzeiten werden heute nur noch in betont religiösen Gegenden und Ländern befolgt. Man kommt immer mehr davon ab, den Grad der Trauer und des Schmerzes nach solchen Äußerlichkeiten und Formalismen zu bemessen. Es bleibt jedem Hinterbliebenen selbst überlassen, wie lange er Zeichen der Trauer (die schwarze Krawatte, die schwarze Rosette) tragen will. Davon hängt die empfundene Trauer und Anteilnahme wahrlich nicht ab.

Tranchieren

Mit dem Tranchieren ist das so eine Sache. Nach altem Brauch (der offenbar aus Zeiten stammt, als die Menschen durch Jagd und Viehhaltung noch genau wußten, wie ein Reh und wie ein Rind aussieht) gilt es als eine Art Ehrenpflicht des Hausherrn, das Fleisch an der Tafel eigenhändig von Knochen zu befreien und aufzuschneiden. So liest man es immer wieder.

Auf einem anderen Blatt steht die Frage, wo das Tranchieren eigentlich erlernt werden kann. Richtiges und das heißt: flinkes und zügiges Tranchieren ist gar nicht so einfach. Angehende Köche und angehende Kellner in guten Häusern lernen es in der Praxis. In dicken Lehrbüchern wird der Vorgang detailliert beschrieben. Mehr nicht.

Wem Kochen Spaß macht – und es gibt ja immer mehr Hobbyköche unter Männern –, der sollte von der Pike auf lernen und klein anfangen. Bei der Ente oder der Forelle – auf jeden Fall im nachsichtigen Kreis der Familie. Auf gastronomischen Messen wird das Tranchieren zuweilen von Könnern demonstriert.

In guten, freilich auch teuren Restaurants kann man das Tranchieren bei Tisch als zusätzlichen Wunsch äußern (und durch ein entsprechendes Trinkgeld honorieren). Mit einer Portion Neugier wird also der, den diese alte und einst hochgerühmte Kunst ernsthaft interessiert, auch im Zeitalter der portionsweise abgepackten Menüs nach und nach seine Erfahrungen sammeln können.

Zum fachkundigen Tranchieren gehören ein Tranchierbrett (mit einem Rand, in dem sich der Saft sammelt), wenigstens drei verschieden lange Messer, eine große Gabel und ein Wetzstahl; die Messer müssen immer gut geschärft sein. Für Geflügel braucht man eine Geflügelschere.

Tranchiert werden Pfannen- und Grillgerichte, Braten, Geflügel, Fische und Krustentiere. Am häufigsten sieht man im Restaurant auf dem Servierwagen die gekochte Rinderbrust, die vom Stück abgeschnitten und vorgelegt wird.

Die Technik der Messer- und Scherenführung, die von Fall zu Fall anders ist, kann nur durch Übung erlernt werden. Außerdem muß man einiges über Knochenbau, Gelenke und Lage des Fleisches wissen.

Die wichtigste Regel: Fleisch wird nicht parallel zur Fleischfaser, sondern quer bis senkrecht gegen die Fleischfaser aufgeschnitten.

Gekonntes Tranchieren hat, kein Zweifel, einen nicht unerheblichen Show-Effekt. Für Gäste ist es natürlich ein zusätzlicher Spaß (in den sich auch Bewunderung mischt), wenn ihnen der Duft in die Nase steigt, während sie der geschickten Arbeit von Messer und Schere zuschauen.

Bevor Sie aber das Tranchieren nicht mit einiger Eleganz beherrschen, sollten Sie das Fleisch lieber still und ohne jede Theatralik in der Küche zerlegen.

Trinken und Trinksitten

(siehe auch unter: Alkohol, Bier, Cocktail, Getränke, Gläser, Schnaps und Likör, Sekt, Wein)

Zwei Liter Flüssigkeit braucht der Mensch pro Tag, mehr nicht. Jedoch: »Wer oft trinkt, wird lange nicht so durstig«, erkannte schon der Dichter Fontane. Also trinkt der Mensch. Daheim vor dem Fernsehen, bei gesellschaftlichen Anlässen, am Stammtisch, nach Feierabend, oder ganz einfach nur so zur Entspannung.

Alkohol ist natürlich kein Sorgentröster und keine Arznei. Alkohol löst keine Probleme und bringt nur vorübergehende, scheinbare Erleichterung: das Erwachen wird um so schlimmer. Trinken und »Saufen«, das ist zweierlei, wie Essen und »Fressen«. Trinken heißt genießen, maßvoll und vielleicht sogar mit Sachverstand genießen.

Alkoholverzehr ist kein Pflichtpensum, das schnell gekippte Glas noch längst kein Beweis von Männlichkeit. Wer keinen Alkohol trinken will oder es mit einem Höflichkeitsschluck bewenden läßt (immer diese verdammten Zugenisse!), wird nicht »genötigt« und schon gar nicht auf den Arm genommen (mit dümmlichen Wörtern wie »Null« oder »Niete«). Es gibt schließlich mancherlei vernünftige Gründe, auf Alkohol zu verzichten; das Auto vor der Tür ist nur einer. Deshalb muß jeder Gastgeber unbedingt Alkoholfreies im Haus haben.

Wein wie Sekt werden am Tisch (von rechts) eingeschenkt, Schnäpse und Liköre bei der ersten Runde vom Tablett aus angeboten und beim nächsten Mal aus der Flasche nachgeschenkt.

In einer zivilen Runde hebt der Hausherr als erster das Glas und gibt das Startzeichen, die »Auflassung«. Nickt den Damen zu und lächelt kurz in die Runde, sagt »Zum Wohle« oder »Prosit« (auf deutsch: es möge nützen) oder abgekürzt »Prost«. Alle nehmen, gleichfalls nickend, mit dem Hausherrn den Begrüßungsschluck und setzen etwa gleichzeitig mit ihm (man schaut halt zu ihm hin) das Glas wieder ab. Ein Vorgang von einigen Sekunden, der sich komplizierter liest als er in Wirklichkeit ist. Leise, beiläufig geschieht das.

Auf dieses Startzeichen wird auch im Restaurant geachtet, wenn einer in der Runde der Einladende ist: Man wartet auf die »Auflassung«. Nur unter Kollegen oder Freunden wird ein aufmunternder Spruch von der Machart: »Wie heißt der Leuchtturmwärter von Juist? Prost!« belacht. Ansonsten: Geduld, Geduld . . .

Ältere Tischnachbarinnen werden sich gewiß freuen, wenn der Mann in ihrer Mitte während des Essens oder irgendwann zu Beginn des Abends das Glas in ihre Richtung hebt, lächelt und einen Schluck nimmt; auch sie werden, ebenfalls lächelnd, einen Schluck trinken. Ein bißchen komisch wirkt dieser Komment aus uralten Zeiten schon. Unter Jüngeren unterbleibt er.

Das »Zutrinken« an der Tafel, ein alter deutscher und von älteren Menschen liebevoll gepflegter Brauch, unterliegt einem strengen Reglement, das man kennen, aber nicht unbedingt bewahren muß. Auf die gönnerhafte Sitte, nach der stets nur der »Ranghöhere« oder Ältere dem anderen zutrinken darf, können wir nämlich getrost verzichten. Dann entfällt auch die Zumutung an den Gastgeber, den männlichen Gästen in gehörigem Abstand nacheinander gemessen zuzuprosten – möglichst in der Reihenfolge ihrer gesellschaftlichen Stellung! Wenn man es darauf anlegt, kann man viel Kompliziertheit in die Welt bringen . . .

Das Anstoßen, nur mit »klingenden Gläsern« sinnvoll, ist schon seltener geworden. Zum Jahreswechsel gehört es zum feststehenden Ritual – sonst ist es höchstens noch im Familienkreis nach einem kleinen Toast üblich (. . . Und so trinken wir denn auf das Wohl des Jubilars . . .). Derjenige, der den Toast ausbringt, stößt mit dem an, dem der Toast galt. Danach stößt der oder die so Geehrte mit den anderen Gästen an, reihum. Zu Silvester stoßen zuerst die miteinander an, die sich am nächsten stehen, zumeist also Paare.

Auch die Sitte oder besser Unsitte des »Ex«-Trinkens (das Glas wird, nach entsprechender Aufforderung, in einem Zug geleert) ist der Zeit zum Opfer gefallen, sie wird allenfalls noch parodiert. Jeder trinkt heute nach eigenem Gusto, nicht nach dem Belieben anderer. Jeder muß schließlich selber wissen, was er vertragen kann.

Trinkgeld

In Paris und Brüssel bekommen die Platzanweiserinnen im Theater und im Kino ihr Trinkgeld: 1 oder 2 Francs. In Budapest, dem »Paris des Ostens«, kassiert die Concierge (wie in Wien auch), wenn sie als Inhaberin der Schlüsselgewalt nach 20 Uhr Gästen das verschlossene Mietshaus öffnet; das macht 1 Forint.

In Japan wird Trinkgeld meist nur widerstrebend angenommen oder überhaupt abgelehnt, in Mexiko bei der geringsten Kleinigkeit und bei jedem Handschlag erwartet (was im Reiseetat zu berücksichtigen ist).

In Bombay sind Tausende von Taxis relativ preiswerte Nahverkehrsmittel, und kein Fahrer denkt daran, die Hand aufzuhalten. In Neapel kann es hingegen passieren, daß ein Taxifahrer ärgerlich die Herausgabe des Handgepäcks verweigert, weil er mit der Höhe des – ohnehin gewährten – Trinkgeldes noch längst nicht einverstanden ist.

Fazit: der taktvolle Umgang mit Trinkgeldern ist eine Wissenschaft für sich – und zwar eine sehr verwirrende. Selbst Globetrottern fällt es mitunter schwer, die unterschiedlichen Gewohnheiten im Kopf zu behalten und richtig zu dosieren. In welchem Land ist es üblich, das Bedienungsgeld gleich mit auf die Rechnung zu setzen – in welchem nicht? Wo gilt Trinkgeld als Beleidigung (bei stolzen Völkern wird manche Handreichung als selbstverständlich gegenüber einem Gast empfunden) – und wo ist Trinkgeld eine Pflicht und Notwendigkeit?

Da wir Deutsche in der Welt nicht gerade in dem Ruf stehen, besonders großzügig zu sein, sollten wir uns mit der Trinkgeldfrage durchaus ernsthaft beschäftigen. Vor der Reise! Das Wohlbefinden am Urlaubsort kann durch die Freundlichkeit des Personals nur gesteigert werden. Trinkgelder, die rechtzeitig und nicht erst bei der Abreise verteilt werden, sind ein bewährtes Mittel, sich der geflissentlichen Aufmerksamkeit des Personals zu versichern.

Die gedruckten Informationen von Reiseunternehmen enthalten fast immer Hinweise auf das übliche Trinkgeld – man muß sie nur lesen! Reiseführer und Reiseleiter geben gleichfalls Auskunft, ebenso die Broschüren der nationalen Fremdenverkehrsinstitute (die ja fast alle in Deutschland vertreten sind). Und schließlich kann man auch noch auf dem Zielflughafen am

Schalter damit rechnen, objektiv informiert zu werden – im Hotel sicher schon nicht mehr.

Bedienungsgeld ist etwas anderes als Trinkgeld. Bedienungsgeld heißt der Aufschlag von 10–15 Prozent, der auf der Rechnung am Ende gesondert ausgewiesen wird (Ausnahme: auf der Karte ist vermerkt, daß Bedienungsgeld und Mehrwertsteuer bereits im Endpreis inbegriffen sind). Bei Pauschalreisen ist dieser Aufschlag meistens im Pauschalpreis enthalten.

Trinkgelder gibt man freiwillig – oder jedenfalls unter dem sanften Druck der ortsüblichen Gepflogenheiten. Wir Mitteleuropäer, durch Tariflöhne und soziale Sicherheit verwöhnt, empfinden die aufgehaltene Hand schnell als aufdringliche Belästigung. Ohne uns dabei klarzumachen, daß für viele Menschen, besonders in den unterentwickelten Ländern, dieses fälschlich so genannte »Trink-Geld« in Wahrheit einen wesentlichen Beitrag zum Lebensunterhalt darstellt, Geld für Essen und Wohnen, für sich selbst und für die Familie.

Trinkgeld muß dort das minimale Einkommen aufbessern, Trinkgelder müssen die Monate überbrücken helfen, in denen Touristen ausbleiben. Betrachten wir also unser Kleingeld nicht als Almosen. Es ist schließlich ein offenes Geheimnis, daß die Bedienungsgelder, die wir schon im Pauschalpreis mitbezahlen, keineswegs immer und in voller Höhe in die Taschen fließen, für die sie eigentlich bestimmt sind.

Das Mißverständnis um das Trinkgeld beginnt aber schon jenseits der deutschen Grenzen, nicht erst in exotischen Regionen. Schweizer Tankwarte haben einen sehr viel niedrigeren Grundlohn als ihre deutschen Kollegen. Wenn die Flut der deutschen Touristen über Schweizer Straßen braust, haben sie zwar viel zu tun, verdienen aber nicht sonderlich viel, weil Autofahrer bei Tankwarten schon mit dem Trinkgeld knausern. Da geht es schon los: in Deutschland Trinkgeld bei Extraleistungen an der Tankstelle, in der Schweiz Trinkgeld auch beim Abfüllen von Benzin.

Der »Tip« (so die international geläufigste Bezeichnung für Trinkgeld) gehört eben häufig zum Einkommen, und das macht den Umgang mit pourboire, dricks, drickepenge, mit der mancia, propina oder napojnica oft so kompliziert.

Grundregel: »Getippt« wird fast überall. Es kann deshalb nie falsch sein, ein Trinkgeld, das nicht zu bescheiden bemessen

sein darf, zumindest anzubieten. Wenn es zurückgewiesen wird
– die Fälle sind sicher selten –, steckt man es halt wieder ein.

Wer Grenzen überschreitet, sollte Kleingeld in der Tasche
haben. Es ist mißlich, den Kofferträger im Hotel auf die nahe
Zukunft zu vertrösten; viele Touristen haben ein schlechtes
Gedächtnis, wenn es um ihr Geld geht. Wer öfter reist, legt sich
am besten die Kleingeldreste seiner Reisen beiseite, in einem
eigenen Portemonnaie. Ein paar Münzen bleiben ja übrig.

Durch Trinkgeld läßt sich natürlich auch Dank und Zufriedenheit bekunden: über schnelle und gewandte Bedienung, für
speziellen Service, für Freundlichkeit schlechthin, die heute ja
nicht mehr unbedingt selbstverständlich ist. Wenn die Bedienung uninteressiert und schlampig war, sollte man das, zumindest bei uns, ruhig dadurch zum Ausdruck bringen, daß man auf
Heller und Pfennig bezahlt.

Erscheinen im Restaurant 15 Prozent Bedienungsgeld auf
der Rechnung, erübrigt sich ein Trinkgeld; wenn man mit der
Bedienung zufrieden war, kann man die Summe leicht nach
oben aufrunden. Sind es nur 10 Prozent, kann man die Diffe-
renz bis zu 15 Prozent als Trinkgeld drauflegen. Was bei einem
50-Mark-Essen immerhin 2.50 Mark macht.

Im Lokal läßt man die Münzen auf dem Tellerchen oder
einfach auf dem Tisch liegen. Ein Trinkgeld, mit dem man
Freundlichkeit honoriert oder Zufriedenheit ausdrückt, sollte
man nicht dadurch entwerten, daß man es mit der angewiderten
Gebärde des Herrenmenschen oder der Gönnermiene des Erfolgsmenschen übergibt oder zusteckt. Die spontane, liebens-
würdige Geste und eine gewisse Großzügigkeit sind auch für
den Nehmenden erfreulicher als die zeitraubende Suche nach
Kleingeld und mühseliges, stirnrunzelndes Prozentrechnen.
Erfahrene Reisende legen schon am ersten oder doch an einem
der ersten Tage ein gutes Trinkgeld für ihren Ober auf den
Tisch. Am Strand sichert es, rechtzeitig an den Mann gebracht,
Sonnenschirm und Liegestuhl.

Die Trinkgeld-Frage, die am häufigsten gestellt wird, heißt:
Was mache ich, wenn ich eine Zeitlang in einem Hotel gewohnt
habe? Wer bekommt was extra? Die Antwort: Das richtet sich
vor allem nach Ihrem Geldbeutel. Auf jeden Fall sollten Sie
dem Zimmermädchen ein paar Mark in die Hand drücken. Das

ist sinnvoller, als in der Bar beim Barkeeper mit üppigem Trinkgeld (»Stimmt so!«) anzugeben. Sie können auch dem Etagenkellner etwas spendieren.

Sie brauchen aber dem Portier, bei dem Sie die Rechnung bezahlen, nichts zu geben, wenn er nichts Besonderes für Sie getan hat. Dann bezahlen Sie nur den Rechnungspreis. War er Ihnen behilflich, hat er Ihnen irgend etwas besorgt, fanden Sie ihn besonders zuvorkommend, wird er sich freuen, wenn Sie ihm zwischen zwei und fünf Mark dalassen. Und auch der Gepäckträger bekommt zum Schluß nochmals eine Mark auf die Hand. Mit einem »Dankeschön«.

Tips für »Tips«

Überall, wo es Tourismus in ausgeprägter Form gibt, wird heute auch Trinkgeld erwartet.

Der Kreis derjenigen, die sich von herbeigereisten Touristen Trinkgeld erhoffen, ist groß; Einheimische geben in ihrem eigenen Land wenig, oft gar nichts.

Zu dem Kreis gehören: Ober, Portiers, Serviererinnen, Zimmermädchen, Gepäckträger (im Hotel), Gepäckträger auf Bahnhöfen und Flugplätzen (zusätzlich zu den nach der Zahl der Gepäckstücke errechneten Gebühren), Stewards (auf Schiffen), Schlafwagenschaffner, Barmixer, Friseure, Taxichauffeure, Tankwarte, Garderobenfrauen, Toilettenfrauen, Schuhputzer, Fremdenführer, Reisebusfahrer, Motorbootfahrer, Platzanweiserinnen [in Belgien, Frankreich, Spanien, Portugal], Parkwächter.

Zu dem Kreis gehören nicht: Stewards und Stewardessen der Fluggesellschaften; Wirte und Wirtinnen in ihren eigenen Lokalen.

Musiker (Geiger, Zitherspieler) bekommen ein Trinkgeld, wenn sie am Tisch spielen oder besondere Wünsche erfüllen. Dieses Trinkgeld, das etwa bei fünf Mark beginnt (in Ungarn etwas niedriger), kann je nach Stimmung erhöht werden.

Trinkgelder müssen im Reiseetat fest eingeplant werden. Besonders bei Schiffsreisen (Faustregel mindestens zehn Mark pro Tag) schlagen sie spürbar zu Buch.

Das Posieren für Farbfotos gilt heute in touristisch erschlossenen Ländern im allgemeinen bereits als Dienstleistung, die der Fotograf zu bezahlen hat.

Die kleinen Münzen jeder Landeswährung (etwa unseren Pfennig, fünf Pfennig oder zehn Pfennig entsprechend) werden bei Dienstleistungen selbst in ärmeren Gegenden fast als Beleidigung empfunden (Bettelei ist etwas anderes).

Wenn bei privaten Einladungen Personal engagiert ist, bekommt es von den Gästen ein Trinkgeld auf den Garderoben- oder auf den Küchentisch (eine oder zwei Mark).
Boten (Blumen, Telegramm) kann der Empfänger ein Trinkgeld geben (50 Pfennig, 1 Mark). Eine Verpflichtung dazu besteht bei uns nicht.

Auch ein großzügig bemessenes Trinkgeld ist kein Ersatz für ein freundliches Lächeln und ein »Dankeschön«.

Türkei
(siehe auch unter: Auslandsreisen)

Die Türkei, nur in einigen Küstenstrichen für unsere Begriffe schon touristisch erschlossen, wird zu neunzig Prozent von Mohammedanern bewohnt (Christen spielen zahlenmäßig kaum eine Rolle). Ihre Moscheen sind allen zugänglich. Man darf sie allerdings nicht mit Straßenschuhen betreten, am Eingang stehen Pantoffeln. Frauen wird ein Kopftuch empfohlen.

Seit Kemal Atatürks Reformen in den 20er und 30er Jahren – Einführung der Einehe, Verbot von Schleier und Fes, Übernahme der Antiquaschrift – hat sich die Türkei in ihrem Lebensstil weitgehend dem westlichen Europa angenähert. Nur die Hektik ist Türken nach wie vor fremd. Auf Pünktlichkeit wird durchaus Wert gelegt, jedenfalls in der städtischen Geschäftswelt. Unpünktlichkeit gilt auch hier als unzivilisiert und unhöflich.

Die Regeln des Straßenverkehrs entsprechen etwa den europäischen. Im großstädtischen Gewimmel der Fahrräder, Autos, Lastwagen und Omnibusse ist allerdings Umsicht angebracht. Selbst in kleineren Städten findet man schon das Sammeltaxi, »dolmus«, was wörtlich »gefüllt« heißt. Jeder Fahrgast zahlt für seinen Platz einen Preis, der oft nur ein wenig über dem Bustarif liegt.

Ansonsten ist Handeln beim Einkauf – besonders im großen Basar von Instabul – ein beliebter Zeitvertreib, der in den Läden, in denen die Waren ausgezeichnet sind, natürlich entfällt. An Ständen und in Geschäften wird dem Kunden ein Getränk angeboten, es verpflichtet nicht zum Kauf. Alkoholische Getränke gibt es in manchen Restaurants, aber nicht in Cafés.

In den Kaffeehäusern, bevorzugter Aufenthaltsort der Türken, sind Frauen, auch europäische, nicht gern gesehen: eine Männerwelt ohne Alkohol. Kaffee, dicker süßer türkischer Kaffee, spielt eine bedeutende Rolle im Leben. Eine Tasse Kaffee, sagt ein Sprichwort, verpflichtet jeden zu vierzig Jahren Erkenntlichkeit. Bekömmlicher ist der köstliche Tee.

Türken gelten auf der ganzen Welt als überaus gastfreundlich. Einer Einladung sollte man unbedingt Folge leisten – ohne beim Essen mitteleuropäische Maßstäbe anzulegen. Charakteristikum der Küche: der ausgiebige Gebrauch von Hammelfleisch (der Islam verbietet Schweinefleisch).

In Nachtclubs darf man nur Damen zum Tanz auffordern, denen man vorgestellt ist. In Provinzstädten und Gemeinden – die Kluft zwischen Stadt und Land ist in der Türkei noch immer groß – sollte man sogar die Genehmigung des Ehegatten einholen, bevor man eine Bäuerin in ihrer ländlichen Tracht fotografiert.

Übernachten

(siehe auch unter: Besuch, Gast und Gastgeber)

»Wenn ihr das nächste Mal vorbeifahrt, könnt ihr doch bei uns übernachten!« Solche freundschaftlichen Aufforderungen werden heutzutage nicht bloß so, als unverbindliche Floskel, dahergesagt – sie werden auch ernstgenommen, was bei aufblasbaren Luftmatratzen kein Kopfzerbrechen mehr bereitet. Der »geordnete Haushalt«, selbst er, ist heute flexibler als zu Zeiten der Eltern. Ein bißchen Unordnung für einen Tag oder höchstens zwei schreckt niemanden.

Trotzdem bleibt festzuhalten: Der unerwartete und ganz unverhoffte Überfall ist so erfreulich nicht. Mögen die Männer auch hocherfreut an das gemeinsame Bier denken, das nun unweigerlich »gezischt« wird, so ist es doch nicht allen Frauen möglich, innerhalb der nächsten Viertelstunde eine große Abendbrotplatte auf den Tisch zu zaubern und Bettlaken und Handtücher aus dem Schrank zu holen. Manche Frauen, machen wir uns nichts vor, reagieren einfach verärgert und mit schlechter Laune.

Deshalb also: Vorher anrufen! Möglichst zwei oder drei Tage, wenn es nicht anders geht wenigstens zwei oder drei Stunden vorher! Dann läßt sich alles ohne Aufregung und Mißstimmung arrangieren.

Keiner darf aber beleidigt sein, wenn wirklich einmal eine Absage kommt: Was zeichnet schließlich eine Freundschaft aus, wenn nicht dieses, daß man sich offen und ehrlich die Meinung sagen darf?

Abends wird erzählt, wird »gepichelt«. Das kann spät werden, wie die Erfahrung zeigt. Keiner kann es den Gastgebern übelnehmen, wenn sie irgendwann den Wecker stellen und sich ins Bett legen. Kein Gastgeber ist verpflichtet, sich dem Standvermögen des Übernachtungsgastes gewachsen zu zeigen. Ihm, oder ihnen, steht weiterhin der Eisschrank zur Verfügung . . .

Meistens sind allerdings auch die Gäste von der Fahrt müde. Dann ist es am vernünftigsten, ein gemeinsames und ausgiebiges Frühstück festzusetzen. Oder man läßt die Gäste morgens schlafen – und macht sich still davon.

Der eine, der Gast, ist im Urlaub oder auf Reisen, er kann über seine Zeit ziemlich frei verfügen. Der Gastgeber dagegen hat seinen Beruf und damit auch seinen programmierten Tagesablauf. Gäste (mehr als zwei sollten es nicht sein, sonst wird es eng) sollten von vornherein sagen, was sie an Ort und Stelle vorhaben: Wie der nächste Tag etwa aussieht, was sie sich vorgenommen haben, wo sie essen werden, allein in der Stadt oder lieber mit den Gastgebern.

Sie müssen immer daran denken, daß bei den Gastgebern der Alltag mit seinen Verpflichtungen weitergeht – und darauf Rücksicht nehmen.

Kleine Gastgeschenke

Die Einladung bei Freunden spart die Hotelkosten, und darum geht es ja, von der Freude des Wiedersehens abgesehen. Trotzdem sollten die Gäste nicht mit leeren Händen aufkreuzen. Die halben Hähnchen für das Abendbrot, die Flasche Whisky, der letzte Hit auf der Platte oder eine originelle Kleinigkeit aus einer Boutique der Heimatstadt sind angemessen.

Aufwendiger, für manchen Gast vielleicht zu kostspielig, ist die Einladung zu einem gemeinsamen Essen – es sei denn, eine gute Pizzeria liegt am Spazierweg. Daß die Gäste den Gastgebern beim Aufräumen und Abwaschen helfen, klingt eigentlich schon wieder nach Selbstverständlichkeit.

»Pfennigbeträge unter Freunden gleichen sich aus«, lautet eine alte Regel der Gastfreundschaft. Für die Praxis der Übernachtung heißt das, daß Orts-Telefongespräche von der Wohnung aus umsonst sind (fragen wird man vorher schon). Bei Ferngesprächen sollte man sich wenigstens kurz fassen und notfalls das Portemonnaie zücken – oder, wenn das peinlich scheint, den geschätzten Betrag in einem Geschenk anlegen.

Das »Danke« allein bei der Abfahrt klingt eigentlich ein bißchen dünn. Ihm sollte ein herzliches »Dankeschön« aus dem Urlaubsort oder von der nächsten Reisestation folgen. Am glaubhaftesten können Sie Ihren Dank abstatten, wenn Sie bei einer Gegeneinladung als Gastgeber Ihrerseits die Gäste richtig verwöhnen.

Umweltschutz

Die Gedankenlosigkeit, mit der Fußgänger an Ampeln und Zebrastreifen über die Straße trotten, ohne sich an die Regeln des Rechts-Gehens zu halten, mit der sie sich auf Rolltreppen links statt rechts aufstellen – diese Gedankenlosigkeit erinnert an die Gleichgültigkeit, mit der Zigarettenpackungen, Papierteller, Zeitungen, Bonbonpapier, Fahrscheine auf der Straße oder, schlimmer noch, in der Natur weggeworfen werden. Selbst Wanderer, vermeintliche Naturfreunde, lassen unverständlicherweise Ballast gern am Wegrand zurück.

»Sei kein Dreckspatz!« hieß dann auch eine Aktion, die den Bürger daran erinnerte, daß es auf unseren Straßen und in den Fußgängerzonen, in Wäldern und an Flußufern nicht anders aussehen sollte als zu Hause in der »guten Stube«.

Überall stoßen wir ja auf diesen seltsamen Widerspruch: Das private Wohl und Wehe geht über alles, die Gemeinschaft interessiert nicht. Lebensregeln, die früher einmal gestickt in der Küche hingen (»Klein aber mein«, »Jeder ist sich selbst der Nächste«), wirken noch Generationen später nach. Wagenwaschen am Flußufer? Natürlich, das Auto ist ja des Wohlstandsbürgers liebstes Kind. Verschmutzung der Flüsse? Was gehen mich denn Flüsse an ... Schlimm genug, daß man dieser weitverbreiteten Einstellung nur mit empfindlichen Strafen, mit einem präzisen Bußgeldkatalog beikommen kann.

Wer Umweltschutz sagt, muß auch diese Vorstellung von Individualismus, die jeden Gemeinsinn verdrängt hat, überwinden. Wer für die Erhaltung und den Schutz der Natur kämpft, muß gegen Egoismus und Bequemlichkeit angehen: muß die Abfälle beim Grillen draußen am Waldesrand in eine Tüte packen oder vergraben; darf den Wagen nicht am Seeufer waschen; wird die Ölheizung richtig einstellen, den Motor bei längerem Halt abstellen und den Rasenmäher im Schuppen lassen, wenn andere Menschen ihr Mittagsruhe halten wollen. Wir müssen bei allem, was wir tun, wieder lernen, auch an die Mitmenschen zu denken. Und uns immer dessen bewußt sein, daß sauberes Wasser, gesunde Luft und gesunder Boden längst zu »knappen Gütern« geworden sind, mit denen wir sorgsam umgehen müssen.

Umzug

Jeder dritte Bundesdeutsche wechselte einmal innerhalb von fünf Jahren den Wohnort, das ergab eine Erhebung Anfang der 70er Jahre. Wir sind eine mobile Gesellschaft geworden, Umgebung wird heute wie Kleidung gewechselt – zumindest von jüngeren Menschen.

An Umzugstagen (oder schon am Abend zuvor) dürfen sich die Freunde des Hauses zu freiwilliger und auch bereitwillig angebotener Hilfeleistung aufgerufen fühlen. Durch die Benutzung des eigenen Wagens beim Transport läßt sich manche Mark sparen – Umzüge kosten ja Geld. Jeder hilft jedem, darin liegt der Ausgleich; abgerechnet wird nicht.

Der traditionelle Bierkonsum der Möbelträger schwand mit den schwergewichtigen Männern selbst. Immerhin ist es auch heute noch selbstverständlich, die »Transportierenden« nach ihren Wünschen (Bier oder andere Getränke, Frühstück usw.) zu fragen. Über Trinkgeld wird normalerweise ziemlich unverblümt gesprochen. Ein paar Mark pro Mann werden von Profis erwartet.

Ein Umzug wird (wie die Änderung der Telefonnummer) durch vorgedruckte oder selbstgemachte Karten angekündigt. Dann zeigt sich, wie gut es ist, wenn man sein Adressenbüchlein selbst auf dem laufenden hält. Mit einem Blumenstrauß und ein paar heiteren Worten zu antworten, ist eine freundliche Geste zumindest des engeren Bekanntenkreises.

Wann mit den freiwilligen Helfern und anderen Freunden die Wohnung eingeweiht wird, ob noch auf Kisten sitzend und improvisiert (was sehr komisch sein kann) oder in der fertig eingerichteten Wohnung, bleibt jedem überlassen und ist wohl auch eine Frage der Kräfte und der Konstitution.

Sich den anderen Nachbarn während des Umzuges, am besten schon vorher, zumindest an der Tür vorzustellen (»Ich heiße . . . Ich bin Ihr neuer Nachbar . . .«) gebietet allein schon die Klugheit. Schließlich müssen gerade in Umzugszeiten Lieferungen entgegengenommen werden. Dann ist es gut, wenn man sich bereits kennt (und ausdrücklich um Entgegennahme gebeten hat).

Untermieter

Richtig glücklich ist keiner dabei: Der Untermieter fühlt sich eingeengt und ausgenommen, der Vermieter bangt um den Zustand von Zimmer und Möbeln. An Konfliktstoff mangelt es selten. Wenn die Wohnungsehe Vermieter–Untermieter trotzdem einigermaßen funktionieren soll, fordert das von beiden Partnern viel, sehr viel Rücksicht und Verständnis.

Wichtig ist, daß sich beide Teile schon vor Abschluß des Mietvertrages so detailliert wie möglich über Bedingungen, Rechte und Pflichten einig werden; oft zeigt sich schon bei diesem Gespräch die Unvereinbarkeit der Meinungen und Charaktere. Dann ist es noch nicht zu spät, sich wieder zu trennen.

Die Kündigungsfrist, die Gebühren für Strom, Heizung und Gas, die Koch- und Waschzeiten müssen festgelegt, Besuchsmöglichkeiten vereinbart werden. Der zukünftige Untermieter tut auch gut daran, sich vom Zustand des Zimmers und der Möbel zu überzeugen und Schäden zu reklamieren.

Reibereien bleiben nie ganz aus. Ältere Menschen, wie es Vermieter oft sind, haben ihre Eigenheiten, was Neugier, Herrschsucht oder Pingeligkeit betrifft. Jungen Untermietern fehlt es manchmal nur an Diplomatie – ein kleines Geschenk, ein nettes Wort zur rechten Zeit kann Wunder wirken. Mit Lärm sollte man sich, soweit es geht, gegenseitig verschonen. Ein kleines Fest unter Freunden muß jungen Menschen aber erlaubt sein.

Krach gibt es, wechselweise, wegen Damen- oder Herrenbesuch. Die Vorstellung bejahrter Vermieter, daß sie das Sexualleben ihrer Untermieter – mir nichts, dir nichts – reglementieren könnten, wird von den Gerichten längst nicht mehr nachempfunden. »Das Grundgesetz sichert jedem Menschen die freie Gestaltung seines Intimlebens zu. Diese Regel gilt auch für unverheiratete Mieter«, heißt es in einem Urteil, bei dem es um eine Untermieterin ging.

Damen- oder Herrenbesuch reicht nicht zur Kündigung, solange er nicht zur »Belästigung« des Vermieters ausartet. Dann muß es allerdings schon happig kommen. Anstößigkeit sieht das Gericht nämlich erst dann als gegeben an, wenn das Intimleben beobachtet oder mitgehört werden kann.

USA

(siehe auch unter: Auslandsreisen)

»Amerika, du hast es besser«, das wußte schon Goethe, der bloß in Gedanken drüben weilte. Alles ist in diesem Riesenland der Superlative, in diesem Coke- und Kaugummi-Kontinent, darauf eingestellt, das Reisen bequemer und leichter zu machen: Der Tourist soll auch unterwegs seinen gewohnten Komfort nicht vermissen. Bad oder zumindest Dusche, auch Fernseher sind selbstverständlich. Der Service ist, gemessen an europäischen Vorstellungen, schon ein bißchen unpersönlich.

Dienstleistungen im Hotel werden nicht durch den Klingelknopf, sondern durch einen Telefonanruf angefordert (Sprachkenntnisse!). Mit den Schuhen, die der Europäer abends vor die Zimmertür stellt, passiert nichts. Schuhputzer gibt es schließlich auf der Straße.

Das Abendessen ist die Hauptmahlzeit in Amerika. In den Restaurants wird Dinner zwischen 18 und 21 Uhr serviert, in teureren Lokalen natürlich auch später. Das Mittagessen, Luncheon, wird ohne große Zeitverschwendung – Zeit ist Geld – irgendwo unterwegs eingenommen, zum Kauen gehört die Zeitungslektüre.

Allzu formelle Manieren mögen die Amerikaner nicht, auch nicht die europäische Titelsucht. Der einzige Doktor, den sie auch in der Anrede akzeptieren, ist der Mediziner. Die übliche Begrüßung heißt »How are you?« Und die Antwort darauf lautet, sehr optimistisch-amerikanisch: »Wonderful!« oder zumindest doch »Fine!«

Amerikaner sind im allgemeinen gastfreundlich, reden gern mit ihrem zufälligen Gegenüber, laden ihn auch schnell zu sich ein – den »überraschenden Besuch«, Schreckgespenst deutscher Hausfrauen, gibt es nicht, der Eisschrank ist ja gefüllt. In diesen Situationen sind Amerikaner beneidenswert unkompliziert. Dafür schenkt man sich lieber das Händeschütteln, vom Handkuß ganz zu schweigen.

Unkompliziert wie die Amerikaner selbst ist auch die Regelung des Trinkgeldproblems. »Tips« werden sofort gegeben – wenn der »Bellman« den Koffer auf das Zimmer getragen hat, wenn der Hotelportier ein Taxi herbeipfeift. In den Restaurants und Nightclubs ist ein »Tip« von 15 Prozent der Rechnungssumme üblich.

Verabschiedung

Wer gibt bei einer Gesellschaft, in der die Jugend nicht unter sich ist, das Zeichen zum Aufbruch? Es ist üblich, auf ältere und angesehene Gäste des Hauses zu achten. Wenn sie gehen oder gegangen sind, löst sich die Gesellschaft nach und nach auf. Langsam – damit der Gastgeber bis zum Schluß seinen Pflichten nachkommen kann.

Die Gäste verabschieden sich zuerst von den Gastgebern. Ein Wort des Dankes ist dabei immer angebracht – gegenseitig übrigens, für den Abend, für das Kommen. Im allgemeinen wird die Gastgeberin bei den Gästen im Zimmer bleiben.

Im Flur, an der Tür, hilft der Gastgeber den Gästen in die Garderobe und begleitet sie die Stufen hinunter oder wartet, bis sie im Treppenhaus außer Sichtweite sind.

Je gelungener der Abend war, desto größer ist für die Gäste die Versuchung, ihre gehobene Stimmung auch in das Treppenhaus und auf die Straße zu tragen. Das haben die Nachbarn nicht so gern. Ein augenzwinkernder Hinweis ist für solche Fälle durchaus am Platze.

Man kann natürlich vor dem allgemeinen Aufbruch gehen, jeder Gastgeber hat dafür Verständnis. Man informiert in diesem Fall den Gastgeber bereits beim Eintreffen und entfernt sich dann möglichst unauffällig, damit keine Aufbruchstimmung um sich greift.

Und noch etwas: Gönnen Sie den Gastgebern den großen, befreienden Seufzer, der sich ihnen entringt, wenn alle Gäste gegangen sind – und gehen Sie auch!

Gute Freunde und Bekannte, deren Gläser nicht leer werden wollen, kann man zu später Stunde unter Hinweis auf Tatsachen (Müdigkeit, nächster Arbeitstag) darum bitten zu gehen. Kein Gastgeber sollte die Gastfreundschaft soweit übertreiben, als Pflichtübung bis in die Morgenstunden mit den Gästen herumzusitzen.

Allgemein wird ein nach Mitternacht gereichter Kaffee als Signal zum Aufbruch verstanden (das Mißverständnis liegt bloß darin, daß dem Kaffee Wunderkräfte gegen den Alkohol beigemessen werden, die er nicht hat: Kaffee macht nicht nüchtern, daran sollten Sie immer denken).

Das Gespräch der Gäste untereinander auf das Thema »Wie komme ich nach Hause – Wer nimmt wen mit?« zu bringen, ist nicht die ungeschickteste Art, Gäste an die vorgerückte Stunde zu erinnern – empfehlenswerter jedenfalls als auffälliges Gähnen. Oder man dreht die Musik leiser und stellt den Ausschank von Alkohol ein. Manchmal genügt schon ein richtig kühler Durchzug in der Wohnung: frische Luft tut gut.

Die letzte, verzweifelte Möglichkeit, die verräucherte Wohnung leerzukriegen, ist (in Großstädten) der Vorschlag, gemeinsam in ein Lokal zu gehen – »Tapetenwechsel«. In diesem Fall braucht nur der Mann mitzugehen – die Frau kann zu Hause bleiben.

Verlobung, Verlöbnis

(siehe auch unter: Einladung)

Verlobung kann, Verlobung muß nicht sein. Im Wortgeklingel des Verliebt-Verlobt-Verheiratet gibt das Wörtchen in der Mitte den dünnsten Ton. Denn ein Verlöbnis besagt ja nicht viel – im Gegenteil. § 1297 des Bürgerlichen Gesetzbuches bestimmt ausdrücklich: »Aus einem Verlöbnisse kann nicht auf Eingehung der Ehe geklagt werden.«

Kein Standesbeamter schaut später bei der Heiratszeremonie auf den Ring an der linken Hand. Auch die katholische Kirche, die einst das Verlöbnis und das dadurch geschaffene Rechtsverhältnis, den Brautstand, als »strenge Pflicht« bezeichnete, hält es damit nicht mehr so arg genau.

So besteht der Anreiz zur Verlobung wohl in dem romantischen Symbolgehalt dieser Handlung (und in der Beruhigung der Eltern). So besehen hat sie unter jungen Menschen keineswegs an Attraktivität verloren (was nur die verwundern mag, die vom Äußerlichen vorschnell auf das Innere schließen). Niemand ist aber verpflichtet, diesen schönen Akt privater Übereinkunft öffentlich anzuzeigen oder lautstark zu feiern.

Die einzigen, die wirklich erwarten dürfen, spätestens zu diesem Zeitpunkt in die Heiratspläne eingeweiht zu werden, sind – intaktes Verhältnis zwischen den Generationen vorausgesetzt! – die beiden Eltern des zukünftigen Paares. Am besten findet solch ein Gespräch (»Wir wollen uns verloben . . .«) schon vorher statt: in bezug auf familiäre Überraschungen sind Eltern selten dankbare Partner. Verbieten können sie ihren volljährigen Kindern die Verlobung und Hochzeit nicht; bei Nichtvolljährigen (unter 18) müssen sie allerdings ihre Einwilligung geben.

Der nächste Schritt: die Eltern von Braut und Bräutigam sollen sich kennenlernen. Spätester Zeitpunkt ist die Verlobungsfeier selbst. Eine Regel, auf deren Einhaltung zumeist die Älteren, also die Eltern, bestehen, besagt, daß zuerst die Eltern der Braut die des Bräutigams einladen – natürlich zusammen mit den Kindern.

Das muß heute nicht mehr in aller Förmlichkeit geschehen. Man schreibt oder telefoniert: »Haben Sie Lust, nächste Woche zu uns zu kommen?« Eine später folgende Gegeneinladung ist dann eigentlich selbstverständlich. Wann Eltern und Kinder sich gegenseitig duzen, bleibt eine Frage der Atmosphäre und der Sympathie.

Verlobungsanzeigen

Eine Verlobungsanzeige ist auf jeden Fall dann, wenn die Hochzeit schon in absehbarer Zeit folgen soll, hinausgeworfenes Geld. Wer aber glaubt, um eine Anzeige nicht umhinzukommen, versendet gedruckte Karten an Freunde, Bekannte und Arbeitskollegen (den Vorgesetzten eingeschlossen).

Im allgemeinen ist es heute üblich, daß ein junges Paar seine Verlobung selbst anzeigt. Die andere Möglichkeit: Brauteltern und Bräutigam verschicken gemeinsam eine Karte. Konservativer und aufwendiger zugleich ist es, wenn Brauteltern und Brautpaar die Verlobung getrennt anzeigen.

In jeder Stadt gibt es kleine und mittlere Druckereien, die auf die Herstellung solcher und ähnlicher Drucksachen spezialisiert sind. Sie haben Muster vorrätig und wissen selbstverständlich, was zu beachten ist: daß, beispielsweise, der Name des Mädchens immer an erster Stelle steht; daß links unten die Adresse der Braut, rechts unten die des Bräutigams genannt wird; daß in die Mitte das Datum der Verlobung gehört (wenn es genannt sein soll, was nicht unbedingt sein muß!).

Wer sich an diese Muster hält, kann keine Fehler machen. Bei ausgeprägtem Sinn für Individualität kann man sich, je nach Temperament und Geschmack, davon auch freimachen (»Wir sind nicht die ersten, aber wir tun's trotzdem!«). Wie bei allen Anzeigen muß man überlegen, wer sie bekommt. Originalitätssucht erregt oft Kopfschütteln.

Jeder, der eine Karte mit der Mitteilung von einer Verlobung erhält, sollte sie nicht nur zur Kenntnis nehmen, sondern auch gratulieren – schriftlich, am besten mit Blumen, zu dem angegebenen Tag. Man gratuliert beiden Verlobten, doch werden die Glückwünsche an den gerichtet, den man von beiden am besten kennt. In vielen Gegenden Deutschlands ist es auch in bürgerlichen Kreisen Brauch, eine Verlobung in Zeitungen zu annoncieren. Niemand ist freilich gezwungen, von einer solchen Anzeige offiziell Kenntnis zu nehmen.

Wer seine Verlobung an die große Glocke hängt, wird sie auch entsprechend feiern wollen. Die Feier findet nach herkömmlicher Auffassung in der Wohnung der Brauteltern statt; allerdings ist man heute darin großzügiger und wählt die Räume, die sich am besten dafür eignen. Ein handschriftlicher Zusatz zum Datum (»Ihr kommt doch?...«) unterrichtet diejenigen, die das Brautpaar an diesem Tag um sich sehen möchte.

Die Verlobten, nun ein Paar, sitzen, wenn es eine Tafel gibt, nebeneinander, und zwar in der Mitte einer Tischseite. Rechts von der Braut die Eltern des Bräutigams, links vom Bräutigam die Eltern der Braut. Die Verlobung kann auch während der Feier (vom Brautvater) in einer Rede bekanntgegeben werden.

Manchmal wird dem offiziellen Empfang – Kleidung: dunkler Anzug, Cocktailkleid, bei einer Abendgesellschaft auch Smoking und kleines Abendkleid – einige Tage später eine Party angehängt, bei der die Jugend unter sich ist. Bei der Gelegenheit kann man sich dann natürlich so phantasievoll kleiden wie man es für angebracht hält.

Symbolträchtigstes Requisit und wichtigstes Geschenk des Bräutigams am Verlobungstag sind – übrigens seit Jahrhunderten schon – die Ringe, die später auch die Verheirateten tragen werden. Material und Form der Ringe sind der Mode unterworfen und verändern sich entsprechend. Neueste Errungenschaft – mit Diamanten: das Triset.

Es ist üblich, daß der Bräutigam die Verlobungsringe kauft – aber es muß nicht sein; Kostenaufteilungen unter beiden Partnern sind heute Sache der offenen Aussprache. Monogramme und Verlobungsdatum eingravieren zu lassen, so daß jeder Partner das Monogramm oder den Vornamen des anderen im Ring trägt, gilt keineswegs als altmodisch. Manche Juweliere bieten beim Kauf der Ringe das Gravieren als Service, und das heißt umsonst, an. Teuer ist es jedenfalls nicht. Bis zur

Hochzeit werden die Ringe links (Zeichen der Verlobung), nach der Hochzeit rechts getragen.

Geladene Gäste bringen zur Verlobungsfeier zumindest Blumen mit. Angesichts des zu gründenden Hausstandes kann es nichts schaden, sich nach dem Bedarf des Paares zu erkundigen. Da für überflüssigen Kram (allenfalls für den eigener Wahl) in den modernen, eng bemessenen Wohnungen kaum noch Platz ist, sollte man ein klärendes Wort der Verständigung unter Freunden und mit dem Paar nicht scheuen, bevor man ein Geschenk kauft.

Manche Paare merken schon während der Verlobungszeit, daß sie nicht zueinander passen. Die Auflösung der Verlobung, möglichst in stillem Einvernehmen und ohne miesen Klatsch, ist dann immer noch die ehrlichste Lösung.

Ob man die Brautgeschenke zurückfordert, wie es rechtlich unter bestimmten Voraussetzungen durchaus möglich ist, dürfte allerdings eine Frage des Taktgefühls sein. Unsere Meinung: man läßt es.

Vorstellen am Arbeitsplatz

Der Vorstellung geht eine Einladung voraus, eine briefliche oder telefonische; bei der Gelegenheit sollte man sich gleich noch mal vergewissern, welche Unterlagen mitzubringen sind.

Wer sich nach einer Einladung bei einer Firma vorstellt, darf davon ausgehen, daß er in die engere Wahl gekommen ist (vorausgesetzt, der Arbeitsmarkt läßt überhaupt eine Auswahl zu). Diese Gewißheit kann die Nervosität dämpfen, kann sie aber auch steigern. Die Vorstellung kann schließlich über die Zukunft entscheiden.

Der rechte Augenblick zur Selbstprüfung: Was kann ich, was weiß ich, was könnte ich leisten? Zu dieser Nabelschau gehört auch die Vorbereitung auf das Gespräch. Auf Fragen, die mit Sicherheit kommen werden, weil sie mit dem Lebenslauf, mit der Stellung zusammenhängen. Notieren Sie sich ruhig vorher die Antworten, die Sie geben wollen.

Pünktlichkeit, man muß es nicht betonen, ist eine Selbstverständlichkeit bei der Vorstellung. Was auch bedeutet, daß man sich informiert, wie man zur festgesetzten Zeit (genauer, ein paar Minuten vorher) die angegebene Adresse erreicht.

Wenn Sie verhindert sind – nur glaubhafte Gründe zählen! –, müssen Sie sich telefonisch entschuldigen und einen neuen Termin ausmachen.

Niemand geht heiter, natürlich und abgeklärt in das Rennen um eine gute Position. Ein bißchen Beklemmung, ein Schuß Verstellung ist wohl immer dabei. Das weiß auch Ihr Gesprächspartner, keine Angst. Versuchen Sie ihm, trotz Lampenfieber, einen Eindruck zu vermitteln, wie Sie wirklich sind. Nicht wesentlich aufgeschlossener, aber auch nicht wesentlich verschlossener. Ein Hauch von Frische und Natürlichkeit, ohne Tricks und ohne Pose, hat Aussicht honoriert zu werden.

Seien Sie sich bewußt, daß alles, Aufzug und Auftreten, Gang, Redeweise und Reaktionsschnelligkeit kritisch begutachtet wird. Mobilisieren Sie Ihr Selbstvertrauen! Auch Ehrlichkeit ist eine gute Waffe – nobody is perfect –, warum soll man seine Schwächen nicht zugeben? Mangelnde Erfahrung läßt sich nachholen. Erwartet wird natürlich auch, daß sich der Bewerber realistische Gedanken über sein Gehalt gemacht hat.

Denkbar, daß Sie aus den Andeutungen Ihres Gegenübers schon bald entnehmen können, daß die Arbeit oder die Bezahlung nicht Ihren Vorstellungen entspricht. Sagen Sie es ruhig rundheraus, das erspart Ihnen und Ihrem Gesprächspartner Zeit. Normalerweise wird allerdings der Chef oder der Personalchef das Gespräch beenden. »Sie hören von uns«, ist eine gebräuchliche Schlußformel. Denn meistens gibt es ja mehrere Anwärter . . .

Tips für die Vorstellung

Der Jüngere wartet, bis ihm der Ältere die Hand gibt.

Titel in der Anrede werden kaum noch gebraucht. Eine Firma, in der noch »Herr Direktor« gesagt wird, dürfte als konservativ einzustufen sein

Überlegen Sie Ihre Antworten! Nichts Unbedachtes »wie aus der Pistole geschossen« hervorsprudeln

Bei einem ersten Gespräch sollte man mit Kritik (zum Beispiel am letzten Chef oder Arbeitsplatz) zurückhaltend sein

Man raucht, wenn man eine Zigarette angeboten bekommt. Sonst läßt man es

Bei der Verabschiedung nichts auf dem Schreibtisch liegenlassen.

Vortritt lassen

Die ebenso artige wie selbstverständliche Geste von Männern gegenüber Frauen und ganz allgemein gegenüber Älteren, Vorgesetzten, Gästen und Besuchern (zu oft begleitet von dem schon gar nicht mehr komischen Gemeinplatz »Ich bin hier zu Hause ...«) erweist sich in der Praxis als eine Situation, in der ein Übermaß von Höflichkeit die Lage kompliziert.

Komisch wird es nämlich bei etwa Gleichaltrigen, die sich mit wiederholten, auffordernden Handbewegungen gegenseitig dazu animieren wollen, den ersten Schritt zu tun. Wenn also der Partner in diesem putzigen Spiel Anstalten macht, hinter Ihnen zu gehen, bleiben Sie um Himmels willen nicht stehen, sondern schreiten Sie mit einem freundlichen »Danke« voran.

Schlimmstenfalls gehen nämlich beide, nach mehrmaliger Aufforderung, gleichzeitig los. Das Ergebnis solcher Zusammenstöße muß nicht immer so böse aussehen wie vor einiger Zeit in München, wo ein Krankenhaus »zwei Fälle schwerer Schnittverletzungen, Verdacht auf Gehirnerschütterung« als Eingang notierte. Höflichkeit kann auch hinderlich sein.

Einen besetzten Fahrstuhl sollte man deshalb, ebenso wie öffentliche Verkehrsmittel, in der Reihenfolge verlassen, die sich ohne galante Rücksichtnahme ergibt, zügig, einer hinter dem anderen.

Ausnahmen von der Regel, daß Männer Frauen den Vortritt lassen: Restaurant, Kino, Theater. Hier geht der Mann voran. Warum? Aus gutem Grund: Weil er, Mann der Tat, Pfadfinder und Beschützer in einem, nach einem freien Tisch ausschaut, weil er den Platz aussucht. Jeder weiß, daß es nicht besonders angenehm ist, wenn sich in einem vollbesetzten Raum alle Augen auf den Eintretenden richten.

Häufiger Anlaß zur Diskussion: Wie ist es mit dem Vortritt auf der Treppe? Hinunter geht auf jeden Fall der Mann voran, um im Fall des Falles beispringen zu können. Die alte, arg strapazierte Regel, daß beim Hinaufgehen der Mann die Führung übernimmt, stammt noch aus der Zeit als a) die Treppen schmaler waren und b) der Anblick des Fußknöchels schon als sündig galt. Heute sind die Treppen breiter und Frauenbeine ein alltäglicher Anblick. Mithin darf der Mann auch hinter der Frau gehen.

Wartezimmer

In ein Wartezimmer (beim Arzt, Rechtsanwalt, Behörde) setzt sich keiner zum Vergnügen und niemand ohne Not. Die dort hingehen, sind krank oder geschwächt, bedrückt oder verärgert, fühlen sich im Unrecht oder haben Sorgen. Nervös sind sie wohl alle.

Deshalb heißt es im Wartezimmer: Leiser werden! An sich halten! Rücksicht nehmen! Niemand erwartet ausgerechnet hier gehobene Stimmung.

Das heißt auch: nicht die eigene Leidensgeschichte erzählen – die anderen haben selbst ihre Gebrechen und Probleme – und medizinische Befunde oder Eingriffe nicht vor anderen detailliert erörtern. Freimut und Offenheit in allen Ehren: aber nicht so, daß andere, empfindlichere Menschen dadurch belästigt werden.

Das heißt auch: Unbedingt auf die Zigarette verzichten oder notfalls, wenn es gar nicht anders geht, auf den Flur ausweichen. Man kann übrigens auch mit den ausgelegten Zeitschriften pfleglicher umgehen als es oft geschieht; andere wollen auch noch lesen.

Und das heißt schließlich: helfen und zugreifen. Niemand vergibt sich etwas dabei, wenn er Älteren, Behinderten, Kranken, Gebrechlichen in den Mantel hilft. Sie tun sich manchmal schwer damit.

Wein

Vom Jahrgang *1971* an mußten deutsche Weintrinker umlernen. Das Etikett auf der Flasche, bis dahin gern die Visitenkarte des Weines genannt und oft auch mit dem Geburtsschein verglichen, sah auf einmal anders aus. Das deutsche Weingesetz war schon vorher eines der strengsten der Welt. Nun, mit dem Jahrgang 1971, war es noch strenger geworden. Das Etikett hat jetzt den Wert eines Zeugnisses, einer Qualitätsurkunde.

Seit der Änderung des Weingesetzes ist es für Sie noch leichter, sich bei deutschen Weinen einen verläßlichen Überblick zu verschaffen. Die Weine sind jetzt in drei gesetzliche Güteklassen eingeteilt. Mit dem erfreulichen Ergebnis, daß man die Qualität schon auf dem Etikett ablesen kann.

Die Güteklassen heißen laut Gesetz: Deutscher Tafelwein; Qualitätswein; Qualitätswein mit Prädikat. Darin liegt eine Steigerung. Die Anforderungen und Kontrollen werden strenger, je höher der Wein eingestuft wird. Das macht die Auswahl einfacher. Selbst ein Nichtweinkenner kann jetzt mit einem Blick feststellen, welche Weinqualität er vor sich hat. Er muß nur wissen:

Deutsche Tafelweine sind die leichten, frischen Schoppenweine von Rhein und Mosel, Main, Neckar und Oberrhein.

Qualitätsweine sind gehaltvolle Weine für den täglichen Genuß aus einem dieser elf Anbaugebiete: Baden, Württemberg, Rheinpfalz, Rheinhessen, Hessische Bergstraße, Franken, Rheingau, Nahe, Mosel-Saar-Ruwer, Mittelrhein, Ahr. An ihre Güte werden schon höhere Anforderungen gestellt als an die leichten Schoppenweine. Sie müssen typisch für eines dieser Gebiete, klar und sauber sein – was eine amtliche Prüfungsnummer auf dem Etikett garantiert.

Qualitätsweine mit Prädikat sind die deutschen Spitzenweine. Nach dem Gesetz sind nur noch fünf Prädikate erlaubt – und auch darin liegt wieder eine Steigerung: Kabinett, Spätlese, Auslese, Beerenauslese, Trockenbeerenauslese. Die Herkunft dieser Weine ist auf einen Bereich (mehrere Weinbaugemeinden) beschränkt.

Und wie steht es mit dem Weinsiegel, an dem sich der deutsche Weintrinker bis zur Einführung der gesetzlichen Güteklassen doch vornehmlich orientiert hatte? Nach dem Willen des Gesetzgebers sind beide Prüfungen jetzt miteinander verzahnt. Weine, so ist es plausibel formuliert worden, die durch die Behörden mit Erfolg geprüft wurden, haben das »Klassenziel« erreicht. Mit dem Weinsiegel wird ihnen noch zusätzlich bescheinigt, daß sie es mit einer besonders guten Note erreicht haben.

Mögen deutsche Weine nach ihrer Qualität optisch gut zu unterscheiden sein: Europa ist groß, auch andere Länder produzieren Wein, viel Wein, ohne daß freilich die Gesetzgeber so strenge Anforderungen an Winzer und Genossenschaften stellten. Der Kenner wird schon wissen, was er nehmen darf – aber der Nichteingeweihte? Er sollte unbedingt eine seriöse Weinhandlung aufsuchen und sich beraten lassen. Auch beim Wein ist noch kein Meister vom Himmel gefallen. Die Angst sich zu blamieren ist völlig unangebracht.

Beim Weinhändler wird der Anfänger erstaunt feststellen,

daß passionierte Weintrinker für ihren täglichen Schoppen relativ preiswerte Provenienzen bevorzugen. Lassen Sie sich auch nicht vom Alter eines Weines blenden! Nicht alle Weine gewinnen durch längere Lagerung. Deshalb ist es so wichtig, Weine zu kosten. Nur so können Sie sich an die Geschmacksrichtung herantasten, die Ihnen am meisten zusagt. Und Sie brauchen sich gar nicht zu genieren, wenn Ihr Favorit aus der unteren Preisklasse kommt.

Der Weinkeller muß nicht groß sein

Schoppenwein, allgemein auch Kneipwein genannt, ist das leichte, gesunde, bekömmliche Alltagsgetränk – ein wohlfeiler Landwein. Er wird selbstverständlich auch Gästen angeboten, in Bechergläsern oder handfesten Pokalen: zum einfachen Essen, in der gemütlichen Runde am Abend. Es ist ein Fehler anzunehmen, daß immer Spitzenweine auf den Tisch kommen müssen! Im Gegenteil: das kann sehr nach Protzerei aussehen.

Der Kneipwein ist die Basis Ihres Weinvorrates. Ob Sie als Kneipwein einen deutschen Tafelwein oder schon die nächste Stufe, einen Qualitätswein, wählen, bleibt eine Frage des Geschmacks und des Geldbeutels. Für einen festlicheren Abend, für einen außergewöhnlichen Anlaß sollte der Weinvorrat (den man ja mit einem Augenzwinkern seinen »Weinkeller« nennen darf) allerdings auch einen anspruchsvolleren Tropfen hergeben: einen älteren, guten Jahrgang oder eine Spätlese (die Sie einige Jahre lagern können).

Frauen bevorzugen oftmals einen Silvaner oder Müller-Thurgau, Männer einen Riesling. Also müssen bei der Auswahl für den »Weinkeller« (das können zwanzig Flaschen sein) auch Rebsorten berücksichtigt werden, ebenso wie Farben: Weiß, Rot, Rosé.

Eine einfache, allerdings recht deutsche Regel sagt ja bekanntlich: Zu dunklem Fleisch (Rindfleisch, Schweinefleisch, Hammelfleisch, Wild gebraten) gehört roter Wein – zum weißen Fleisch (Fisch, Geflügel) weißer Wein. Das ist die Faustregel, die man sich zwar leicht merken kann, an die man sich aber nicht sklavisch klammern muß.

Längst sind nämlich Weinkenner darauf gekommen, daß die Regel besser lauten sollte: Je kräftiger das Fleisch schmeckt, desto kräftiger und würziger sollte auch der Wein sein, der zum Fleisch gereicht wird. Gleichgültig ob weißer oder roter Wein. Wenn also zu Wild (statt des Rotweines) ein kräftiger, trockener Weißwein getrunken wird, ist das mitnichten ein Fehler, der zum Himmel schreit. Eher gewissermaßen schöpferische Freiheit ...

Pflege und Lagerung

Wein will gepflegt sein. Auf jeden Fall muß er kühl lagern. Am besten in einem gelüfteten Keller ohne Heizungsrohre und Heizölgeruch, gegen Hitze wie gegen Frost geschützt, bei einer Temperatur zwischen 10° und 12°, wenigstens aber unter dem Kleiderschrank im Schlafzimmer, wo es kühl ist. Die Flaschen müssen liegen, auch wenn sie angebrochen sind. Der Korken (das ist der Grund) muß ständig angefeuchtet sein, damit er luftdicht schließt. Ein Gestell für die Flaschen läßt sich aus Latten zimmern; man kann auch kleine Drahtgestelle kaufen.

Wein gewinnt durch Lagerung. Allerdings: leichte Schoppenweine sollte man in ein bis zwei Jahren verbrauchen. Deutsche Qualitätsweine können Sie ohne Sorge zwei bis drei Jahre aufheben. Prädikatsweine (Auslese, Beerenauslese) werden mit der Zeit immer besser. Sie können, Zierde eines jeden Weinkellers, zehn Jahre und länger lagern.

Weine brauchen gleichmäßige Temperatur – und Ruhe. Ein guter alter Rotwein oder Portwein sollte besonders vorsichtig behandelt und nicht rasch bewegt oder gar geschüttelt werden, sonst wird das Depot aufgerührt und der Wein trübe.

Rotwein schmeckt am besten bei Zimmertemperatur, also zwischen 16° und 18°. Geben Sie ihm Zeit, sich aufzuwärmen und schockieren Sie den Wein nicht mit warmem Wasser, Wein verträgt keine Wechselbäder! Ein guter Rotwein kann schon Stunden vor dem Servieren – geöffnet – im Zimmer stehen, damit sich das Bukett voll entwickelt.

Weißwein hingegen soll kühl getrunken werden. Kellertemperatur, 10–12°. Leichtere Weine können etwas mehr Kühle vertragen als reife und vollere Tropfen (die schon 14° oder 15° haben dürfen). Eines sollte man weder einem Wein noch einem Sekt antun: wochenlanges Lagern im Kühlschrank. Beide verlieren dabei Aroma und Leben. Spritzige junge Weine werden vor dem Servieren noch ein wenig im Eisschrank nachgekühlt. Auch Roséweine und einfache Landrotweine schmecken gekühlt am besten.

Flaschen und Gläser

Deutsche Weißweine werden grundsätzlich in langhalsige Schlegelflaschen gefüllt: Mosel-Saar-Ruwer in grüne, die übrigen Weine in braune. Dem würzigen Frankenwein bleibt nach altem Brauch die Bocksbeutelflasche vorbehalten. Deutsche Rotweine werden in bauchigen Burgunderflaschen abgefüllt.

Die Flasche wird entkorkt

Weingerechte und das heißt: farblose Weingläser sollen sich nach oben zu verjüngen, damit sie die Duftstoffe halten, die durch leichtes Schwenken des Glases gelockert werden.

Das Entkorken der Flasche geschieht schon in der Küche, behutsam, damit der Flascheninhalt nicht geschüttelt wird. Die Kapsel wird am oberen Wulstrand des Flaschenhalses, der Tropfrinne, abgeschnitten; Wein darf, aus Gründen des Geschmacks, nicht über Stanniol laufen.

Durch die Windungen des Korkenziehers soll man der Länge nach ein Streichholz stecken können: er muß eine »Seelenachse« haben. Diese Korkenzieher haben sich am besten bewährt. Trotzdem bricht der Korken schon einmal ab. Manchmal gelingt es, bei vorsichtigem Nachsetzen, den Korkrest doch noch aus dem Flaschenhals herauszuziehen. Wenn das nicht klappt, muß man den Korken in die Flasche stoßen. Es gibt für solche Fälle Korkangeln mit drei Drähten – auch nicht das Wahre: Wein soll nicht mit Metall in Berührung kommen. Wenn der Wein gleich getrunken wird, ist das Korkstückchen in der Flasche auch kein großes Malheur.

Noch ein Wort zum »Korkschmecker«. Der Korkgeschmack wird auf eine Krankheit des Korks zurückgeführt, die kranke Korkzelle ist aber schwer auszumachen. Im Restaurant wird eine Flasche mit Korkgeschmack ohne weiteres zurückgenommen – kein Grund zu einem Aufstand übrigens, das kann im besten Weinkeller passieren. Zu Hause kann man ja gemeinsam probieren, ob der Wein noch zu trinken ist.

Der Wein kommt auf den Tisch

Die Flasche wird also in der Küche, jedenfalls nicht am Tisch geöffnet (nur einen ganz edlen Tropfen kann man im Originalzustand, zum Beispiel mit Spinnweben, am Tisch vorzeigen). Dann wird die Flaschenöffnung mit einer Serviette ausgewischt. Der Gastgeber kann sich gleich in der Küche vom Zustand des Weins, von Temperatur und Geschmack, überzeugen. Der erste Schluck, den er sich, vor seinen Gästen, ins Glas gießt, dient dann lediglich der Kontrolle, ob auch kein Stück vom Korken in der Flasche zurückgeblieben ist.

Jetzt werden die Gläser gefüllt – im kleinen Kreis erst die der Damen, an einer größeren Tafel reihum. Man hält die Flasche mit der Flaschenöffnung etwa zwei bis drei Fingerbreit über das Glas, das nur zu etwa zwei Dritteln gefüllt wird. Durch eine kleine Drehung der Flasche vermeidet man das Tropfen.

Wenn sich der Gastgeber, nach dem »Probeschluck« in das eigene Glas, als letzter Wein eingeschenkt hat, faßt er das Glas am Stiel und hebt es mit einem »Zum Wohle«; dabei blickt er seine Gäste an. Nach dem ersten Zutrinken kann jeder nach Lust und Laune zum Glase greifen. Freilich: Wein stürzt man nicht hinunter, ein guter Tropfen will genüßlich gewürdigt sein. Über ein anerkennendes Kopfnicken oder ein lobendes Wort wird sich jeder Gastgeber freuen.

Leere Gläser werden von ihm nachgefüllt, (beim »Frühschoppen« im Fernsehen werden auch halbvolle Gläser nachgefüllt). Keiner soll aber gedrängt werden. Wer nicht mehr nachgeschenkt haben möchte, lehnt dankend ab (ohne die Hand über das Glas zu halten!).

Die Reihenfolge der Weine

Wie bei einer Weinprobe gibt es eine Reihenfolge, in der die Weine auf den Tisch kommen – es sei denn, man bleibt bei demselben. Ein schwerer Wein darf nicht vor einem leichten, ein alter Wein nicht vor einem jungen, ein Rotwein möglichst nicht vor einem Weißwein gereicht werden. Ein süßer Wein folgt auf den herben, trockenen, nicht umgekehrt.

Im Restaurant kann man – glasweise – Schoppenwein bestellen. Wird eine Flasche am Tisch serviert, schenkt der Ober dem Mann (oder dem, der einlädt) zuerst einen Probeschluck ein. Hoffen wir, daß er von Weinen etwas versteht. Man mag von Weinen nichts verstehen, an das Zeremoniell muß man sich schon halten: Kosten, »kauen«, schlucken, nicken. Wenn der Wein Ihnen zu kalt erscheint, sagen Sie es ruhig.

Weinprobe

(siehe auch unter: Wein)

Zur Weinprobe wird man entweder eingeladen (wenn Sie, beispielsweise, ein guter Kunde in einer guten Weinhandlung sind). Oder man lädt selbst zu einer, sicher bescheideneren, Probe ein.

Ein Literaturkenner muß viel lesen, das ist klar. Der Weg zur Weinkennerschaft führt über das Probieren. Die feinen Zungen, die einen anonym kredenzten Wein durch Auge, Nase, Zunge und Gaumen auf Traube, Jahrgang und Ort genau bestimmen können, haben natürlich Seltenheitswert. Nur wer sich jahrelang, mitunter ein Leben lang, sehr intensiv mit den edlen Gewächsen beschäftigt, wird mit dem Wein auf Du und Du stehen. Soviel Vertrautheit stellt sich nicht beiläufig ein.

Man muß schon hochempfindliche Geruchs- und Geschmacksnerven haben (manch einer hat sie nicht), man muß das Wein-Vokabular beherrschen, um differenzieren zu können, man muß sich so etwas wie ein Wein-Gedächtnis antrainieren: irgendwo und irgendwie muß man die Erfahrungen mit Weinen speichern. Da wird der Umgang mit Wein eine ganz ernste Sache – so ernst, daß die Herren den schluckweise zu sich genommenen Wein sogar wieder ausspucken (was nur auf den ersten Blick barbarisch erscheint).

Ganz so professionell soll unsere Weinprobe nicht sein. Bei Einladungen in eine Kellerei können schon gut und gern zehn bis zwanzig Weine nacheinander verkostet werden. Wer Freunde zu sich einlädt, wird es bei ein paar Flaschen bewenden lassen, deren Eigenschaften und Vorzüge man gegeneinander abzuschmecken versucht. Zur Neutralisierung der Zunge ißt man zwischendurch Weißbrot oder Brötchen. Rauchen ist bei einer Weinprobe verpönt.

Das Auge prüft Farbe und Klarheit des Weines: man hält das – selbstverständlich farblose – Glas gegen das Licht. Die Nase erschnüffelt die »Blume«: man setzt das Glas in kreisende Bewegung, wodurch sich die Duftstoffe lockern. Die Zunge kostet schließlich Bukett, Aroma und Körper des Weines: er wird in der Mundhöhle »gekaut«, er umspült die Zunge, ehe der Gaumen über den Nachgeschmack des Weines befindet.

Bei ausgedehnten Proben, die sich über Stunden hinziehen, werden die Weine keineswegs in willkürlicher Reihenfolge gereicht. Zuerst kommen die leichten Tisch- und Schoppenweine, dann die fülligeren Qualitäten. Es folgen Spätlesen und Auslesen sowie – Höhepunkt der Probe – die schweren Beeren- und Trockenbeerenauslesen. Spürbares Prinzip: die Steigerung von Wein zu Wein. Die Gläser werden übrigens höchstens halb gefüllt, bei Spitzenweinen nicht einmal das, zwei oder drei Schluck genügen.

»Probieren macht durstig« heißt eine alte Erfahrung. Weinkenner kehren zum leichten Anfangswein zurück. Zu Hause können Sie sich freilich ohne Gewissensbisse das leisten, was Kenner sich unter Kennern, manchmal schweren Herzens, glauben verkneifen zu müssen: ein Bier.

Wer seinen Gästen zu Hause kultivierte Weine vorzusetzen pflegt, kann auch ein Gästebuch darüber führen. Neben die Namen klebt er das Etikett des Weines (oder der Weine) und notiert seine Eigenschaften. Auch ein Weg zur Kennerschaft.

·Die Weinansprache

Mit dem Auge beurteilt man

Die Farbe, beim Weißwein: farblos, blaß, grünlich, licht- oder hellgelb, gelb, goldgelb, bernsteinfarben, braun. Beim Rotwein: hellrot, schillerfarben, rubinrot, feurigrot, tiefrot, gedecktrot, braun

Die Klarheit steigernd mit: ohne Glanz, sauber, hell, blank (klar). Glanz, blitzblank, kristallklar

Den Flüssigkeitsgrad beim Eingießen oder Kreisenlassen des Weines im Glas: dünn, beweglich, normal, schwer, ölig. Bei guten, gehaltvollen Weinen beobachtet man Schlieren oder Fenster (Fensterbögen, sogenannte Kirchenfenster) am Glas

Die Trübungen zunehmend mit: Schimmer (Schleier), blind, trüb

Den Kohlensäuregehalt steigernd mit: ruhig, still, perlend, moussierend, schäumend

Mit der Nase beurteilt man

Ohne Duft, Duft (flüchtig, zartduftig, duftig); Blume (blumig, wenig, fruchtig, würzig); Bukett (Gärbukett, Lager-, Alters- oder Firnebukett; Sortenbukett, zum Beispiel Riesling-, Traminer-, Muskateller-, Burgunderbukett usw.)

Blume oder Bukett können im einzelnen sein: klein, hübsch, nett, schön, fruchtig, lebendig, würzig, pikant, stark, schwer – auch: einseitig, plump, aufdringlich

Mit der Zunge beurteilt man

Charakter oder Art des Weines, zart, fein, gefällig, lieblich, süffig, elegant, mild, glatt, rund, voll, stoffig, herzhaft, kernig, nervig; oder der Wein ist weinig, saftig, markig, würzig, wuchtig, mächtig, groß; auch feurig, rassig, eckig

Zucker, vergoren, (trocken) ohne Restsüße, leichte Restsüße, harmonische Süße, reife, edle Süße (Honigsüße)

Säure, harmonisch, rassig, fest, stahlig, metallisch, spitz, hart, bissig, sauer

Alkohol, leicht, kräftig, stark, warm, feurig

Alter oder Entwicklung des Weines, frisch, jung, entwickelt, reif, fertig, auf der Höhe, abgelagert, edelfirn, alt, müde

Weißwürste

Die südbayerische Kalbfleisch-Spezialität – der vielzitierte »Weißwurstäquator« liegt etwa an der Donau – darf, wie der Volksmund sagt, das »Zwölfuhrläuten nicht hören«: Die Weißwurstzeit währt von Mitternacht bis Mittag. Täglich und das ganze Jahr über.

Zwei Weißwürste sind, darin sollte man sich der bayerischen Sprachregelung anpassen, nicht etwa ein Paar (wie Frankfurter oder Wiener), sondern eben: zwei Weißwürste. Zwischen einem Stück und drei Stück liegt der normale Konsum. Dazu gibt es süßen Senf, Semmeln und die halbe Maß Bier (nicht in allen bayerischen Gaststätten bekommt man ein kleines Bier; dieses wird abschätzig »Preußenmaß« genannt).

Die feinere, sicher auch unzünftigere Art, Weißwürste zu verspeisen, ist die: In die Wurst hineinstechen, um sie festhalten zu können; sie erst der Länge nach aufschneiden und dann in der Mitte quer. Das ergibt vier Viertelstücke, die sich nun mit dem Messer aus dem dünnen Darm herausschälen lassen.

Freilich klingt das für urige Bayern viel zu vornehm. Sie sagen: Weißwürste werden in der Mitte durchgeschnitten, in die Hand genommen und ausgelutscht, sie werden »gezuzelt«. Und selbst bei offiziellen Anlässen gilt das als durchaus normal.

Zuschauer

»Fan« kommt von Fanatiker, vergessen wir das nicht. Und Fanatiker waren zu allen Zeiten zu allem fähig. Ein Fan allein ginge ja noch; doch Fans treten stets in der Mehrzahl, um nicht zu sagen: in Horden auf. Das macht sie zu einer schlimmen Plage für alle anderen, die nicht auf Krawall gestimmt sind.

Kann man fanatisierten Besuchern von Fußball- oder Eishockey-Stadien und von Handball-Hallen Einhalt gebieten, wenn sie Bierbüchsen werfen, Fahnen verbrennen oder vor- und nachher grölend durch die Straßen ziehen? Kaum. Rüde Schlachtenbummler sind eher Sache der Polizei.

In dieser Ausnahmesituation – der Mensch als Massenwesen – werden von einigen wenigen alle Regeln des menschlichen Benehmens laut und aggressiv verletzt. Fairneß? Ein unverständliches Fremdwort. Mit Anstand verlieren? Wo kämen wir denn da hin, wir und der Verein!? Männer, die sich nicht trauen, zu Hause den Mund aufzumachen, wollen sich beim Anblick von Kampf abreagieren und für ihr Eintrittsgeld auch ihre »Gaudi« haben. Geschmackssache . . .

Wie es beim Bridge erheblich gedämpfter zugeht als beim Schafkopf, so gibt es freilich auch Stadien und Hallen, die keineswegs dem vielzitierten Hexenkessel gleichen: Beim Reiten, beim Tennis wird vom Publikum Disziplin und Ruhe erwartet – Zugeständnis der Zuschauer an die Nerven der Aktiven, ob Mensch oder Tier. So geht es auch. Atemlose Stille kann der Spannung, aufgestaute Begeisterung dem Schlußapplaus durchaus zuträglich sein.

Fans, richtige Fans wird diese schöne Erkenntnis nicht ändern. Sie werden sich weiter im Stadion lautstark austoben. Sie werden weiter auf das Fußballfeld stürmen, um einen verschwitzten Hemdenfetzen von ihren Göttern zu ergattern. Und wer will, recht betrachtet, über Fußballfanatiker, die drängelnd Geländer demolieren, den Kopf schütteln, wenn solche Schieberei doch fatal an die »gute Gesellschaft« erinnert, die sich, brillantenbestückt, zum Sturm auf ein kaltes Büffet anschickt?

Gier, Neu-Gier überall. Am schlimmsten bei jenen sensationslüsternen Zuschauern, die in Gerichtssälen haßerfüllt »Rübe ab!« fordern oder bei schweren Unfällen und Katastrophen zu Hunderten die Straßen verstopfen und Rettungsmannschaften den Weg versperren, bloß um einen Blick auf Blut und Horror zu erhaschen. Menschlichkeit, Mitgefühl? Fehlanzeige.

Nervenkitzel geht über alles.

Register

311

Weitere interessante Titel

ht humboldt-taschenbücher

humboldt-taschenbücher (in Klammern die Bandnummer)